D1413200

1974

David Peace

1974

Traduit de l'anglais
par Daniel Lemoine

*Collection dirigée par
François Guérif*

Rivages/noir

Titre original : *Nineteen Seventy Four*

© 1999, David Peace
© 2002, Éditions Payot & Rivages
pour la traduction française
© 2004, Éditions Payot & Rivages
pour l'édition de poche
106, boulevard Saint-Germain – 75006 Paris

ISBN : 2-7436-1247-9
ISSN : 0764-7786

À Izumi

À la mémoire de Michael et d'Eiki

Merci à ma famille et à mes amis,
en Grande-Bretagne et ailleurs

Tout ce qu'il y a de neuf dans ce monde, c'est ce qu'on ne sait pas.

Harry S. Truman

Supplique

Bombes à Noël et Lucky en fuite, Leeds United et les Bay City Rollers, L'Exorciste *et* It Ain't Half Hot Mum.

Yorkshire, Noël 1974.

Je n'oublie pas.

La vérité sous la forme du mensonge, le mensonge sous la forme de la vérité, voilà ce que j'ai écrit.

J'ai baisé des femmes que je n'aimais pas et une que j'aimais, je n'ai pas arrêté de baiser.

J'ai tué un salaud mais j'ai laissé la vie aux autres.

J'ai tué un enfant.

Yorkshire, Noël 1974.

Je n'oublie pas.

PREMIÈRE PARTIE

À nous deux, Yorkshire

1

– C'est toujours pareil : ce con de Lord Lucan et des putains de corbeaux sans ailes, fit Gilman, souriant, comme si c'était le plus beau jour de notre vie.

Vendredi 13 décembre 1974.

Attendant ma première « une ». Enfin le type dont on indique le nom et le titre : Edward Dunford, correspondant pour les affaires criminelles dans le Nord ; deux putains de jours trop tard.

Coup d'œil sur la montre de mon père.

Neuf heures et personne n'a dormi ; directement du Cercle de la presse, puant toujours la bière, dans cet enfer :

Salle de conférences, commissariat de Millgarth, Leeds.

Toute la putain de bande attendait l'attraction principale, stylos en position et magnétophones sur « pause » ; les projecteurs de télévision, chauds, et la fumée des cigarettes, éclairant la pièce sans fenêtre, comme un ring de boxe, à la mairie, un soir de combat ; les gars des journaux se passant les nerfs sur le poste de télé, les parasites des radios, et faisant la sourde oreille :

– Ils ont peau de balle.

– Si c'est George qui est sur l'affaire, je te parie une livre qu'elle est morte.

Khalid Aziz au fond, pas trace de Jack.

Je reçus un coup de coude. C'était à nouveau Gilman, Gilman du *Manchester Evening News*, et d'avant.

– Désolé pour ton vieux, Eddie.

– Ouais, merci, dis-je, pensant : les nouvelles vont foutrement vite.

– C'est quand, l'enterrement ?

Nouveau coup d'œil sur la montre de mon père.

– Dans à peu près deux heures.

– Merde. Hadden ne lâche pas son kilo de viande saignante.

– Ouais, fis-je, certain que, enterrement ou pas, il n'était pas question que je laisse ce con de Jack Whitehead sur le coup.

– Désolé, hein ?

– Ouais.

Quelques secondes.

Une porte latérale s'ouvre, tout devient silencieux, tout devient lent. D'abord un détective et le père, puis George Oldman, superintendant en chef, enfin une femme policier en compagnie de la mère. J'appuyai sur le bouton d'enregistrement de mon Pocket Memo Philips tandis qu'ils prenaient place derrière les tables à plateau en plastique qui se trouvaient devant, tripotaient des papiers, touchaient les verres d'eau, regardaient partout, sauf devant eux.

Dans le coin des bleus :

George Oldman, superintendant en chef, un visage d'autrefois, colosse parmi les colosses, épaisse chevelure noire plaquée sur le crâne pour paraître moins abondante, visage pâle parcouru, sous les projecteurs, de mille capillaires éclatés, empreintes de pas pourpres d'araignées minuscules courant sur ses joues blêmes, jusqu'aux pentes de son nez d'ivrogne.

Pensée : *son visage, ses gens, ses moments.*

Dans le coin des rouges :

Le père et la mère, vêtements froissés et cheveux gras, lui époussetant les pellicules déposées sur son col, elle tripotant son alliance, l'un et l'autre sursautant quand le micro émit un claquement et une plainte, au moment où on le brancha, évoquant carrément les pêcheurs plutôt que ceux contre qui on avait péché.

Pensée : est-ce que vous avez buté votre fille ?

La femme policier posa la main sur le bras de la mère et la mère se tourna vers elle, la fixa jusqu'au moment où la femme policier baissa la tête.

Premier round :

Oldman tapota le micro et toussa :

– Merci d'être venus, messieurs. La nuit a été longue pour tout le monde, surtout pour M. et Mme Kemplay, et la journée le sera aussi. Donc nous serons brefs.

Oldman but une gorgée d'eau.

– Aux environs de seize heures, hier après-midi, 12 décembre, Clare Kemplay a disparu sur le chemin de son domicile, après avoir quitté l'école élémentaire et maternelle de Morley Grange, à Morley. Clare est sortie de l'école, en compagnie de deux camarades, à quinze heures quarante-cinq. Au carrefour de Rooms Lane et de Victoria Road, Clare a dit au revoir à ses amies et on l'a vue pour la dernière fois, aux environs de seize heures, dans Victoria Road, marchant en direction de chez elle. Depuis, personne n'a revu Clare.

Le père regardait Oldman.

– Clare n'étant pas rentrée, la police de Morley, avec l'aide des amis et des voisins de M. et Mme Kemplay, a entrepris des recherches, hier en début de soirée, cependant on n'a jusqu'ici trouvé aucun indice susceptible de préciser la nature de la disparition de Clare. Clare n'a jamais fugué et, de toute évidence, nous nous demandons avec inquiétude où elle se trouve et ce qui lui est arrivé.

Oldman toucha une nouvelle fois le verre, mais renonça.

– Clare a dix ans. Elle est blonde, a les yeux bleus et de longs cheveux raides. Hier après-midi, Clare portait une parka imperméable orange, un pull ras du cou bleu foncé, un jean bleu clair, dont la poche arrière gauche s'orne d'un aigle, et des bottes en caoutchouc rouges. Quand Clare a quitté l'école, elle avait un sac en plastique du Co-op, qui contenait une paire de chaussures de sport noires.

Oldman montra la photo agrandie d'une petite fille souriante et ajouta :

– Des tirages de cette photo récente, prise à l'école, seront distribués à la fin.

Oldman but une nouvelle gorgée d'eau.

Raclements de pieds de chaises sur le plancher, bruissements de papiers, reniflements de la mère, regard fixe du père.

– Mme Kemplay voudrait lire une brève déclaration, dans l'espoir que des personnes susceptibles d'avoir vu Clare, après seize heures, dans l'après-midi d'hier, ou de disposer d'informations sur l'endroit où se trouve Clare ou bien sur sa disparition, se feront connaître, afin de nous assister dans notre enquête. Merci.

D'un geste prévenant, le superintendant en chef tourna le micro vers Mme Kemplay.

Les flashes des appareils photos explosèrent dans toute la salle de conférences et surprirent la mère, qui resta immobile face à nous, battant des paupières.

Je regardai mon bloc et les petites roues de la cassette qui, dans mon Pocket Memo Philips, tournaient.

– Je voudrais demander à tous ceux qui savent où se trouve ma Clare, ou qui l'ont vue hier, à l'heure du thé, de bien vouloir téléphoner à la police. Clare est une petite fille très heureuse et je suis sûre qu'elle ne s'enfuirait pas sans m'avertir. Je vous en prie, si vous savez où elle est, ou si vous l'avez vue, téléphonez à la police.

Une toux étranglée, puis le silence.

Je levai la tête.

Mme Kemplay avait les mains sur la bouche, les yeux fermés.

M. Kemplay se leva, puis s'assit à nouveau lorsque Oldman dit :

– Messieurs, je vous ai donné toutes les informations dont nous disposons pour le moment et nous n'avons malheureusement pas le temps de répondre aux questions. Une autre conférence de presse est prévue à dix-sept heures, sauf éléments nouveaux d'ici là. Merci, messieurs.

Raclements de pieds de chaises sur le plancher, bruissements de papiers, murmures qui se muèrent en marmonnements, chuchotements en mots.

Éléments nouveaux, merde !

– Merci, messieurs. C'est tout pour le moment.

Le superintendant en chef Oldman se leva et se tourna vers la sortie, mais les autres occupants de la table ne bougèrent pas. Il se tourna à nouveau vers la lumière aveuglante des projecteurs de la télévision, adressa un signe de tête aux journalistes qu'il ne pouvait voir.

– Merci, les gars.

Une nouvelle fois je regardai le bloc, les roues qui faisaient tourner la bande, et je vis les éléments nouveaux à plat ventre dans un fossé, en parka imperméable orange.

Je levai la tête; l'autre détective avait pris M. Kemplay par le coude et Oldman maintenait la porte latérale ouverte à l'intention de Mme Kemplay, lui murmurait quelque chose qui lui faisait battre des paupières.

– Voilà pour vous.

Un détective corpulent, vêtu d'un costume bien coupé, distribua des tirages de la photo prise à l'école.

Un coup de coude. C'était une nouvelle fois Gilman.

– Ça sent pas bon, hein ?

– Non, fis-je, face au visage souriant de Clare.

– Pauvre môme. Qu'est-ce qu'elle doit subir, hein ?

– Ouais, fis-je, les yeux fixés sur la montre de mon père, le poignet glacé.

– Tu as intérêt à te magner, hein ?

– Ouais.

La M1, Motorway One, en direction du sud, de Leeds à Ossett.

Poussant la Viva de mon père à cent à l'heure, sous la pluie, *Shang-a-lang*, des Rollers, faisant danser la radio.

Une douzaine de kilomètres, psalmodiant le papier comme un mantra :

Une mère a lancé un appel émouvant.

La mère de Clare Kemplay, petite disparue de dix ans, a lancé un appel émouvant.

Mme Sandra Kemplay a lancé un appel émouvant, tandis que l'inquiétude croît.

Appels émouvants, inquiétude qui croît.

Je m'arrêtai devant chez ma mère, dans Wesley Street, Ossett, à dix heures moins dix, me demandant pourquoi les Rollers n'avaient pas chanté *The Little Drummer Boy*, me disant : fais-le et fais-le comme il faut.

Au téléphone :

– D'accord, désolé. Reprends le premier paragraphe et ça sera fini. Bon : Mme Sandra Kemplay a lancé un appel émouvant, ce matin, dans l'espoir de revoir sa fille saine et sauve, tandis que l'inquiétude croît quant au sort de la petite fille de dix ans, domiciliée à Morley, qui a disparu.

Nouveau paragraphe : Clare a disparu en rentrant de l'école, à Morley, hier en fin d'après-midi, et les recherches intensives de la police, qui ont duré toute la nuit, n'ont jusqu'ici apporté aucun indice sur l'endroit où pourrait se trouver la fillette.

O.K. Ensuite, c'est comme c'était avant...

Merci, chérie...

Non, j'aurai fini, à ce moment-là, et ça m'occupera l'esprit...

À plus tard, Kath, salut.

Je raccrochai et jetai un coup d'œil sur la montre de mon père.

Dix heures dix.

Je pris le couloir qui conduisait à la pièce du fond, me dis : c'est fait et c'est fait comme il faut.

Debout devant la fenêtre, une tasse de thé à la main, Susan, ma sœur, regardait le jardin sous la bruine. Ma tante Margaret était assise à la table, une tasse de thé devant elle. Ma tante Madge était dans le rocking-chair, une tasse de thé sur les genoux. Personne n'occupait le fauteuil de mon père, près du buffet.

– Tu as fini ? demanda Susan sans se retourner.

– Ouais. Où est maman ?

– Elle est au premier, elle se prépare, dit tante Margaret, qui se leva, prit sa tasse et sa soucoupe. Tu en veux une autre tasse ?

– Non, ça va, merci.

– Les voitures ne vont pas tarder, dit tante Madge, à personne.

Je dis :

– Il faut que j'aille me changer.

– Très bien, Eddie. Vas-y. Je te préparerai une bonne tasse de thé quand tu descendras.

Tante Margaret gagna la cuisine.

– Tu crois que maman est encore dans la salle de bains ?

– Tu devrais le lui demander, dit ma sœur, au jardin et à la pluie.

L'escalier, les marches deux par deux, comme avant ; chier, me raser, une douche et je serais prêt, pensant : une petite branlette et un brin de toilette seraient mieux, me demandant si mon père pouvait lire mes pensées en ce moment.

La porte de la salle de bains était ouverte, celle de la chambre de ma mère fermée. Dans ma chambre, posée sur le lit, une chemise blanche propre, fraîchement repassée, et, près d'elle, la cravate noire de mon père. J'allumai la radio en forme de bateau, David Essex promettant de faire de moi une star. Je regardai mon visage dans la glace de l'armoire, vis ma mère sur le seuil, en combinaison rose.

– J'ai mis une chemise propre et une cravate sur le lit.

– Ouais, merci maman.

– Comment ça s'est passé, ce matin ?

– Ça a été.

– Ils en ont tout de suite parlé à la radio.

– Ouais ? fis-je, refoulant les questions.

– Ce n'est pas tellement encourageant, pas vrai ?

– Non, dis-je, souhaitant mentir.

– Tu as vu la mère ?

– Ouais.

– La pauvre, soupira ma mère, qui ferma la porte derrière elle.

Je m'assis sur le lit et la chemise, les yeux fixés sur le poster de Peter Lorimer punaisé au dos de la porte.

Réfléchissant à cent trente à l'heure.

La file de trois voitures descendit lentement Dewsbury Cutting, traversa le centre de la ville, où les guirlandes de Noël n'étaient pas allumées, remonta lentement le versant opposé de la vallée.

Mon père occupait la première voiture. Ma mère, ma sœur et moi étions dans la suivante, et la troisième était bourrée de tantes, vraies et fausses. On ne disait pas grand-chose, dans les deux premières voitures.

La pluie avait cessé quand on arriva au crématorium, mais le vent me fouettait, me mettait la chair à vif, tandis que, debout près de l'entrée, je jonglais avec les poignées de main et une cigarette que j'avais eu un putain' de mal de chien à allumer.

À l'intérieur, une doublure prononça l'oraison funèbre, le pasteur de la famille étant trop occupé à combattre son cancer, à l'hôpital que mon père avait quitté mercredi matin. Donc, Super Substitut prononça l'oraison funèbre d'un homme qu'il ne connaissait pas, et que nous ne connaissions pas davantage, dit qu'il était menuisier, pas tailleur. Et j'écoutais, scandalisé par la licence journalistique de l'ensemble, pensant : ces gens-là ne peuvent imaginer que des charpentiers.

Les yeux droit devant, je fixais le cercueil, à trois pas de moi ; j'imaginais un petit cercueil blanc et les Kemplay en noir, je me demandais si le pasteur raterait ça aussi, quand on l'aurait finalement retrouvée.

Je regardai mes phalanges, crispées sur le prie-Dieu glacé, passer du rouge au blanc, aperçus la montre de mon père sous le poignet de ma chemise et sentis une main sur ma manche.

Dans le silence du crématorium, les yeux de ma mère me demandèrent de garder mon calme, me dirent que le remplaçant faisait de son mieux, que les détails ne sont pas toujours si importants. Près d'elle, ma sœur, maquillage détrempé, presque parti.

Et puis il partit, lui aussi.

Je me baissai pour poser le missel par terre, et pensai à Kathryn. Je pourrais peut-être lui proposer de boire un verre quand j'aurais écrit le papier sur la conférence de presse de l'après-midi. On irait peut-être à nouveau chez elle. De toute façon, il était impossible d'aller chez moi, en tout cas pas ce soir. Puis je me dis : impossible que les morts puissent lire tes putains de pensées.

Dehors, je jonglai à nouveau avec des poignées de main et une cigarette, m'assurai que toutes les voitures connaissaient le chemin de chez ma mère.

Je montai dans la dernière voiture, toujours dans le silence, incapable de me souvenir des visages et des noms. Il y eut un instant de panique lorsque le chauffeur prit un autre chemin, et je crus que je m'étais trompé de putain de groupe. Mais on retrouva Dewsbury Cutting, et tous les autres passagers me sourirent, soudain, comme s'ils avaient tous cru exactement la même chose.

De retour à la maison, commencer par le commencement.

Téléphoner au journal.

Rien.

Pas de nouvelles étant de mauvaises nouvelles pour les Kemplay et Clare, de bonnes pour moi.

La vingt-quatrième heure qui approche, tic-tac.

Vingt-quatre heures signifiant Clare morte.

Coup d'œil sur la montre de mon père et je me demandai combien de temps il faudrait que je reste parmi les siens.

Disons une heure.

Je repris le couloir. Enfin le type dont on indique le nom et le titre, qui apportait un surplus de mort dans la maison du mort.

— Donc ce type du Sud, sa voiture tombe en panne dans les Moors. Il va jusqu'à une ferme qui se trouve un peu plus loin et il frappe à la porte. Un vieux fermier ouvre et le type du Sud demande : vous savez où se trouve le garage le plus proche ? Le vieux fermier répond que non. Donc le type du Sud lui demande s'il peut lui indiquer le chemin de la ville. Le fermier répond qu'il ne peut pas. Et le téléphone le plus proche ? Le fermier répond qu'il ne sait pas. Alors le type du Sud dit : bon sang, vous ne savez pas grand-chose, hein ? Le vieux fermier fait : peut-être, mais moi, je ne suis pas perdu.

L'oncle Eric au milieu de sa cour, fier de n'avoir quitté le Yorkshire que pour aller tuer des Allemands. L'oncle Eric que j'avais vu tuer un lapin à coups de pelle, alors que j'avais dix ans.

Assis sur le bras du fauteuil vide de mon père, je pensais aux appartements de Brighton avec vue sur la mer, à des filles du Sud nommées Anna ou Sophie et à un sens mal placé, désormais superflu, du devoir filial.

– Je parie que tu es content d'être revenu, hein, mon gars ? demanda tante Margaret, qui m'adressa un clin d'œil et me donna une énième tasse de thé.

Assis là, au milieu de la pièce de derrière surpeuplée, la langue contre le palais, je tentais de dégager le morceau de pain blanc qui y était collé, heureux de pouvoir chasser le goût du jambon chaud et salé, ayant envie d'un whisky et pensant encore à mon père, un homme qui avait promis, à dix-huit ans, de ne jamais boire d'alcool, du simple fait qu'on le lui avait demandé.

– Regardez ça !

J'étais à des kilomètres et des années, et je compris soudain que mon heure était arrivée, sentis tous les yeux sur moi.

Ma tante Madge agitait le journal, comme pour tuer une mouche bleue.

Moi, assis sur le bras du fauteuil, j'eus l'impression d'être la mouche.

Un de mes jeunes cousins était allé acheter des bonbons et avait rapporté le journal, mon journal.

Ma mère arracha le journal à tante Madge, tourna les pages jusqu'au moment où elle arriva aux avis de naissance et de décès.

Merde, merde, merde.

– Papa y est? demanda Susan.

– Non. Sûrement demain, répondit ma mère, qui me regarda de ses yeux tristes, si tristes.

– *Mme Sandra Kemplay a lancé un appel émouvant, ce matin, dans l'espoir de revoir sa fille saine et sauve...*

Ma tante Edie, d'Altrincham, avait maintenant le journal.

Putains d'appels émouvants.

– *Par Edward Dunford, correspondant pour les affaires criminelles dans le Nord.* Ça alors, fit tante Margaret, qui lisait par-dessus l'épaule de tante Edie.

Dans la pièce, tout le monde tint à affirmer que mon père aurait été très fier de moi et qu'il était vraiment très dommage qu'il ne soit pas témoin de ce grand jour, de mon grand jour.

– J'ai lu tout ce que tu as écrit sur ce Dératiseur, dit mon oncle Eric. Bizarre, ce type.

Le Dératiseur, pages intérieures, les miettes de ce con de Jack Whitehead.

– Ouais, fis-je, souriant, balançant la tête d'un côté et de l'autre, me représentant mon père qui, dans ce fauteuil vide, près du buffet, commençait par la première page.

Il y eut des tapes sur l'épaule puis, pendant un bref instant, j'eus le journal entre les mains et le regardai :

Edward Dunford, correspondant pour les affaires criminelles dans le Nord.

Je ne lus rien d'autre.

Et le journal repartit faire le tour de la pièce.

Je vis ma sœur, à l'extrémité opposée, assise sur la tablette de la fenêtre, les yeux fermés, les mains sur la bouche.

Elle ouvrit les yeux et me dévisagea.

Je voulus aller près d'elle, mais elle se leva et sortit.

Je voulus la suivre, lui dire :

Je regrette, je regrette ; je regrette que ça arrive justement aujourd'hui.

– Bientôt on lui demandera un autographe, n'est-ce pas ? blagua tante Madge, qui me tendit une tasse pleine.

– Pour moi, il sera toujours le Petit Eddie, dit tante Edie, d'Altrincham.

– Merci, fis-je.

– Mais ça ne se présente pas très bien, n'est-ce pas ? dit tante Madge.

– Non, mentis-je.

– Il me semble qu'il y en a eu plusieurs, dit tante Edie, une tasse de thé dans une main, ma main dans l'autre.

– Oui, il y a quelques années. Cette gamine de Castleford, dit tante Madge.

– Ça remonte à un moment. Il y en a eu une autre, il y a moins longtemps, vous savez, du côté de chez nous, dit tante Edie, qui but ensuite une gorgée de thé.

– Oui, à Rochdale. Je m'en souviens, fit tante Madge, dont la main se crispa sur la soucoupe qu'elle tenait.

– On ne l'a pas retrouvée, soupira tante Edie.

– Vraiment ? fis-je.

– Et personne n'a été arrêté.

– C'est toujours comme ça, n'est-ce pas ? dit tante Madge à toutes les personnes présentes dans la pièce.

– Je me souviens d'une époque où ces choses-là n'arrivaient pas.

– C'est ceux de Manchester qui ont commencé.

– Oui, marmonna tante Edie, qui lâcha ma main.

– C'étaient des monstres, des vrais monstres, souffla tante Madge.

– Et dire qu'ils la laissaient sortir comme si de rien n'était.

– Il y a des gens qui sont carrément idiots.

– Pas de mémoire et tout ça, fit tante Edie, les yeux fixés sur le jardin et la pluie.

Edward Dunford, correspondant pour les affaires criminelles dans le Nord, prit la porte.

Des putains de hallebardes.

La M1 en direction de Leeds, encombrée de camions et lente. Sans pitié, poussant la Viva à cent sous la pluie, son maximum.

Radio locale :

– *On recherche toujours Clare Kemplay, l'écolière de Morley qui a disparu, tandis que l'inquiétude croît...*

Un coup d'œil sur la pendule confirma ce que je savais :

Seize heures, donc le temps était contre moi, donc le temps était contre elle, donc je n'aurais pas le temps de faire des recherches sur les petites filles disparues, donc je ne pourrais pas poser de questions à la conférence de presse de dix-sept heures.

Merde, merde, merde.

Sortant de l'autoroute à toute vitesse, je me demandais si je pouvais prendre le risque de poser mes questions à l'aveuglette, dès la conférence de presse de dix-sept heures, sur la seule foi des propos de deux vieilles dames.

Deux petites filles disparues, Castleford et Rochdale, pas de dates, seulement des peut-être.

26

Des coups d'épée dans le noir.

Une pression sur un bouton, la radio nationale : soixante-sept licenciements au *Kentish Times* et au *Slough Evening Mail*, le syndicat des journalistes de province décide la grève à partir du 1er janvier.

Edward Dunford, journaliste de province.

Les coups d'épée font mouche.

Je vis le visage du superintendant en chef Oldman, je vis le visage de mon rédacteur en chef et je vis un appartement de Chelsea, dont une jolie fille du Sud, qui s'appelait Sophie ou Anna, fermait la porte.

Tu te déplumes, d'accord, mais putain, rien à voir avec Kojak.

Je me garai derrière le commissariat de Millgarth alors que le marché fermait, caniveaux pleins de feuilles de chou et de fruits pourris, et je me dis : la sécurité ou le scoop ?

Je serrai le volant, priai :

FAIS QU'UN AUTRE CONNARD NE POSE PAS LA QUESTION.

Je savais que c'était une prière.

Moteur coupé, autre prière, au volant :

DÉCONNE PAS.

L'escalier, la porte à double battant, retour au commissariat de Millgarth.

Planchers boueux et lampes jaunes, chants d'ivrognes et nerfs à vif.

Je montrai ma carte de presse à l'accueil, le sergent m'adressa un sourire couleur de moutarde :

– Annulée. Le service de presse a téléphoné.

– Vous blaguez ? Pourquoi ?

– Pas de nouvelles. Neuf heures demain matin.

– Bien, fis-je avec un sourire, pensant : personne ne posera de questions.

Le sergent grimaça.

Je jetai un coup d'œil autour de moi, ouvris mon portefeuille.

– Quel est le tarif ?

Il prit mon portefeuille, en sortit un billet de cinq livres et me le rendit.

– C'est parfait comme ça, monsieur.

– Alors ?

– Rien.

– C'était un putain de billet de cinq livres !

– Les cinq livres disent qu'elle est morte.

– Retenez la putain de première page, dis-je en prenant le chemin de la sortie.

– Passez le bonjour à Jack.

– Allez vous faire foutre.

– Qui vous aime, chéri ?

17 h 30.

Retour à la rédaction.

Barry Gannon derrière ses classeurs, George Greaves affalé sur son bureau, Gaz, des sports, racontant des conneries.

Aucun signe de ce con de Jack Whitehead.

Grâce à Dieu.

Merde, mais où était-il, putain ?

Parano :

Je suis Edward Dunford, correspondant pour les affaires criminelles dans le Nord, et c'est écrit sur tous ces putains d'*Evening Post*.

– Comment ça s'est passé ?

Kathryn Taylor, frange récemment bouclée et gilet crème très laid, debout derrière son bureau, s'asseyant aussitôt.

– Comme dans un rêve.

– Comme dans un rêve ?

– Ouais. Parfait.

Je ne pouvais pas m'empêcher de ricaner.

Elle plissait le front.

– Qu'est-ce qui s'est passé ?

– Rien.

– Rien ?

Elle semblait totalement décontenancée.

– Elle a été annulée. Ils continuent les recherches. Ils n'ont rien, dis-je, vidant mes poches sur son bureau.

– Je pensais aux funérailles.

– Ah.

Je pris mes cigarettes.

Les téléphones sonnaient, les machines à écrire crépitaient.

Kathryn regardait mon bloc posé sur son bureau.

– Qu'est-ce qu'ils pensent ?

Je quittai ma veste, lui pris son café et allumai une cigarette, le tout dans le même mouvement.

– Qu'elle est morte. Écoute, le patron est en réunion ?

– Je ne sais pas. Je ne crois pas. Pourquoi ?

– Il faut qu'il m'obtienne une entrevue avec George Oldman. Demain matin, avant la conférence de presse.

Kathryn prit mon bloc, le fit tourner entre ses doigts.

– Ça m'étonnerait qu'il marche.

– Tu veux bien aller voir Hadden ? Il t'aime bien, dis-je, lui reprenant mon bloc.

– Tu blagues ?

J'avais besoin de faits, de putains de faits solides.

– Barry ! criai-je par-dessus les téléphones, les machines à écrire et la tête de Kathryn. Quand tu auras une minute, je pourrai te dire un mot ?

Barry Gannon, derrière sa forteresse de dossiers :

– Si c'est indispensable.

– Merci.

Je pris soudain conscience du fait que Kathryn me fixait.

Elle semblait furieuse.

– Elle est morte ?

– Le sang fait vendre, dis-je, prenant le chemin du bureau de Barry et me haïssant.

Je me retournai.

– S'il te plaît, Kath ?

Elle se leva et quitta la pièce.

Merde.

Bout contre bout, j'allumai une cigarette.

Barry Gannon, maigre, célibataire et obsédé, des papiers partout, couverts de chiffres.

Je m'accroupis près de son bureau.

Barry Gannon mâchonnait son stylo.

– Alors ?

– Affaires non résolues de disparition de gamines. Une à Castleford, une à Rochdale ? Peut-être.

– Ouais. Rochdale, il faudra que je vérifie, mais celle de Castleford, c'était en 1969. Les alunissages. Jeanette Garland.

Vagues souvenirs.

– Et on ne l'a pas retrouvée ?

– Non.

Barry sortit le bout de son stylo de sa bouche, me dévisagea.

– La police a quelque chose ?

– J'en doute.

– Merci. Faudrait que je m'y mette.

– Pas de quoi.

Il m'adressa un clin d'œil. Je me redressai.

– Comment va le Dawsongate ?

– Aucune idée.

Barry Gannon, sans sourire, baissa le nez sur ses papiers et ses chiffres, se remit à mâchonner son stylo.

Merde.

Je compris l'allusion.

– Merci, Barry.

J'étais à mi-chemin de mon bureau et Kathryn entrait dans la pièce, cachant un sourire, quand Barry cria :

– Tu vas au Cercle de la presse, tout à l'heure ?

– Si j'arrive à tout faire.

– Si je pense à quelque chose d'autre, je t'y retrouverai.

Plus étonné que reconnaissant.

– Merci, Barry. J'apprécie.

Kathryn, sans sourire :

– M. Hadden recevra son correspondant pour les affaires criminelles dans le Nord à dix-neuf heures pile.

– Et quand verras-tu ton correspondant pour les affaires criminelles dans le Nord ?

– Au Cercle de la presse, je suppose. Si c'est indispensable.

Elle sourit.

– C'est indispensable.

Je lui adressai un clin d'œil.

Dans le couloir, jusqu'aux archives.

Les nouvelles d'hier.

Les tiroirs métalliques et les classeurs.

Mille Ruby Tuesdays.

Je m'emparai de la bobine, m'assis devant l'écran, introduisis le microfilm dans la machine.

Juin 1969.

Je fis défiler le film :

B Specials, Bernadette Devlin, Wallace Lawler et *In Place of Strife*.

Wilson, Wilson, Wilson ; comme si Ted Heath n'avait jamais existé.

La Lune et ce con de Jack Whitehead étaient partout.

Moi à Brighton, à deux mille années-lumière de chez moi.

Disparition.
Gagné.
Je me mis à écrire.

– Donc, j'ai regardé les dossiers, j'ai parlé à quelques gars, téléphoné à Manchester, et je crois qu'on tient quelque chose, dis-je, regrettant que mon rédacteur en chef reste penché sur les photos de « Trouvez le ballon » qui étaient posées sur son bureau.

Bill Hadden prit une loupe et demanda :
– Tu as vu Jack ?
– Il n'est pas venu.
Dieu merci.
Je changeai de position sur ma chaise et regardai, par la fenêtre du dixième étage, une Leeds noire.
– Alors qu'est-ce que tu as au juste ?
Hadden caressait sa barbe argentée, examinait les photos à la loupe.
– Trois affaires très semblables...
– En deux mots ?
– Trois petites filles disparues. Une de huit ans, les deux autres de dix. 1969, 1972, hier. Toutes ont disparu à quelques mètres de chez elles, à quelques kilomètres l'une de l'autre. C'est un nouveau Cannock Chase.
– Espérons.
– Croisons les doigts.
– J'ironisais. Désolé.
– Ah.
Je changeai une nouvelle fois de position sur ma chaise.
Hadden examinait toujours les photos en noir et blanc à la loupe.
Coup d'œil sur la montre de mon père ; huit heures et demie.
– Alors, qu'est-ce que vous en pensez ?

Sans cacher mon irritation.

Hadden leva une photo en noir et blanc où des footballeurs, dont Gordon McQueen, suivaient une transversale des yeux. Il n'y avait pas de ballon.

– Il t'arrive de les faire ?

– Non, mentis-je, trouvant le jeu auquel nous allions jouer déplaisant.

– « Trouvez le ballon », dit Bill Hadden, rédacteur en chef, est la raison pour laquelle trente-neuf pour cent des ouvriers achètent notre journal. Qu'est-ce que tu en penses ?

Dis oui, dis non, mais épargne-moi ça.

– Intéressant, mentis-je à nouveau, pensant exactement le putain de contraire, pensant : trente-neuf pour cent des ouvriers se sont moqués de ton institut de sondage.

– Franchement, qu'est-ce que tu en penses ?

Hadden examinait d'autres photos.

Égaré, sincèrement sans voix.

– De quoi ?

Hadden leva la tête.

– Tu crois sérieusement que ça pourrait être le même homme ?

– Ouais. Oui.

– Très bien, dit Hadden, qui posa la loupe. Le superintendant en chef Oldman te recevra demain. Il ne te remerciera pas. Il n'a aucune envie de déclencher un mouvement de panique à cause d'un ravisseur d'enfants. Il te demandera de ne pas écrire l'article, tu accepteras et il paraîtra reconnaissant. Et tous les correspondants pour les affaires criminelles dans le Nord ont besoin de la reconnaissance du superintendant en chef.

– Mais...

Ma main était levée et se sentait stupide.

– Mais tu continueras et tu prépareras le travail de recherche sur les petites filles de Rochdale et de

Castleford. Interviewe les familles, si elles acceptent de te recevoir.

– Mais pourquoi, si...

Bill Hadden sourit.

– Le suivi, cinq ans après, ou autre chose. Ainsi, si tu as raison, on aura quelques longueurs d'avance.

– Je vois, fis-je, venant de recevoir le cadeau de Noël que je désirais depuis toujours, mais dans la mauvaise taille et la mauvaise couleur.

– Mais, demain, ne pousse pas George Oldman dans ses retranchements, dit Hadden, qui remonta ses lunettes sur son nez. Notre journal entretient d'excellentes relations avec la nouvelle Police métropolitaine du West Yorkshire. Je voudrais que cela dure, surtout en ce moment.

– Bien entendu.

Pensant : *surtout en ce moment ?*

Hadden s'appuya contre le dossier de son imposant fauteuil en cuir, les bras derrière la tête.

– Tu sais aussi bien que moi que cette affaire pourrait être oubliée demain et que, même si ça n'arrive pas, elle sera de toute façon enterrée à Noël.

Je me levai, comprenant que c'était le moment, pensant : tu te trompes complètement.

Mon rédacteur en chef reprit sa loupe.

– Je reçois encore des lettres à propos du Dératiseur. Bon boulot.

– Merci, monsieur Hadden.

J'ouvris la porte.

– Tu devrais vraiment essayer, dit Hadden, qui tapota une photo. C'est exactement dans tes cordes.

– Merci, je vais m'y mettre.

Je fermai la porte.

Derrière le battant :

– Et n'oublie pas d'en parler à Jack.

Un, deux, trois, quatre, l'escalier puis la sortie.

Le Cercle de la presse, sous le regard des deux lions en pierre, centre de Leeds.

Le Cercle de la presse, onze heures passées, l'affluence de Noël.

Le Cercle de la presse, réservé aux membres.

Edward Dunford, membre, descendit l'escalier et franchit la porte. Kathryn au bar, un ivrogne inconnu près d'elle, les yeux sur moi.

L'ivrogne dit, d'une voix pâteuse :

– Et un lion fait à l'autre : putain c'est calme, hein ?

Je me tournai vers la scène, où une femme en robe de plumes beuglait *We've Only Just Begun*. Deux pas d'un côté, deux pas de l'autre, la plus petite scène du monde.

L'enthousiasme me crispant l'estomac et me dilatant la poitrine, un scotch à l'eau à la main sous les décorations de Noël et les guirlandes d'ampoules, plein de notes dans la poche, pensant : C'EST TOUT BON.

Parmi les rouges et le noir, Barry Gannon leva une main qui tenait une cigarette. Je pris mon verre, laissai Kathryn, gagnai la table de Barry.

– D'abord, Wilson se fait cambrioler puis, deux jours plus tard, ce con de John Stonehouse disparaît.

Barry Gannon assénait la vérité aux imbéciles, se faisait admirer.

– Et n'oublie pas Lucky, ironisa George Greaves, un vieux de la vieille.

– Et ce putain de Watergate ? blagua Gaz, des sports, qui en avait assez de Barry.

Je volai une chaise. Signes de tête à la ronde : Barry, George, Gaz et Paul Kelly. Deux tables plus loin, le Gros Bernard et Tom, de Bradford, les potes de Jack.

Barry termina sa pinte.

– Tout est lié. Montrez-moi deux choses qui n'ont pas de rapport.

– Stoke City et le putain de championnat de foot, blagua de nouveau Gaz, Monsieur Sport, en allumant une nouvelle cigarette.

– Grand match demain, hein ? dis-je, fan de foot à temps partiel.

Gaz, les yeux vraiment pleins de colère :

– Ça sera une putain de honte si ça ressemble un tant soit peu à la semaine dernière.

Barry se leva.

– Quelqu'un veut quelque chose au bar ?

Hochements de tête et grognements à la ronde, Gaz et George prêts à parler une fois de plus de Leeds United pendant toute la soirée, Paul Kelly jetant un coup d'œil sur sa montre, secouant la tête.

Je me levai, vidai mon scotch.

– Je vais te donner un coup de main.

Retour au bar, Kathryn, à l'extrémité opposée, bavardant avec le barman et Steph, la dactylo.

Barry Gannon, sans préambule :

– Alors, quel est ton plan ?

– Hadden m'a arrangé une interview de George Oldman demain matin.

– Pourquoi tu souris pas ?

– Il ne veut pas que je pousse Oldman dans ses retranchements sur les affaires non résolues, seulement que je fasse des conneries de recherches, que j'essaie d'interviewer les familles, si elles acceptent de me recevoir.

– Joyeux Noël, monsieur et madame Parents-de-la-Disparue-Présumée-Morte. Le père Eddie vous remet tout ça en mémoire.

Du tac au tac :

– Ils suivent sûrement l'affaire Clare Kemplay. Ça leur sera déjà revenu en mémoire.

– En fait, tu les aideras. Catharsis.

Barry sourit pendant une seconde, jeta un coup d'œil circulaire dans la pièce.

– Elles sont liées, j'en suis sûr.

– Mais à quoi ? Trois pintes et...

Distancé, rattrapant le retard :

– Un scotch à l'eau.

– Et un scotch à l'eau.

Barry Gannon regardait Kathryn, au bout du bar.

– Tu as de la chance, Dunford.

Moi, culpabilité et nervosité s'entrechoquant, trop de scotch, pas assez de scotch, conversation bizarre.

– Qu'est-ce que tu veux dire ? À quoi tu penses ?

– Tu as combien de temps ?

Va te faire foutre, trop fatigué pour jouer le jeu.

– Ouais. Je sais ce que tu veux dire.

Mais Barry avait tourné le dos et bavardait avec un jeune qui se tenait au bar, aussi mince qu'un crayon, vêtu d'un ample costume marron, les cheveux orange ; ses yeux noirs, nerveux, me dévisageaient par-dessus l'épaule gauche de Barry.

Ce con de Bowie le voyou.

Je tentai d'écouter mais la robe en plumes, sur la petite scène, se lança dans *Don't Forget to Remember.*

Je regardai le plafond, je regardai le plancher, et retour au bar.

– Tu t'amuses bien ?

Les yeux de Kathryn étaient fatigués.

Moi, pensant : et voilà.

– Tu connais Barry. Il est parfois un peu obtus, soufflai-je.

– Obtus ? C'est un mot trop recherché pour toi.

Ignorant cet appât, en gobant un autre :

– Et toi ?

– Quoi, moi ?

– Tu t'amuses bien ?

– Oh, j'adore être seule devant un bar douze jours avant Noël.

– Tu n'es pas seule.

– Je l'ai été jusqu'à l'arrivée de Steph.

– Tu aurais pu venir.

– Je n'ai pas été invitée.

– C'est pathétique.

Je souris.

– Vas-y, puisque tu commandes. Je prendrai une vodka.

– Je crois que je vais me joindre à toi.

L'air froid n'arrangea pas grand-chose.

– Je t'aime, dis-je, incapable de tenir debout.

– Viens, le taxi est ici.

Voix de femme, Kathryn.

Le désodorisant au pin, lui non plus, n'arrangea pas grand-chose.

– Je t'aime, dis-je.

– Il a pas intérêt à dégueuler, cria le chauffeur pakistanais par-dessus son épaule.

Je sentais sa sueur parmi les pins.

– Je t'aime, dis-je.

Sa mère dormait, son père ronflait et j'étais à genoux sur le plancher de leurs toilettes.

Kathryn ouvrit la porte, alluma la lumière et acheta une partie supplémentaire de moi.

Ça faisait mal et ça brûlait, en remontant, mais j'avais envie que ça ne s'arrête jamais. Et, quand ça cessa enfin, je fixai longtemps le whisky et le jambon, les morceaux qui étaient dans les chiottes et les morceaux qui étaient par terre.

Kathryn posa les mains sur mes épaules.

Je tentai d'identifier la voix qui, dans ma tête, disait : *grâce à toi, les gens ont vraiment eu pitié de lui, je n'aurais jamais cru ça possible.*

Kathryn glissa les mains sous mes aisselles.

J'eus envie de ne plus jamais me mettre debout. Et, quand je finis par le faire, je me mis à pleurer.

– Viens, chéri, souffla-t-elle.

Le même rêve me réveilla trois fois pendant la nuit.

Chaque fois pensant : tu es en sécurité maintenant, tu es en sécurité maintenant, rendors-toi.

Chaque fois le même rêve : une femme, dans une rue de cité ouvrière, serrant un gilet rouge autour d'elle, me jetant dix ans de bruit au visage.

Chaque fois, un corbeau, ou un grand oiseau noir de ce genre, jaillissait d'un ciel aux mille nuances de gris et griffait sa jolie chevelure blonde.

Chaque fois il la poursuivait dans la rue, tentant d'atteindre les yeux.

Chaque fois paralysé, glacé en me réveillant, des larmes sur l'oreiller.

Chaque fois, au plafond obscur, Clare Kemplay, souriante.

2

7 h 55.

Samedi 14 décembre 1974.

Dans le bureau du superintendant en chef George Oldman, à Millgarth, j'avais l'impression d'être une merde de chien.

C'était une pièce nue. Ni photos, ni diplômes, ni trophées.

La porte s'ouvrit. Les cheveux noirs, le visage blanc, la main tendue, la poigne forte.

– Ravi de vous rencontrer, monsieur Dunford. Comment vont Jack Whitehead et votre patron ?

– Bien, merci, dis-je, me rasseyant.

Pas de sourire.

– Asseyez-vous, mon gars. Du thé ?

J'avalai ma salive et dis :

– S'il vous plaît. Merci.

Le superintendant en chef George Oldman s'assit, manœuvra un bouton situé sur son bureau et souffla dans l'interphone :

– Julie, deux tasses de thé, quand vous pourrez.

Ce visage et ces cheveux, de près et face à face : un sac en plastique noir ayant fondu et coulé sur un bol de farine et de saindoux.

Je serrai les molaires.

Au-delà des fenêtres grises du commissariat de Millgarth, derrière lui, un pâle soleil faisait luire la graisse de ses cheveux.

J'eus envie de vomir.

– Monsieur...

J'avalai une nouvelle fois ma salive.

– Monsieur le superintendant en chef...

Ses minuscules yeux de requin restaient rivés sur moi.

– Continuez, mon gars.

Il m'adressa un clin d'œil.

– Je me demandais si, enfin, s'il y avait des nouvelles ?

– Pas une, rugit-il. Trente-six heures et que dalle. Cent types en uniforme, la famille et les gens du coin. Rien.

– Personnellement, quelle est votre...

– Morte, monsieur Dunford. Cette malheureuse gamine est morte.

– Je me demandais ce que vous...

– C'est une putain d'époque violente, mon gars.

– Oui, dis-je, faiblement, pensant : dans ce cas, pourquoi vous n'arrêtez que les Gitans, les cinglés et les Irlandais ?

– La meilleure chose, aujourd'hui, c'est de retrouver rapidement le corps.

Retour de mon courage.

– À votre avis...

– On ne peut rien faire sans cadavre. Ça aide la famille, aussi, sur le long terme.

– Alors, qu'est-ce que vous allez...

– Fouiller les poubelles, voir qui a quitté son travail en avance.

Il souriait presque, avait envie de m'adresser un nouveau clin d'œil.

Péniblement je repris mon souffle.

– Et Jeanette Garland et Susan Ridyard ?

41

Le superintendant en chef George Oldman entrouvrit la bouche, passa une grosse langue mouillée, violette et jaune, sur sa fine lèvre inférieure.

J'eus l'impression que j'allais me chier dessus, sur-le-champ, dans son bureau.

George Oldman rentra la langue et ferma la bouche, ses yeux noirs minuscules rivés aux miens.

On frappa discrètement à la porte et Julie apporta deux tasses de thé sur un plateau bon marché à motif floral.

George Oldman, sans me quitter des yeux, dit :

– Merci, Julie.

Julie ferma la porte derrière elle.

Pas certain d'être toujours capable de parler, je marmonnai :

– Jeanette Garland et Susan Ridyard allaient toutes les deux...

– Je sais ce qui s'est passé, nom de Dieu, monsieur Dunston !

– Eh bien, je me demandais simplement, en pensant à Cannock Chase...

– Qu'est-ce que vous savez, bordel, sur Cannock Chase ?

– La similitude...

Oldman abattit le poing sur son bureau.

– Raymond Morris est sous clé, nom de Dieu, depuis 1968.

Je fixais les deux petites tasses blanches posées sur le bureau, les vis vaciller. Aussi calmement et posément que possible, je dis :

– Je suis désolé. Je voulais simplement faire remarquer que, dans cette affaire, trois petites filles ont été assassinées et qu'il est apparu que c'était l'œuvre d'un seul homme.

George Oldman se pencha, les bras sur le bureau, et ironisa :

– Ces gamines ont été violées et assassinées, Dieu leur vienne en aide. Et on a retrouvé les corps.

– Mais vous avez dit...

– Je n'ai pas de cadavres, monsieur Dunfield.

Une nouvelle fois, j'avalai ma salive et dis :

– Mais Jeanette Garland et Susan Ridyard ont disparu depuis plus de...

– Vous croyez que vous êtes le seul petit con à faire ce rapprochement, petit crétin vaniteux ? dit Oldman sans élever le ton, avant de boire une gorgée de thé, les yeux rivés sur moi. Bon sang, ma mère, qui est sénile, en serait capable.

– Je me demandais simplement ce que vous pensiez...

Le superintendant en chef Oldman se frappa les cuisses et s'appuya contre le dossier de son fauteuil.

– Alors qu'est-ce qu'on a, selon vous ?

Il sourit, poursuivit :

– Trois petites filles disparues. Même âge ou presque. Pas de cadavres. Castleford et... ?

– Rochdale, soufflai-je.

– Rochdale et, maintenant, Morley. À peu près trois ans entre les disparitions ? dit-il, levant un mince sourcil dans ma direction.

J'acquiesçai.

Oldman prit une feuille dactylographiée sur son bureau.

– Et celles-là ? dit-il, avant de pousser la feuille, qui tomba à mes pieds, et de réciter par cœur : Helen Shore, Samantha Davis, Jackie Morris, Lisa Langley, Nichola Hale, Louise Walker, Karen Anderson.

Je ramassai la liste.

– Disparues, nom de Dieu, toutes. Et c'est seulement depuis début 73, dit Oldman. Un peu plus âgées, je vous l'accorde. Mais elles avaient toutes moins de quinze ans au moment de leur disparition.

– Je suis désolé, marmonnai-je, tendant la liste au-dessus du bureau.

– Gardez-la. Écrivez un putain d'article sur elles.

Un téléphone sonna sur le bureau, un témoin clignota. Oldman soupira puis poussa une des tasses blanches dans ma direction.

– Buvez tant que c'est chaud.

J'obéis, pris la tasse, la vidai en une gorgée froide.

– Pour dire les choses brutalement, mon gars, je n'aime pas les inexactitudes et je n'aime pas les journalistes. Maintenant, je suppose que vous avez du travail...

Edward Dunford, correspondant pour les affaires criminelles dans le Nord, trouva son second souffle et put s'éloigner des cordes.

– Je crois que vous ne trouverez pas de cadavre.

Le superintendant en chef George Oldman sourit.

Je fixai le fond de ma tasse vide.

Oldman se leva, rit.

– Vous lisez ça dans votre fichue tasse de thé, pas vrai ?

Je posai la tasse et la soucoupe sur le bureau, pliai la liste de noms dactylographiée.

Le téléphone sonna à nouveau.

Oldman gagna la porte et l'ouvrit.

– Vous creusez de votre côté et je creuserai du mien.

J'étais debout, une faiblesse dans les jambes et l'estomac.

– Merci de m'avoir reçu.

Il me posa la main sur l'épaule et serra, fort, devant la porte.

– Vous savez, Bismarck a dit qu'un journaliste est un homme qui a raté sa vocation. Vous auriez peut-être dû être flic, Dunston.

– Merci, dis-je, avec tout le courage que je pus rassembler, pensant : au moins, dans ce cas, l'un d'entre nous le serait.

Oldman accentua soudain son étreinte, lisant mes pensées.

– On s'est déjà rencontrés, mon gars ?

– Il y a longtemps, dis-je, épuisé par ce combat.

Sur le bureau, le téléphone sonna à nouveau, le témoin clignota, longuement et avec insistance.

– Pas un mot, dit Oldman, qui me poussa dehors. Pas un putain de mot.

– On lui avait coupé les ailes. Le putain de cygne était toujours vivant et tout, disait Gilman, du *Manchester Evening News*, avec le sourire, quand je pris ma place au rez-de-chaussée.

– C'est une blague ? dit Tom, de Bradford, qui, installé derrière, se pencha.

– Non. Ils ont sectionné les ailes et laissé le malheureux là.

– Merde, fit Tom, de Bradford.

Je jetai un coup d'œil circulaire dans la salle de conférences, des pensées pugilistiques me frappant à nouveau de toutes parts mais, cette fois, ni télévision ni radio. Les projecteurs étaient éteints, tous ceux qui voulaient venir étaient les bienvenus.

Il n'y avait que les gars de la presse écrite.

Coup de coude dans les côtes. Encore Gilman.

– Comment ça s'est passé, hier ?

– Oh, tu sais...

– Ouais, merde.

Coup d'œil sur la montre de mon père, pensant à Henry Cooper et à Dave, le mari de ma tante Anne, qui ressemblait à Henry, l'oncle Dave qui n'était pas là hier, pensant à l'odeur formidable du Brut de Fabergé.

– Tu as lu le papier de Barry sur cette gamine de Dewsbury ?

C'était Tom, de Bradford, haleine au scotch à mon oreille, et j'espérai que la mienne n'était pas à ce point.

Moi, tout ouïe :

– Quelle gamine ?

– Une môme de la Thalidomide ? blagua Gilman.

– Celle qui est entrée à Oxford. Huit ans ou quelque chose comme ça.

– Ouais, ouais.

Je ris.

– Ça a l'air d'être une vraie petite garce.

– Barry dit que son père est pire.

Je riais toujours, tout le monde riait avec moi.

– Le père l'accompagne et tout, pas vrai ? dit Gilman.

Une Nouvelle Tête, derrière nous, près de Tom, qui riait aussi.

– Voilà un type qui a de la chance. Toutes ces étudiantes.

– Je ne crois pas, soufflai-je. D'après Barry, le père n'a d'yeux que pour une petite dame. Sa Ruthie.

– Si c'est assez jeune pour faire pleurer dans les chaumières, dirent deux d'entre nous en même temps.

Tout le monde rit.

– Vous blaguez ?

Tom, de Bradford, qui ne riait pas tellement.

– C'est un salaud, Barry.

– Barry le salaud.

Je ris.

Nouvelle Tête demanda :

– Barry qui ?

– Barry-la-porte-de-derrière. Putain de pédé, cracha Gilman.

– Barry Gannon. Il est au *Post*, comme Eddie, dit Tom, de Bradford, à Nouvelle Tête. C'est le type dont je te parlais.

– Le truc sur John Dawson ? dit Nouvelle Tête, qui jeta un coup d'œil sur sa montre.

– Exact. Tiens, en parlant de salauds, tu es au courant pour Kelly ?

C'était au tour de Tom de parler à voix basse.

– J'ai vu Gaz, hier soir, et il disait qu'il n'était pas venu à l'entraînement, hier, et qu'il ne jouerait pas demain.

– Kelly ?

Encore Nouvelle Tête. Presse nationale, pas locale. Un type qui avait de la chance. Mes nerfs entrant dans la danse : le sujet devenait national, mon sujet.

– Rugby, dit Tom, de Bradford.

– L'Union ou la Ligue[1] ? fit Nouvelle Tête. Putain de Fleet Street, sûr.

– Rien à foutre, dit Tom. Il s'agit du Grand Espoir Blanc de Wakefield Trinity.

– J'ai vu son cousin, Paul, hier. Il n'a rien dit.

– Ce con s'est fait la malle, c'est tout, enfin c'est ce que dit Gaz.

– Encore une nana, dit Gilman, du *Manchester News*, indifférent.

– C'est parti, souffla Nouvelle Tête.

Deuxième round :

La porte latérale s'ouvre, tout redevient silencieux et lent.

Le superintendant en chef George Oldman, des policiers en civil, un en uniforme.

Pas la famille.

La Meute flaire la mort de Clare.

La Meute pense qu'il n'y a pas de cadavre.

La Meute pense qu'il n'y a pas d'informations.

La Meute flaire que l'affaire est morte.

Le superintendant en chef Oldman, les yeux pleins de haine rivés aux miens, me défiant.

Moi, humant l'odeur formidable du Brut, pensant :
METS-EN PARTOUT.

---

1. En Grande-Bretagne, le rugby à quinze fait partie de la Rugby Union et le jeu à treize de la Rugby League. (*N.d.T.*)

Premiers crachats d'une pluie violente.

Au pas à la sortie ouest de Leeds, direction Rochdale, mes notes sur les genoux, mes yeux sur les murs des usines dans le noir et des filatures silencieuses.

Affiches électorales, bouillie et colle. Un cirque ici, un cirque là ; ici aujourd'hui, ailleurs demain.

Big Brother vous regarde.

La peur dévore l'âme.

J'allume le Pocket Memo Philips, me repasse la conférence de presse tout en conduisant, traque les détails.

Ça avait été du temps perdu pour tout le monde sauf pour moi, pas de nouvelles étant de bonnes nouvelles du point de vue d'Edward Dunford, correspondant pour les affaires criminelles dans le Nord, qui suivait son intuition.

« L'inquiétude croît manifestement... »

Oldman s'en était tenu à sa version : que dalle, malgré tous les efforts de ses meilleurs hommes.

La population avait fourni des informations et quelques personnes avaient peut-être vu Clare mais, pour le moment, ses meilleurs hommes n'avaient pas de piste solide.

« Nous voudrions insister sur le fait que toute personne susceptible de détenir une information, même triviale, doit prendre contact le plus tôt possible avec le commissariat le plus proche, ou téléphoner... »

Il y avait eu une brève séance stérile de questions et réponses.

Je l'avais bouclée : *pas un putain de mot.*

Oldman, toutes ses réponses adressées à moi, yeux rivés aux miens, sans ciller.

« Merci, messieurs, ce sera tout pour le moment... »

Et, quand il s'était levé, le superintendant en chef Oldman m'avait adressé le Grand Clin d'Œil.

La voix de Gilman, à la fin de la bande : *« Qu'est-ce qui se passe entre vous, bordel ? »*

Pied au plancher, Leeds derrière moi, j'arrêtai la bande, allumai le chauffage et la radio, écoutai, tandis que l'inquiétude continuait de croître sur les stations locales et que les nationales s'emparaient de l'affaire.

Tous les connards mordaient à l'hameçon, l'affaire refusait d'agoniser et de mourir.

Je leur donnais encore une journée sans cadavre avant qu'elle passe en page deux, puis une reconstitution policière le vendredi suivant, marquant l'anniversaire de la première semaine, et un bref retour en première page.

Puis ce serait samedi après-midi, rien que du sport.

Un bras sur le volant, j'éteignis la radio tout en feuilletant les pages A4 de Kathryn, proprement tapées, posées sur mes genoux. J'appuyai sur le bouton d'enregistrement du Pocket Memo et me mis à psalmodier : « Susan Louise Ridyard. Disparue le 20 mars 1972 à l'âge de dix ans. Vue pour la dernière fois devant l'école élémentaire Holy Trinity, à Rochdale, à 15 h 55. Les recherches intensives de la police et la publicité au plan national avaient abouti à zéro, rien, que dalle. George Oldman avait dirigé l'enquête, alors que l'affaire dépendait du Lancashire. Avait demandé à en être chargé. »

– *Castleford et... ?*

– *Rochdale.*

Sale menteur.

« Enquête toujours officiellement ouverte. Parents solides, deux autres enfants. Les parents posent régulièrement de nouvelles affiches dans la région. Ont emprunté sur leur maison pour couvrir les frais. »

J'arrêtai la bande, adressai à Barry un large sourire qui voulait dire : Je t'emmerde, certain que les Ridyard seraient déjà replongés dans leurs souvenirs et que je ne leur apporterais rien de neuf, hormis de la publicité supplémentaire.

Je m'arrêtai à l'entrée de Rochdale, près d'une cabine téléphonique rouge vif récemment repeinte.

Un quart d'heure plus tard, je me garai en marche arrière dans la cour de la maison mitoyenne de M. et Mme Ridyard, dans un quartier tranquille de Rochdale.

Il pleuvait comme vache qui pisse.

M. Ridyard se tenait sur le seuil.

Je descendis de voiture et dis :

– Bonjour.

– Beau temps pour les canards, fit M. Ridyard.

Je serrai sa main tendue, puis il me précéda dans une entrée minuscule et un salon sombre.

Mme Ridyard était assise sur le canapé, des pantoufles aux pieds, entre une adolescente et un adolescent. Elle les tenait l'un et l'autre par les épaules.

Elle m'adressa un bref regard, puis leur souffla :

– Allez ranger vos chambres.

Elle les serra fort, puis les lâcha.

Les enfants sortirent, les yeux fixés sur la moquette.

– Asseyez-vous donc, dit M. Ridyard. Quelqu'un veut du thé ?

– Merci, dis-je.

– Chérie ? demanda-t-il à sa femme en sortant de la pièce.

Mme Ridyard était à des kilomètres.

Je m'assis face au canapé et dis :

– Jolie maison.

Mme Ridyard battit des paupières dans la pénombre, tira sur la peau de ses joues.

– Et c'est un beau quartier, ajoutai-je, les mots mourant, mais pas assez vite.

Mme Ridyard était assise sur le bord du canapé et fixait, à l'extrémité opposée de la pièce, le portrait d'une petite fille, qui était posé entre deux cartes de Noël sur le poste de télévision.

– Il y avait une belle vue, avant qu'ils cons-truisent ces maisons neuves.

Je regardai par la fenêtre, de l'autre côté de la rue, les maisons neuves, qui avaient gâché la vue et ne paraissaient plus tellement neuves.

M. Ridyard revint avec le thé sur un plateau et je sortis mon bloc. Il s'assit sur le canapé, près de sa femme, et dit :

– Est-ce que je joue le rôle de la maîtresse de maison ?

Mme Ridyard cessa de fixer la photo et se tourna vers le bloc que j'avais entre les mains.

Je me penchai.

– Comme je l'ai dit au téléphone, nous avons pensé, mon rédacteur en chef et moi, que c'était le moment... qu'il serait intéressant d'assurer le suivi et...

– Le suivi ? fit Mme Ridyard, qui fixait toujours le bloc.

M. Ridyard me donna une tasse de thé.

– Il y a un lien avec la petite fille de Morley ?

– Non. Pas directement.

Le stylo semblait mou et brûlant dans ma main, le bloc encombrant et terriblement voyant.

– Est-ce que c'est sur Susan ?

Une larme tomba sur la jupe de Mme Ridyard.

Je remis de l'ordre dans mes pensées.

– Je sais que ça doit être difficile, mais nous savons tout le temps que vous avez, euh, consacré à cela et...

M. Ridyard posa sa tasse.

– Le temps ?

– Vous avez tous les deux beaucoup fait pour qu'on n'oublie pas Susan, pour que l'enquête ne meure pas.

Ne meure pas, merde.

M. et Mme Ridyard gardèrent le silence.

– Et je sais ce que vous avez dû ressentir...

– Ce que nous avons dû ressentir ? dit M. Ridyard.

– Ce que vous ressentez...

– Je regrette, mais vous ignorez totalement ce que nous ressentons.

Mme Ridyard secouait la tête, la bouche toujours en mouvement alors que les mots en étaient sortis, les larmes coulant à flots.

M. Ridyard me regarda, les yeux pleins d'excuses et de honte.

– Nous nous en sortions beaucoup mieux avant cela.

Personne ne répondit.

Je regardai par la fenêtre, de l'autre côté de la rue, les maisons neuves, où la lumière était encore allumée à l'heure du déjeuner.

– Elle pourrait être rentrée, maintenant, souffla Mme Ridyard, faisant pénétrer les larmes dans le tissu de sa jupe.

Je me levai.

– Je suis désolé. J'ai déjà abusé de votre temps.

– Je regrette, dit M. Ridyard en m'accompagnant jusqu'à la porte. On s'en sortait très bien. Vraiment. Cette affaire de Morley a tout fait remonter à la surface.

Sur le seuil, je pivotai sur moi-même et je dis :

– Je suis désolé mais, à la lecture des journaux et de mes notes, j'ai l'impression que la police n'a pas eu de véritables indices. Je me demandais si, d'après vous, elle aurait pu faire quelque chose de plus.

– Quelque chose de plus ? dit M. Ridyard, presque souriant.

– Un indice qui...

– Ils ont passé deux semaines chez nous, George Oldman et ses hommes, à téléphoner.

– Et il n'y a rien eu...

– Une camionnette blanche, ils ne parlaient que de ça, bon sang.

– Une camionnette blanche ?

– D'après eux, s'ils trouvaient cette camionnette blanche, ils retrouveraient Susan.

– Et ils n'ont pas payé la facture.

Mme Ridyard, le visage rouge, se tenait à l'autre bout de l'entrée.

– Le téléphone a failli être coupé.

En haut de l'escalier, je vis les têtes des deux autres enfants, qui regardaient par-dessus la rampe.

– Merci, dis-je, serrant la main de M. Ridyard.

– Merci, monsieur Dunford.

Je montai dans la Viva, pensant : foutre de bordel de merde.

– Joyeux Noël ! cria M. Ridyard.

Je me penchai sur mon bloc et ne griffonnai que deux mots : « camionnette blanche ».

J'adressai un signe de la main à M. Ridyard, seul sur le seuil, un couvercle sur tous mes jurons.

Une pensée : appeler Kathryn.

– C'était un putain de cauchemar.

De retour dans la cabine rouge vif, je glissai une nouvelle pièce dans la fente, dansant d'un pied sur l'autre, me gelant les noix.

– Enfin, après, il dit qu'il y avait cette histoire de camionnette blanche, mais je ne me souviens pas avoir lu quoi que ce soit sur une camionnette blanche. Et toi ?

Kathryn feuilletait ses notes à l'autre bout, confirmait.

– Ça n'était pas dans les appels à témoins ?

Kathryn dit :

– Non, pas à ma connaissance.

J'entendais le brouhaha de la rédaction, au bout du fil. J'eus l'impression d'être trop loin. J'eus envie d'être là-bas.

– Des messages ? demandai-je, jonglant avec le combiné, un bloc, un stylo et une cigarette.

– Seulement deux. Barry et...

– Barry ? Il a dit à quel sujet ? Il est là ?

– Non, non. Et un certain sergent Craven...

– Un sergent quoi ?

– Craven.

– Merde, aucune idée. Craven ? Il a laissé un message ?

– Non, mais il a dit que c'était urgent.

Kathryn semblait en rogne.

– Si c'était urgent à ce point, putain, je le connaîtrais. S'il rappelle, demande lui de laisser un message, d'accord ?

Je lâchai la cigarette ; elle tomba dans la flaque d'eau qui s'étalait sur le sol de la cabine.

– Où tu vas, maintenant ?

– Au pub, évidemment. Un peu de cette bonne vieille couleur locale. Ensuite, je rentre directement. Salut.

Je raccrochai, me sentant merdique.

Elle me fixait par-dessus le bar du Huntsman.

Je restai figé, puis je pris ma pinte et me dirigeai vers elle, attiré par ses yeux, punaisés près des toilettes, au-dessus d'un distributeur de cigarettes, à l'extrémité opposée du bar.

Susan Louise Ridyard souriant de toutes ses dents blanches le jour où on l'avait photographiée, à l'école, mais ses yeux disaient que sa frange était un peu trop longue, si bien qu'elle semblait empruntée et triste, *comme si elle savait ce qui allait arriver*.

Au-dessus d'elle, le mot le plus gros était en rouge : DISPARUE.

Dessous, il y avait un résumé de sa vie et de sa dernière journée, si brèves l'une et l'autre. Enfin, il y avait un appel à témoins et trois numéros de téléphone.

– Vous en voulez une autre ?

Brutalement ramené à un verre vide.

– Ouais. Seulement une.

– Journaliste, pas vrai ? dit le barman en tirant ma pinte.

– Ça se voit tant que ça ?

– On en a vu pas mal, ici, ça oui.

Je lui donnai trente-six pence exactement.

– Merci.

– Vous êtes où ?

– Au *Post.*

– Il y a du nouveau ?

– On essaie seulement de continuer de parler de l'affaire, vous voyez. On ne veut pas que les gens oublient.

– C'est louable, aucun doute.

– Je viens de chez M. et Mme Ridyard, dis-je, me faisant un pote.

– Derek passe de temps en temps. Les gens disent qu'elle ne va pas très bien.

– Ouais, acquiesçai-je. Apparemment, la police n'avait pas grand-chose à se mettre sous la dent ?

– Il y avait beaucoup de flics qui venaient picoler ici, pendant tout ça.

Le barman, probablement le patron, alla servir un client.

Je jouai ma seule carte.

– Mais il y a eu quelque chose à propos d'une camionnette. Une camionnette blanche ?

Le barman ferma lentement le tiroir-caisse, le front plissé.

– Une camionnette blanche ?

– Ouais. Les policiers ont dit aux Ridyard qu'ils recherchaient une camionnette blanche.

– Je ne me souviens pas de ça, dit-il en tirant une nouvelle pinte, le pub à présent plein, parce que c'était samedi et l'heure du déjeuner.

Il encaissa une nouvelle consommation et dit :

– L'impression que j'ai eue, c'est qu'ils croyaient tous que c'étaient les Gitans.

– Les Gitans, marmonnai-je, pensant : et voilà.

– Oui. Ils étaient passés ici une semaine avant, à cause de la Fête. Peut-être que l'un d'entre eux avait une camionnette blanche.

– Peut-être, fis-je.

– Je vous en sers une autre ?

Je tournai le dos à l'affichette et aux yeux qui savaient.

– Non, ça va.

– À quoi vous pensez ?

Je ne me retournai pas. Ma poitrine et mon estomac me faisaient mal, me disaient que j'aurais dû manger quelque chose, et la bière n'arrangeait rien.

– Je crois qu'ils ne retrouveront jamais le corps, soufflai-je.

J'eus envie de retourner chez les Ridyard et de m'excuser. Je pensai à Kathryn.

Le barman dit :

– Vous quoi ?

– Il y a un téléphone ?

– Ici, dit le barman obèse, montrant mon coude.

Je me foutais de tout. Je lui tournai une nouvelle fois le dos.

Elle décrocha à la deuxième sonnerie.

– Écoute, pour hier soir, je...

– Eddie, Dieu merci. Il y a une conférence de presse au commissariat de Wakefield à quinze heures.

– Tu blagues ? Pourquoi ?

– Ils l'ont retrouvée.

– Merde.

– Hadden cherchait...

– Chiotte !

Edward Dunford, correspondant pour les affaires criminelles dans le Nord, prit la porte du Huntsman.

Commissariat de Wakefield, Wood Street, Wakefield.

14 h 59.

Une minute avant le coup d'envoi.

Moi, en haut de l'escalier et entrant par une porte, le superintendant en chef Oldman par l'autre.

La salle de conférences aussi silencieuse que le public d'un film d'horreur.

Oldman, flanqué de deux flics en civil, s'asseyant derrière la table et un micro.

Devant, Gilman, Tom, Nouvelle Tête et CE CON DE JACK WHITEHEAD.

Eddie Dunford, correspondant pour les affaires criminelles du Nord, au fond, derrière les projecteurs de la télévision et les caméras, les techniciens qui s'en prenaient, à voix basse, à ces putains de saloperies de câbles.

Ce con de Jack Whitehead sur ma putain d'affaire.

Les flashes des appareils photos crépitèrent.

Le superintendant en chef Oldman, l'air égaré, étranger dans ce commissariat, à ce moment :

Mais c'étaient ses gens, ses moments.

Il avala sa salive et commença :

– Messieurs. Aux environs de neuf heures trente ce matin, le corps d'une petite fille a été découvert par deux ouvriers dans la Tranchée du Diable, ici, à Wakefield.

Il but une gorgée d'eau.

– Il a été établi que le corps est celui de Clare Kemplay, qui a disparu en rentrant de l'école, à Morley, jeudi après-midi.

Des notes, prends des putains de notes.

– Pour le moment, la cause exacte de la mort n'est pas établie. Cependant, une enquête pour meurtre, de grande ampleur, a été lancée. Je dirige personnellement cette enquête, ici, à Wood Street.

Nouvelle gorgée d'eau.

– Un examen médical préliminaire a été effectué et le Dr Alan Coutts, médecin légiste, réalisera l'autopsie dans la soirée, à l'hôpital de Pinderfield.

Gens vérifiant l'orthographe, jetant un coup d'œil sur les notes de leur voisin.

– À ce stade de l'enquête, ce sont les seules informations que je puisse vous donner. Cependant, au nom de la famille Kemplay et de l'ensemble de la Police métropolitaine du West Yorkshire, je voudrais demander une nouvelle fois à toute personne susceptible de détenir des informations de bien vouloir prendre contact avec le commissariat le plus proche. Nous souhaitons plus particulièrement rencontrer toute personne s'étant trouvée à proximité de la Tranchée du Diable entre vendredi soir à minuit et ce matin à six heures, et ayant remarqué quelque chose, notamment des véhicules en stationnement. Nous avons également installé une ligne directe, le 3838 à Wakefield, grâce à laquelle la population pourra joindre directement les enquêteurs. Tous les appels seront traités avec la discrétion la plus absolue. Merci, messieurs.

Oldman se leva, les mains déjà tendues devant lui face à un barrage de questions et de flashes. Il secoua lentement la tête de gauche à droite, marmonna des excuses dont il ne pensait pas un mot, des prétextes auxquels il ne pouvait pas recourir, coincé comme ce con de King Kong au sommet de l'Empire State.

Je le regardai, regardai ses yeux scruter la salle, le cœur cognant, l'estomac douloureux, lisant dans ces yeux :

VIENS ME VOIR MAINTENANT.

Une poussée contre l'épaule, de la fumée au visage.

– Content que tu aies pu te joindre à nous, Scoop. Le patron veut te voir dès que possible.

Confronté à la face de rat rusée de mes cauche-
mars, ce con de Jack Whitehead ; haleine parfumée
au whisky, sourire aux lèvres.

La Meute nous bousculant, filant vers les téléphones et les voitures, maudissant l'heure.

Ce con de Jack Whitehead, m'adressant un grand
clin d'œil, feignant de me donner un crochet au
menton.

– Ceux qui se lèvent tôt et tout ça.

Merde.

Merde, merde, merde.

La M1, direction Leeds.

Merde, merde, merde.

Grosses masses grises de ciel du samedi après-
midi, virant à la nuit, de part et d'autre de moi.

Merde, merde, merde.

Cherchant des yeux la Rover de ce con de Jack
Whitehead.

Merde, merde, merde.

Réglant le poste sur Radio Leeds.

*« Le corps de Clare Kemplay, l'écolière disparue à
Morley, a été découvert tôt ce matin dans la Tranchée
du Diable, à Wakefield, par des ouvriers. Lors d'une
conférence de presse au commissariat de Wood
Street, à Wakefield, le superintendant en chef George
Oldman a annoncé qu'une enquête pour meurtre
était ouverte et a lancé un appel à témoins :*

*" Au nom de la famille Kemplay et de l'ensemble
de la Police métropolitaine du West Yorkshire, je
voudrais renouveler notre appel... "*

Merde.

– Quelqu'un vous a contacté. Putain, quelqu'un
vous a contacté.

– Tu te trompes complètement et je te remercie-
rais de surveiller ton langage.

– Je suis désolé, mais vous savez comme je suis proche...

Les mots redevinrent inaudibles et je renonçai à tenter de comprendre ce qui se disait. La porte de Hadden était plus épaisse qu'elle n'en avait l'air et le cliquetis de la machine à écrire de la Grosse Steph, sa secrétaire, n'arrangeait rien.

Coup d'œil sur la montre de mon père.

Le *Dawsongate* : l'argent du gouvernement local consacré au logement privé ; matériaux de mauvaise qualité destinés aux logements sociaux ; pots-de-vin partout.

Le bébé de Barry Gannon, son obsession.

La Grosse Steph leva à nouveau la tête et m'adressa un sourire compatissant, pensant : tu es le suivant.

Je lui rendis son sourire, me demandant si elle aimait vraiment que Jack la lui mette par la porte de derrière.

La voix de Gannon s'éleva à nouveau dans le bureau de Hadden.

– Je veux seulement aller chez elle. Bon sang, elle n'aurait pas téléphoné si elle ne voulait pas parler.

– Ce n'est pas une femme équilibrée, tu le sais. Ce n'est pas conforme à la déontologie. Ce n'est pas bien.

– La déontologie !

Merde, ça allait prendre toute la putain de nuit.

Je me levai, allumai une nouvelle cigarette et me remis à faire les cent pas en marmonnant :

– Merde, merde, merde.

La Grosse Steph leva une nouvelle fois la tête, en pétard, mais pas moitié autant que moi. Nos regards se croisèrent ; elle se remit à taper.

Nouveau coup d'œil sur la montre de mon père.

Gannon discutait le bout de gras avec Hadden à propos de cette saloperie de Dawsongate, une connerie dont tout le monde se foutait, hormis Barry, et que personne n'avait envie de lire, pendant que ce con de Jack Whitehead, à l'étage au-dessous, écrivait le plus gros papier de cette putain d'année.

Un papier que tout le monde aurait envie de lire.

Mon papier.

Soudain, la porte s'ouvrit et Barry Gannon sortit, souriant. Il tira doucement le battant derrière lui et m'adressa un clin d'œil.

– Tu me dois un service.

J'ouvris la bouche, mais il posa un doigt sur les lèvres et s'éloigna dans le couloir en sifflant.

La porte s'ouvrit à nouveau.

– Désolé de t'avoir fait attendre. Entre, dit Hadden, en bras de chemise, la peau rouge et luisante sous sa barbe argentée.

Je le suivis à l'intérieur. Je fermai la porte et m'assis.

– Vous vouliez me voir ?

Bill Hadden prit place derrière son bureau et sourit comme ce con de père Noël.

– Je voulais m'assurer que cet après-midi n'avait pas suscité de rancune.

Afin d'être parfaitement clair, il leva le *Sunday Post*.

ASSASSINÉE.

Je jetai un coup d'œil sur les lettres épaisses, noires, en gras, du titre, puis sur celles, plus épaisses, plus noires, en plus gras, de la ligne de l'auteur :

PAR JACK WHITEHEAD, REPORTER CRIMINEL DE L'ANNÉE.

– De la rancune ? fis-je, incapable de déterminer s'il me provoquait ou tentait de m'apaiser, s'il me traquait ou me rassurait.

– J'espère que tu n'as pas l'impression qu'on t'a évincé.

Le sourire de Hadden était un peu blafard.

Je me sentais totalement parano, comme si toute la paranoïa de Barry suintait des murs sanglants du bureau. J'ignorais totalement pourquoi nous avions cette conversation.

– Donc je ne suis plus sur l'affaire.

– Non. Ce n'est pas ça du tout.

– Je vois. Mais je ne comprends pas ce qui s'est passé cet après-midi.

Hadden ne souriait plus.

– Tu n'étais pas là.

– Kathryn Taylor savait où j'étais.

– On n'a pas pu te joindre. Donc j'ai envoyé Jack.

– Je comprends. Donc, maintenant, c'est l'affaire de Jack.

Le sourire de Hadden réapparut.

– Non. Vous la couvrirez ensemble. N'oublie pas que Jack a été, au sein de ce journal...

– Correspondant pour les affaires criminelles dans le Nord pendant vingt ans. Je sais. Il me le rappelle un jour sur deux, bon sang.

Le désespoir et la terreur m'écrasaient.

Hadden se leva, me tourna le dos, regarda Leeds la noire.

– Tu devrais peut-être écouter plus attentivement ce que peut dire Jack.

– Comment ça ?

– Après tout, Jack a élaboré une excellente relation de travail avec un certain superintendant en chef.

Agacé, je dis :

– Il faudrait peut-être aller jusqu'au bout et nommer Jack rédacteur en chef, pendant qu'on y est.

Hadden tourna le dos à la fenêtre et sourit, laissa presque passer.

– Apparemment, tu ne parviens pas à établir beaucoup de relations solides, pas vrai ?

J'étais oppressé et mon cœur cognait.

– George Oldman vous a parlé ?

– Non. Mais Jack, oui.

– Je vois. Bon, c'est comme ça, dis-je, moins dans le noir, désormais, mais davantage dans le froid.

Hadden reprit place sur son fauteuil.

– Écoute, n'en parlons plus. J'ai aussi des responsabilités. Il y a plusieurs choses que je voudrais te charger de suivre.

– Mais...

Hadden leva la main.

– Écoute, je crois qu'on peut reconnaître tous les deux que les événements d'aujourd'hui ont plus ou moins infirmé ta petite théorie, donc...

Adieu Jeanette. Adieu Susan.

Je marmonnai :

– Mais...

– S'il te plaît, fit Hadden, souriant, la main à nouveau levée. On peut renoncer à l'angle de la disparition.

– Je suis d'accord. Mais ça ? dis-je, montrant le gros titre du journal posé sur son bureau. Et Clare ?

Hadden secoua la tête, les yeux fixés sur la première page.

– Consternant.

Je hochai la tête, certain que j'avais perdu.

– Mais c'est Noël, et l'affaire sera résolue demain ou jamais. De toute façon, elle mourra de sa belle mort.

– Mourra de sa belle mort ?

– Donc nous allons, pour l'essentiel, laisser Jack s'en occuper.

– Mais...

Le sourire de Hadden pâlissait.

– De toute façon, j'ai deux autres choses à te confier. Demain, c'est un service que tu me rendras, je veux que tu ailles à Castleford avec Barry Gannon.

– À Castleford ?

L'estomac creux, les pieds cherchant le plancher, incapables d'estimer la profondeur.

– Barry est persuadé que Marjorie Dawson, la femme de John Dawson, va le recevoir et corroborer tout ce qu'il a accumulé sur son mari. Je crois que c'est assez improbable, compte tenu de la fragilité psychologique de cette femme, mais il veut y aller à toute force. Donc je lui ai demandé de t'emmener.

Je dis :

– Pourquoi moi ?

La jouant plus idiot que nature, me disant que Barry avait raison et que le fait qu'on soit paranoïaque ne signifiait pas qu'on n'eût pas de putains de bonnes raisons de l'être.

– Si ça donne quelque chose, il y aura des arrestations, des poursuites et tout le bataclan, et toi, en tant que correspondant de notre journal pour les affaires criminelles dans le Nord, dit Hadden, souriant, tu y seras manifestement impliqué jusqu'au cou. Et je te demande, comme un service, de veiller à ce que Barry ne perde pas les pédales.

– Qu'il ne perde pas les pédales ?

Hadden jeta un coup d'œil sur sa montre et soupira.

– Qu'est-ce que tu sais sur ce que fait Barry ?

– Sur le Dawsongate ? Seulement ce que tout le monde sait, je suppose.

– Et qu'est-ce que tu en penses ? Entre nous ?

Il me menait en bateau, mais j'ignorais où nous allions et pourquoi.

Je me laissai mener en bateau.

– Entre nous ? Je crois qu'il y a effectivement une affaire. Je crois simplement qu'elle serait davantage pour le *Construction Weekly* que pour nous.

– Dans ce cas, nous sommes du même avis, ironisa Hadden, qui prit une épaisse enveloppe brune posée sur son bureau et me la tendit. C'est la totalité du travail réalisé jusqu'ici par Barry et soumis au service juridique.

– Au service juridique ?

J'eus l'impression d'être ce con de Polly le Perroquet.

– Ouais. Et, franchement, d'après les juristes, on aurait de la chance si on pouvait en imprimer une ligne.

– Bon.

– Je ne te demande pas de tout lire, mais Barry ne supporte pas les imbéciles, donc...

– Je vois, fis-je, tapotant la grosse enveloppe posée sur mon genou, prêt à me montrer accommodant si cela signifiait...

– Et enfin, puisque tu seras dans le coin, je veux que tu fasses un nouveau papier sur le Dératiseur.

Merde.

– Un autre papier ?

Des profondeurs insoupçonnées, mon cœur sur le plancher.

– Un succès. Ton meilleur papier. Plein de lettres. Et, maintenant, cette voisine...

– Mme Sheard ? dis-je, malgré moi.

– Exactement. Mme Enid Sheard. Elle a téléphoné et dit qu'elle avait quelque chose à raconter.

– Moyennant finances.

Hadden plissa le front.

– Ouais.

– Pitoyable salope.

Hadden parut vaguement contrarié mais poursuivit :

– Donc, j'ai pensé que tu pourrais passer la voir, après être allé à Castleford. C'est exactement ce qu'il nous faudrait pour le supplément de mardi.

– Ouais. D'accord. Mais, désolé, et Clare Kemplay, alors ?

Ça jaillissait du désespoir et du plus profond de mon ventre, d'un homme qui ne voyait que des chantiers et des rats.

Le ton larmoyant et pitoyable de la question parut déconcerter un instant Hadden, puis il reprit ses esprits, se leva et dit :

– Ne t'inquiète pas. Jack restera sur le pont et il a promis de travailler en équipe avec toi. Va le voir.

– Il ne peut pas me sentir, dis-je, refusant de me laisser entraîner.

– Jack Whitehead ne peut sentir personne, dit Bill Hadden, qui ouvrit la porte.

Samedi à l'heure du thé, la rédaction silencieuse, Dieu merci, ce con de Jack Whitehead absent, le *Sunday Post* bouclé.

Leeds United avait sûrement gagné, mais je m'en foutais totalement.

J'avais perdu.

– Tu as vu Jack ?

Kathryn, seule à son bureau, attendant.

– Il doit être à Pinderfield, n'est-ce pas ? Pour l'autopsie ?

– Merde.

L'affaire terminée, visions de flots de rats de plus en plus nombreux courant sur des kilomètres et des kilomètres de chantiers.

Je me laissai tomber sur ma chaise.

Quelqu'un avait posé le *Sunday Post* sur ma machine à écrire. Je n'avais pas besoin de ce con de Frank Cannon pour deviner qui.

ASSASSINÉE.
PAR JACK WHITEHEAD,
REPORTER CRIMINEL DE L'ANNÉE.

Je pris le journal.
Hier en début de matinée, à la Tranchée du Diable,

à Wakefield, des ouvriers ont découvert le corps dénudé de Clare Kemplay, neuf ans.

L'examen médical initial n'a pas permis de déterminer la cause exacte du décès, cependant le superintendant en chef George Oldman, qui dirigeait les recherches depuis la disparition de Clare, a immédiatement ouvert une enquête pour meurtre.

Le Dr Alan Coutts, médecin légiste, devrait effectuer l'autopsie samedi en début de soirée.

Clare avait disparu jeudi en fin d'après-midi, entre l'école élémentaire de Morley Grange et son domicile. Sa disparition avait entraîné des recherches policières sans précédent dans la région, des centaines de personnes se joignant aux battues des policiers, à Morley et dans la campagne environnante.

À ce stade, la police concentre son enquête sur les personnes susceptibles de s'être trouvées aux environs de la Tranchée du Diable entre vendredi soir minuit et samedi matin six heures. La police voudrait plus particulièrement s'entretenir avec toute personne susceptible d'avoir remarqué des voitures garées près de la Tranchée du Diable pendant cette période. Toute personne disposant d'informations doit contacter le commissariat le plus proche ou le service chargé de l'enquête au 3838, à Wakefield.

M. et Mme Kemplay et leur fils bénéficient du réconfort de leur famille et de leurs voisins.

Le sang fait vendre.

– Comment ça s'est passé chez Hadden ?

Kathryn se tenait près de mon bureau.

– Qu'est-ce que tu crois, bordel ? crachai-je, me frottant les yeux, cherchant une proie facile.

Kathryn retenait ses larmes.

– Barry m'a demandé de te dire qu'il passerait te prendre demain à dix heures. Chez ta mère.

– Demain c'est dimanche, merde.

– Pourquoi tu ne t'adresses pas à Barry ? Je ne suis pas ta putain de secrétaire. Moi aussi je suis journaliste.

Je me levai et quittai la rédaction, parce que j'avais peur que quelqu'un entre.

J'étais dans le salon, le disque de Beethoven de mon père aussi fort que j'osais.

Ma mère était dans la pièce de derrière, la télé plus fort encore : musique de bal et démonstration de concours hippique.

Putains de chevaux.

Aboiements, chez les voisins, par-dessus la Cinquième.

Putains de chiens.

Je versai le reste du scotch dans le verre et me souvins de l'époque où j'avais effectivement voulu devenir flic, mais avais eu une telle chiasse que je n'avais même pas essayé.

Putains de poulets.

Je bus la moitié du verre et me souvins de tous les romans que j'avais voulu écrire, et que j'avais eu une telle chiasse que je n'avais même pas essayé.

Putain de rat de bibliothèque.

Je ramassai un poil de chat sur mon pantalon, un pantalon que mon père avait fait, un pantalon qui nous enterrerait tous.

Putains de chats.

Je vidai mon verre, dénouai les lacets de mes chaussures et me levai. Je quittai mon pantalon, puis ma chemise. Je roulai les vêtements en boule et les lançai sur ce putain de Ludwig, de l'autre côté de la pièce.

Je m'assis à nouveau, en caleçon et maillot de corps blancs, et je fermai les yeux, ayant une telle chiasse que je ne pouvais affronter ce con de Jack Whitehead.

Une telle chiasse que je ne pouvais me battre pour garder mon affaire.

Une telle chiasse que je ne pouvais même pas essayer.

Putain de poule mouillée.

Je n'entendis pas ma mère entrer.

– On te demande au téléphone, dit-elle, tirant les rideaux du salon.

– Edward Dunford à l'appareil, dis-je, dans le couloir, boutonnant mon pantalon et jetant un coup d'œil sur la montre de mon père.

23 h 35.

Un homme :

– Le samedi soir c'est bon pour la bagarre ?

– Qui est à l'appareil ?

Silence.

– Qui est à l'appareil ?

Un rire étouffé, puis :

– Vous n'avez pas besoin de savoir.

– Qu'est-ce que vous voulez ?

– Les Roms, ça vous intéresse ?

– Quoi ?

– Camionnettes blanches et manouches ?

– Où ?

– Sortie Hunslet et Beeston, sur la M1.

– Quand ?

– Vous êtes en retard.

Il raccrocha.

3

Un peu après minuit, dimanche 15 décembre 1974.

Sortie Hunslet et Beeston, sur la M1.

Ça jaillit du noir, ça se jeta sur moi, comme si j'avais dormi toute ma vie.

Jaunes élancés et orange étranges, bleus brûlants et rouges réels éclairant la nuit noire à gauche de l'autoroute.

Hunslet Carr en flammes.

Je m'arrêtai vite sur le bas-côté, feux de détresse allumés, pensant : toute cette putain de ville de Leeds doit voir ça.

Je saisis mon bloc et me précipitai hors de la voiture, escaladai le talus qui bordait l'autoroute, rampai, dans la boue et parmi les buissons, en direction des flammes et du bruit ; le bruit : moteurs emballés et martèlement tonitruant, incessant, monotone, du battement de la mesure du temps.

Au sommet du talus de l'autoroute, je me dressai sur les coudes et, à plat ventre, fixai l'enfer. En bas, dans la cuvette de Hunslet Carr, à cinq cents mètres de moi, se trouvait mon Angleterre, au matin du dimanche 15 décembre de l'an de grâce 1974, apparemment rajeunie de mille ans, mais pas meilleure pour autant.

Un campement gitan en feu, la vingtaine de cara-vanes et de camping-cars en flammes, tous irrécupé-rables ; le campement gitan de Hunslet, que je voyais du coin de l'œil chaque fois que j'allais au travail, à présent une immense cuvette de feu et de haine.

De haine parce que, autour du camp en flammes, tel un fleuve de métal furieux, dix camionnettes bleues fonçaient à cent vingt kilomètres-heure en un cercle ininterrompu, comme les soirs de rodéo à cette connerie de Belle Vue, et emprisonnaient, der-rière leurs roues rugissantes, les cinquante hommes, femmes et enfants d'une famille étendue, crampon-nés les uns aux autres comme à des planches de salut, les flammes intenses proclamant et illuminant la putain de terreur nue, pure, de leurs visages, les hurlements stridents des femmes et des enfants transperçant les couches et les couches de vacarme et de chaleur.

Les cow-boys et les putains d'Indiens, 1974.

Je vis les pères et les fils, les frères et les oncles s'éloigner de leurs familles, tenter de passer entre les camionnettes, d'attaquer le fleuve de métal à coups de poing et de pied, hurler à la nuit quand ils tombaient à la renverse dans la boue et parmi les pneus.

Puis, alors que les flammes grandissaient encore, je vis qui les Gitans tentaient si désespérément d'atteindre, quels cœurs attiraient tant les leurs.

Tout autour du campement, dans l'obscurité, sous moi, il y avait un autre cercle, derrière celui des camionnettes, un cercle de deux rangées d'hommes qui battaient la mesure en frappant de leur matra-que sur leur bouclier : la Police métropolitaine du West Yorkshire, récemment créée, faisait des heures supplémentaires.

Puis les camionnettes s'arrêtèrent.

Les Gitans s'immobilisèrent dans la lumière des flammes, reculèrent lentement en direction de leurs familles rassemblées au milieu, traînant les blessés sur le sol.

Le martèlement des matraques sur les boucliers se fit plus fort et le cercle extérieur de policiers se mit en marche en file indienne, gros serpent gras glissant entre les camionnettes, si bien que le cercle extérieur devint le cercle intérieur : le serpent face aux familles et aux flammes.

Zulu à la mode du Yorkshire.

Puis le martèlement cessa.

Il n'y eut plus que le crépitement des flammes et les sanglots des enfants.

Plus rien ne bougeait, sauf mon cœur sous mes côtes.

Puis, dans la nuit, sur la gauche, je vis les phares d'une camionnette qui arrivait, cahotait dans le terrain vague en direction du campement. La camionnette, peut-être blanche, freina brusquement et trois ou quatre hommes en descendirent précipitamment. Il y eut des cris, puis des policiers sortirent des rangs.

Les hommes tentèrent de remonter dans la camionnette et la camionnette, effectivement blanche, repartit en marche arrière.

La voiture de police la plus proche démarra, laboura la boue et heurta le flanc de la camionnette blanche, passant de zéro à cent vingt en moitié moins de mètres.

La camionnette s'immobilisa et les policiers se jetèrent dessus, tirant les hommes par les vitres brisées, dévoilant des flancs de chair blanche.

Passages à tabac.

Dans le cercle, un homme s'avança, torse nu. L'homme baissa la tête et chargea en hurlant.

Le serpent policier bondit aussitôt, avança, et une marée de matraques noires déferla sur les familles.

Je me redressai trop vite, roulai sur le talus, en direction de ma voiture, de l'autoroute et du reste.

Arrivé en bas, je dégueulai.

Eddie Dunford, correspondant pour les affaires criminelles dans le Nord, la main sur la portière de la Viva, vit le reflet des flammes sur le pare-brise.

Je courus sur le bas-côté jusqu'au téléphone de détresse, priant pour qu'il soit en état de marche et, comme il fonctionnait, je suppliai la standardiste d'envoyer tous les services d'urgence disponibles à la sortie Hunslet et Beeston de la M1 où, affirmai-je, le souffle court, un carambolage de dix voitures s'aggravait rapidement et un camion-citerne d'essence était en flammes.

Ensuite, je longeai à nouveau l'autoroute au pas de course, gravis le talus, assistai à la défaite, et à une victoire qui emplit mon corps tout entier d'une rage aussi impuissante qu'elle était écrasante.

Les membres de la Police métropolitaine du West Yorkshire avaient ouvert l'arrière des camionnettes et y jetaient les hommes tabassés, ensanglantés.

Dans le grand cercle de feu, les policiers dépouillaient les femmes et les enfants de leurs vêtements, les jetaient dans les flammes, matraquaient au hasard la peau nue et blanche des femmes.

Soudain, des coups de feu assourdissants ponctuèrent l'horreur, les réservoirs d'essence explosèrent et les chiens des Gitans furent abattus, les policiers tirant sur tout ce qui semblait vaguement récupérable.

Je vis, dans cet enfer, nue et seule, une jeune Gitane minuscule, dix ans peut-être, ou moins, courtes boucles châtains et visage couvert de sang, debout dans ce cercle de la haine, un doigt dans la bouche, silencieux et immobile.

Bordel, où étaient les camions de pompiers et les ambulances ?

Ma fureur se mua en larmes; allongé au sommet du talus, je fouillai mes poches à la recherche de mon stylo, comme si écrire quelque chose, n'importe quoi, pouvait compenser un peu tout ça ou, du moins, le rendre moins réel. Trop glacé pour serrer convenablement le stylo, griffonnant au Bic rouge sur du papier sale, caché parmi ces buissons maigres, ça ne me fit pas le moindre bien.

Et puis il fut là, se dirigeant vers moi.

Essuyant mes larmes avec de la boue, je vis un visage rouge, noir et luisant jaillir de l'enfer et gravir le talus dans ma direction.

Je me redressai partiellement pour l'accueillir, mais il s'abattit à nouveau sur le sol quand trois policiers aux ailes noires saisirent l'homme par les pieds, le tirèrent parmi leurs godillots et leurs matraques.

Puis je le vis, LUI, au loin, derrière tout ça.

Le superintendant en chef George Oldman, éclairé, derrière les matraques et les os, comme une saloperie de peinture rupestre, sur fond de camionnette de police, fumant et buvant en compagnie d'autres flics, tandis que le véhicule oscillait d'un côté et de l'autre.

George Oldman et ses amis rejetèrent la tête en arrière et rirent, fort et longtemps, puis George s'arrêta d'un coup et fixa l'endroit où je me trouvais, à cinq cents mètres de lui.

Je plaquai mon visage dans la boue, si bien qu'elle emplit ma bouche et que de petites pierres m'entaillèrent les joues. Soudain, je fus arraché à la boue, violemment tiré par les cheveux, et je ne vis plus que le ciel nocturne, tout là-haut, jusqu'au moment où la face grasse et blanche d'un policier se leva comme une lune et s'approcha de moi.

Un gant en cuir se posa brutalement sur mon visage, deux doigts dans ma bouche, deux autres me fermant les yeux.

– Ferme tes putains d'yeux et pas un mot.

J'obéis.

– Hoche la tête si tu connais le Redbeck, dans Doncaster Road.

C'était un murmure haineux, brûlant, à mon oreille.

Je hochai la tête.

– Si tu veux un papier, sois-y à cinq heures du matin.

Puis le gant disparut et j'ouvris les yeux sur ce putain de ciel noir, dans le bruit de milliers de sirènes hurlantes.

Bon retour chez toi, Eddie.

Quatre heures de route, dans l'espoir de distancer mes visions des enfants.

Le tour de l'enfer local en quatre heures : Pudsey, Tingley, Hanging Heaton, Shaw Cross, Batley, Dewsbury, Chickenley, Earlsheaton, Gawthorpe, Horbury, Castleford, Pontefract, Normanton, Hemsworth, Fitzwilliam, Sharlston et Streethouse.

Des villes dures pour des hommes durs.

Moi, mou ; trop froussard pour traverser le Morley de Clare ou jeter un coup d'œil discret sur la Tranchée du Diable, trop lâche pour retourner au campement gitan ou même chez moi, à Ossett.

À un moment donné, au milieu de tout ça, le sommeil me clouant sur place les yeux fermés, je me garai sur un parking de Cleckheaton et rêvai de filles du Sud qui s'appelaient Anna ou Sophie, me réveillai la queue dure et la dernière rengaine de mon père aux oreilles :

Le Sud va te ramollir, bon sang, c'est sûr.

Éveillé face au visage d'une petite fille aux cheveux châtains dans un cercle de feu, aux photos d'école de petites filles qui n'étaient plus là.

La peur tourna la clé quand je me frottai les yeux, les libérant, et démarrai dans la lumière grise, les bruns et les verts se réveillant partout, mouillés et sales, partout des collines, des prés, des maisons et des usines, la peur partout qui m'emplissait, me couvrait d'argile.

La peur rôde, chez moi et au loin.

Downcaster Road à l'aube.

Je garai la Viva sur le parking qui s'étendait derrière le Redbeck Cafe and Motel. Je m'arrêtai entre deux camions et, assis au volant, j'écoutai Tom Jones qui, sur Radio 2, chantait *I Can't Break the News to Myself*. Il était cinq heures moins dix quand je traversai le parking défoncé en direction des toilettes situées à l'arrière.

Les toilettes empestaient : sol dallé maculé de pisse noire. La boue et l'argile avaient séché et durci sur ma peau, qui semblait rouge pâle sous la crasse. J'ouvris le robinet d'eau chaude et un jet glacial s'abattit sur mes mains. Je portai l'eau à mon visage, fermai les yeux et passai mes mains mouillées dans mes cheveux. L'eau brune coula sur mon visage, puis sur ma veste et ma chemise. Une nouvelle fois, je portai l'eau à mon visage et fermai les yeux.

J'entendis la porte s'ouvrir et sentis un courant d'air froid.

J'entrouvris les yeux.

Mes jambes se dérobèrent sous moi, balayées par un coup de pied.

Ma tête heurta le bord du lavabo, ma bouche s'emplit de bile.

Mes genoux heurtèrent le sol, mon menton le lavabo.

Quelqu'un me prit par les cheveux, poussa ma tête dans l'eau sale du lavabo.

– Cherche pas à me voir, nom de Dieu !

À nouveau ce murmure haineux, ma tête relevée, deux centimètres au-dessus de l'eau, et maintenue dans cette position.

Pensant : je t'emmerde, je t'emmerde, je t'emmerde.

Disant :

– Qu'est-ce que vous voulez ?

– Ferme ta putain de gueule !

J'attendis, la trachée pressée contre le bord du lavabo.

Il y eut une sorte de claquement mouillé et je plissai les paupières, distinguai ce qui semblait être une mince enveloppe brune, au pied du lavabo.

La main qui tenait mes cheveux desserra son étreinte, puis tira soudain ma tête en arrière et la cogna négligemment contre le bord du lavabo.

Je tournoyai, agitant les bras, et tombai sur le cul. La douleur palpitait sous mon front, l'eau imbibait le fond de mon pantalon.

Je pris appui sur le lavabo pour me redresser, me levai, me précipitai dehors en titubant.

Rien.

Deux routiers, qui sortaient du café, me montrèrent du doigt et s'exclamèrent, s'esclaffèrent.

Je m'adossai à la porte des toilettes, tombai à l'intérieur, les deux routiers pliés de rire.

L'enveloppe de format A4 était dans une flaque d'eau près du lavabo. Je la ramassai, secouai les gouttes d'eau brune, battis des paupières dans l'espoir d'avoir moins mal à la tête.

J'ouvris la porte de la cabine, saisis la chaîne et tirai la chasse sur la longue merde jaune pâle qui se trouvait dans la cuvette. J'abaissai l'abattant en plastique fendillé sur l'eau rugissante, m'assis et ouvris l'enveloppe.

Encore un petit parfum d'enfer.

J'en sortis deux minces feuilles A4 tapées à la machine et trois photos.

C'était la copie du rapport de l'autopsie de Clare Kemplay.

Encore un film d'horreur.

Je ne pouvais regarder les photos, m'y refusais, ne le fis pas, je me contentai de lire, tandis que la terreur grandissait.

L'autopsie avait été réalisée à dix-neuf heures le 14 décembre 1974, à l'hôpital Pinderfield de Wakefield, par le Dr Alan Coutts, en présence du superintendant en chef Oldman et du superintendant Noble.

Le corps faisait un mètre trente et pesait trente et un kilos.

Des éraflures, peut-être des morsures, avaient été constatées dans la partie supérieure de la joue droite, sur le menton ainsi que sur les faces antérieure et postérieure du cou. Des traces de ligature et des brûlures, sur le cou, indiquaient que la strangulation était la cause de la mort.

La strangulation.

Ses dents avaient profondément entaillé sa langue, tandis qu'on l'étranglait. Elle n'avait probablement pas perdu connaissance lorsque son ultime supplice avait commencé.

Probablement pas perdu connaissance.

4 LUV [1] avait été écrit quatre fois, avec une lame de rasoir, sur la poitrine de la victime. Là encore, ces plaies n'étaient pas postérieures à la mort.

4 LUV.

Des traces de ligature avaient également été relevées sur les chevilles et les poignets. Les deux ensembles de traces présentaient de profondes entailles, qui avaient saigné, ce qui signifiaient que la victime avait probablement résisté à son agresseur pendant quelque temps. Les paumes des deux mains avaient été transpercées, vraisemblablement par un gros clou ou un objet métallique similaire. Une plaie identique avait été constatée au pied

----

1. « For love. » *(N.d.T.)*

gauche et il semblait qu'on eût tenté en vain d'infliger le même traitement au pied droit, mais il n'était que partiellement transpercé.

La victime avait probablement résisté à son agresseur pendant quelque temps.

Des analyses plus approfondies seraient nécessaires, cependant l'examen initial des particules prélevées sur la peau et sous les ongles de la victime révélaient une forte concentration de poussière de charbon.

De la poussière de charbon.

J'avalai ma salive.

Le vagin et l'anus présentaient des traces de déchirures et de meurtrissures, internes et externes. Les déchirures internes du vagin avaient été causées par la tige et les épines d'une rose, qu'on y avait insérée, puis laissée. Une nouvelle fois, une part importante de ces plaies étaient antérieures à la mort.

La tige et les épines d'une rose.

Horreur sur horreur.

J'avais beaucoup de mal à respirer.

Ils avaient dû la retourner, à ce moment, la mettre à plat ventre.

Le dos de Clare Kemplay était un autre univers.

Un autre enfer :

Deux ailes de cygne avaient été cousues sur son dos.

« ILS ONT SECTIONNÉ LES AILES ET LAISSÉ LE MALHEUREUX LÀ. »

La couture était irrégulière et réalisée à l'aide d'une cordelette enduite de cire. Par endroits, la peau et le muscle avaient été réduits en bouillie et la couture avait cédé. L'aile droite s'était complètement détachée, la peau et le muscle ne pouvant supporter le poids de l'aile, ou celui de la couture, et avait laissé une large déchirure sur l'omoplate droite de la victime.

« ON LUI AVAIT COUPÉ LES AILES. LE PUTAIN DE CYGNE ÉTAIT TOUJOURS VIVANT. »

En conclusion du rapport, le médecin légiste avait tapé :

Cause de la mort : ASPHYXIE DUE À UNE STRANGULATION.

À travers le mince papier blanc, je voyais les contours et les ombres d'un enfer en noir et blanc.

Je remis le tout dans l'enveloppe, sans avoir regardé les photos, eus des haut-le-cœur tandis que je tentais d'ouvrir le verrou des toilettes.

Je poussai la porte à la volée, glissai et heurtai un autre putain de routier, sa pisse chaude touchant ma jambe.

– Barre-toi, putain de pédé !

Dehors, aspirant l'air du Yorkshire, le visage trempé de larmes et de bile.

Toutes les plaies étaient antérieures à la mort.

– Je te parle, pédé.

4 LUV.

Assise dans son rocking-chair, dans la pièce de derrière, ma mère regardait le jardin sous une faible bruine.

Je lui apportai une tasse de thé.

– Regarde dans quel état tu es, dit-elle sans me regarder.

– Tu peux parler, pas habillée à cette heure. Ça n'est pas toi.

Je bus une grande gorgée de thé brûlant très sucré.

– Non, mon chéri. Pas aujourd'hui, souffla-t-elle.

Dans la cuisine, le journal de six heures commença à la radio.

Dix-huit morts dans une maison de retraite de Nottingham, le deuxième incendie de ce type en deux jours. Le Violeur de Cambridge avait fait une cinquième victime et l'Angleterre avait 171 *runs* de retard dans le deuxième test match.

Ma mère fixait le jardin, laissait son thé refroidir.

Je posai l'enveloppe sur la commode, m'allongeai sur mon lit et tentai de dormir, mais en vain, et les cigarettes n'arrangèrent rien, ne firent qu'aggraver les choses, tout comme les gorgées de whisky, qui refusaient de descendre ou de rester et, bientôt, je vis des rats avec de petites ailes, qui, avec leur visage velu et leurs mots doux, ressemblaient davantage à des écureuils, mais redevenaient soudain rats à mon oreille, soufflaient des mots cruels, m'injuriaient, me cassaient les os plus efficacement que des matraques ou des pierres, jusqu'au moment où je me levais d'un bond et allumais, mais il faisait jour et la lumière était déjà allumée, si bien que je l'éteignais et ainsi de suite, envoyant des signaux lumineux que personne ne recevait, surtout pas le Marchand de sable.

– On se branle pas !
Merde.
– Des blessés cette semaine ?
J'ouvris les yeux.
– On dirait que tu as eu une sacrée nuit.
Barry Gannon, qui contemplait les ruines de ma chambre, une tasse de thé à la main.
– Merde, marmonnai-je.
Pas d'échappatoire.
– C'est vivant.
– Bordel.
– Merci. Moi aussi je te souhaite le bonjour.

Dix minutes plus tard, on était sur la route.
Vingt minutes plus tard, migraine tapant sur un estomac vide, j'avais terminé mon récit.

– On a trouvé ce cygne à Bretton.

Barry prenait la route touristique.

– Bretton Park ?

– Mon père et Arnold Fowler sont potes. C'est lui qui le lui a raconté.

Bouffée de passé numéro quatre-vingt-dix-neuf : moi, assis en tailleur sur le plancher d'une salle de classe tandis que M. Fowler parlait des oiseaux. L'homme était un passionné, avait créé un club d'observation des oiseaux dans toutes les écoles du West Riding, tenait une chronique dans tous les journaux locaux.

– Il est toujours en vie ?

– Et il écrit toujours pour l'*Ossett Observer*. Ne me dis pas que tu ne le lis pas.

Riant presque, je dis :

– Arnold s'en est aperçu comment ?

– Tu connais Arnold. Il ne se passe rien, dans le monde des oiseaux, sans qu'il en soit le premier informé.

Deux ailes de cygne avaient été cousues sur son dos.

– Sérieusement ?

Barry semblait s'ennuyer.

– Eh bien, Sherlock, j'imagine que les gentils promeneurs de Bretton Park l'ont averti. Il y passe tout son temps.

Je regardai, par la vitre, un dimanche silencieux de plus passer à toute vitesse. Le campement gitan et l'autopsie n'avaient apparemment ni choqué ni même intéressé Barry.

– Oldman a quelque chose contre les Gitans, avait simplement dit Barry, avant d'ajouter : et les Irlandais.

Il avait réagi plus faiblement encore à l'autopsie, si bien que j'avais regretté de ne pas lui avoir montré les photos ou, du moins, de ne pas avoir eu le putain de courage de les regarder moi-même.

– Ils doivent être fous, avais-je simplement dit.

Barry Gannon avait gardé le silence.

Je dis :

– Ça devait être un flic, au Redbeck.

– Ouais, fit-il.

– Mais pourquoi ?

– Des jeux, Eddie, dit-il. Ils jouent avec toi, putain. Fais gaffe.

– Je suis un grand garçon.

– Il paraît, blagua-t-il.

– Tout le monde le sait dans la boutique.

– La boutique de qui ?

– Pas la tienne.

Il cessa de rire.

– Tu crois toujours qu'il y a un lien avec les autres petites filles disparues ?

– Je ne sais pas. Enfin, ouais. C'est possible.

– Bien.

Puis Barry revint sur la disparition de ce con de Johnny Kelly, la mauvaise tête de l'équipe de rugby à treize, dit qu'il ne jouerait pas aujourd'hui et que personne ne savait où il était passé.

Je regardais par la vitre, pensais : qu'est-ce que ça peut foutre ?

Barry s'arrêta dans les faubourgs de Castleford.

– On est déjà arrivés ? demandai-je, imaginant que le quartier de Dawson serait beaucoup plus chic que celui-ci.

– Toi, oui.

Je ne compris pas, tournai la tête d'un côté et de l'autre.

– Brunt Street est la première à gauche, là-bas.

– Hein ?

Paumé, tournant la tête dans cette direction.

Barry Gannon rit.

– Merde, Sherlock, qui habite 11 Brunt Street à Castleford ?

Je connaissais cette adresse et je ratissai mon cerveau douloureux jusqu'au moment où elle me revint en mémoire.

– Les Garland ?

– On ne t'oubliera pas le jour de la distribution des prix.

– Je t'emmerde.

Barry regarda sa montre.

– On se retrouve dans deux heures au Swan, de l'autre côté de la rue. On échangera nos horreurs.

Je descendis de voiture, en rogne.

Barry se pencha pour fermer la portière.

– Je t'ai dit que tu me devais un service.

– Ouais. Merci.

Barry éclata de rire, embraya.

Brunt Street, Castleford.

D'un côté, une cité ouvrière d'avant-guerre, de l'autre des maisons mitoyennes plus récentes.

Le 11 se trouvait du côté cité ouvrière et la porte était rouge vif.

Je montai et descendis trois fois la rue, regrettant de ne pas avoir mes notes, regrettant de ne pouvoir téléphoner avant, regrettant d'empester l'alcool, puis je frappai doucement, un coup, à la porte rouge.

Debout dans la rue silencieuse, j'attendis, puis je pivotai sur moi-même.

La porte s'ouvrit à la volée.

– Écoutez, je ne sais pas où il est. Donc barrez-vous !

La femme s'interrompit, sur le point de claquer la porte rouge. Elle passa une main dans sa chevelure jaune sale et serra un gilet rouge sur son buste maigre.

– Qui êtes-vous ? souffla-t-elle.

– Edward Dunford.

Mon petit singe rouge secouant les barreaux de sa cage.

– Vous venez pour Johnny?

– Non.

– Pour quoi, alors?

– Jeanette.

Elle posa trois doigts maigres sur ses lèvres blanches et ferma ses yeux bleus.

Là, à la porte de la mort, le ciel devenant soudain bleu comme il peut l'être en décembre, je sortis mon stylo et des bouts de papier, puis je dis:

– Je suis journaliste. Au *Post*.

– Bon. Dans ce cas, entrez.

Je fermai la porte rouge derrière moi.

– Asseyez-vous. Je vais mettre de l'eau à chauffer.

Je m'assis dans un fauteuil en cuir blanc cassé, dans un salon de petite taille, mais bien meublé. Pratiquement tout était neuf, certaines choses toujours enveloppées dans du plastique. Une télé couleur était allumée, sans le son. Une émission d'alphabétisation pour adultes commençait, le titre, *On the Move*, écrit sur le flanc d'une camionnette Ford Transit qui roulait à toute vitesse.

Je fermai un instant les yeux, dans l'espoir de distancer ma gueule de bois.

Quand j'ouvris les yeux, elle était là.

La photo se trouvait sur le poste de télévision, le portrait que je redoutais.

Jeanette Garland, plus jeune et plus blonde que Susan et Clare, m'adressait le sourire le plus radieux que j'aie jamais vu.

Jeanette Garland était mongolienne.

Dans la cuisine, la bouilloire se mit à hurler, puis se tut d'un coup.

Je quittai le portrait des yeux, jetai un coup d'œil sur une vitrine pleine de trophées et de coupes.

– Et voilà, dit Mme Garland, qui posa un plateau sur la table basse qui se trouvait devant moi. Il faut juste le laisser infuser quelques instants.

– Un grand sportif, M. Garland.

Je souris, montrai la vitrine d'un signe de tête.

Mme Garland serra le gilet rouge autour de son buste et s'assit sur le canapé en cuir blanc cassé.

– Ils sont à mon frère.

– Ah, fis-je, tentant de calculer l'âge de la femme : Jeanette avait huit ans en 1969, si bien que sa mère devait avoir vingt-six ou vingt-sept ans à l'époque, un peu plus de trente ans aujourd'hui ?

Elle semblait être restée des jours sans dormir.

Elle me surprit à la regarder.

– Que puis-je faire pour vous, monsieur Dunford ?

– Je prépare un article sur les parents d'enfants disparus.

Mme Garland ramassait des peluches qui s'étaient déposées sur sa jupe.

Je poursuivis :

– Il y a toujours beaucoup de battage autour de l'affaire, sur le moment, et puis elle meurt de sa belle mort...

– De sa belle mort ?

– Ouais. L'article porte sur la façon dont les parents ont fait face, après la disparition de toute l'agitation, et...

– Comment j'ai fait face ?

– Ouais. Par exemple, à l'époque, croyez-vous que la police aurait pu faire quelque chose de plus pour vous aider ?

– Il y avait une chose.

Mme Garland me regardait droit dans les yeux, attendait.

Je dis :

– Laquelle ?

– Elle aurait pu retrouver ma fille, putain de salaud ignorant et sans cœur !

Elle ferma les yeux ; elle tremblait de tous ses membres.

Je me levai, la bouche sèche.

– Je suis désolé, je ne...

– Dehors !

– Je suis désolé.

Mme Garland ouvrit les yeux et me dévisagea.

– Vous n'êtes pas désolé. Si vous étiez capable d'être désolé, vous ne seriez pas ici.

Je me levai, au centre de son salon, les mollets coincés entre la table basse et le fauteuil, pensant soudain à ma mère et ayant envie de prendre la mère qui se tenait devant moi dans mes bras. Maladroitement, je tentai d'enjamber la table basse et la théière, me demandant ce qu'il fallait dire, disant seulement :

– Je vous en prie...

Mme Paula Garland se leva et vint à ma rencontre, ses yeux bleu pâle dilatés par les larmes et la haine, et elle me poussa brutalement contre la porte rouge.

– Putains de journalistes ! Vous venez chez moi me parler de choses dont vous ne savez rien, comme s'il s'agissait du temps qu'il fait ou d'une guerre dans un autre putain de pays.

Son visage était trempé de larmes, tandis qu'elle tentait d'ouvrir la porte.

Le visage en feu, je sortis à reculons.

– *C'est à moi que c'est arrivé !* cria-t-elle en me claquant la porte au nez.

Debout dans la rue, devant la porte rouge, j'avais envie d'être n'importe où, mais pas dans Brunt Street, à Castleford.

– Comment ça a marché ?

– Je t'emmerde.

Quand Barry Gannon arriva, je ruminais depuis une heure et trois pintes. C'était presque l'heure des dernières commandes et pratiquement tous les clients du Swan avaient foutu le camp pour profiter du déjeuner du dimanche.

Il s'assit, sa pinte à la main, et prit une cigarette dans mon paquet.

– Donc, tu n'as pas trouvé Johnny caché sous le lit ?

Je n'étais pas d'humeur.

– Quoi ?

Barry dit, lentement :

– Johnny Kelly. Le Grand Espoir Blanc.

– Et alors ?

J'étais sur le point de le dérouiller.

– Nom de Dieu, Eddie !

Les coupes, les trophées, merde.

– Il est apparenté aux Garland ?

– Putain, il ne faudra vraiment pas t'oublier le jour de la distribution des prix. C'est le frère de Paula Garland. Il vit chez elle, depuis qu'elle a perdu son mari et qu'il s'est fait larguer par ce mannequin.

Visage une nouvelle fois en feu, sang en ébullition.

– Son mari est mort ?

– Putain, Dunford. C'est des choses que tu devrais savoir.

– Merde.

– Il ne s'est pas remis de la disparition de Jeanette. Il a bouffé son fusil, il y a deux ou trois ans.

– Et tu le savais ? Bordel, pourquoi tu n'as rien dit ?

– Je t'emmerde. Fais ton putain de boulot : demande.

Barry but une longue gorgée de bière pour cacher son sourire.

– D'accord, je demande.

– Le mari s'est buté à peu près à l'époque où Johnny devenait célèbre, sur le terrain et en dehors.

– Un coq de village, Johnny ?

– Oui, celui de la ville. Il a épousé Miss Weston-super-Mare en 1971 ou quelque chose comme ça. Ça n'a pas duré. Quand elle l'a laissé tomber, il est retourné vivre chez sa grande sœur.

– Le Georgie Best de la Ligue de rugby ?

– Je suppose que tu n'as pas vraiment suivi tout ça, dans le Sud ?

Récupérant un peu d'amour-propre, je dis :

– Ce n'étaient pas vraiment des trucs qui font la une, non ?

– Ici, oui, et tu aurais dû le savoir, bordel.

J'allumai une nouvelle cigarette, le haïssant parce qu'il retournait le couteau dans la plaie, et à cause du sourire qui allait avec.

Mais rien à foutre de l'amour-propre et de la chute. Je dis :

– Alors Paul Kelly, au journal, qu'est-ce qu'il est ?

– Un cousin, quelque chose comme ça. Pose-lui la question.

J'avalai ma salive, jurai que ce serait la dernière fois.

– Et, aujourd'hui, Kelly ne s'est pas présenté au match ?

– Je n'en sais rien. Il faudra que tu te renseignes.

– Ouais, marmonnai-je, pensant : je t'en prie, Seigneur, fais que mes yeux ne s'emplissent pas de larmes.

Une voix rugit :

– C'est l'heure, messieurs, s'il vous plaît.

Barry vida son verre et je fis de même.

Je dis :

– Comment ça s'est passé chez Mme Dawson ?

– Elle m'a dit que ma vie était en danger, répondit Barry, souriant, tandis qu'il se levait.

– Tu blagues ? Pourquoi ?

– Pourquoi pas ? J'en sais trop.

À sa suite, je franchis la porte à double battant, gagnai le parking.

– Tu la crois ?

– Ils ont quelque chose sur tout le monde. La question est seulement de savoir quand ils s'en serviront.

Barry écrasa sa cigarette sur les gravillons.

– Qui sont-ils ?

Barry fouillait dans ses poches, cherchait les clés de sa voiture.

– Ils n'ont pas de noms.

– Et quoi encore ? me moquai-je, trois pintes et l'air frais me donnant des couilles au cul.

– Il y a des escadrons de la mort partout. Pourquoi pas un pour Barry Gannon ?

– Des escadrons de la mort ?

– Tu crois que cette merde est réservée aux Chinois ou aux Indiens ? Il y a des escadrons de la mort dans toutes les villes, dans tous les pays.

Je pivotai sur moi-même et m'éloignai.

– Putain, tu perds les pédales.

Barry me prit par le bras.

– Ils les entraînent en Irlande du Nord. Ils leur mettent l'eau à la bouche, puis ils les ramènent ici, affamés.

– Va te faire foutre, dis-je, me dégageant.

– Quoi ? Tu crois vraiment que c'est des bandes d'Irlandais en bleu de travail qui transbahutent tous ces putains de gros sacs d'engrais, qui font sauter tous ces pubs ?

– Ouais, répondis-je, souriant.

Barry fixa le sol, se passa la main dans les cheveux et dit :

– Si un homme t'aborde dans la rue et te demande une adresse, il est perdu ou il t'interroge ?

Je souris.

– Big Brother.

– Il te regarde.

Je levai la tête vers le ciel bleu, qui virait au gris, et je dis :

– Si tu la crois vraiment, tu devrais avertir quelqu'un.

– Qui je vais avertir ? La police ? Ces gens sont la putain de police. Toutes les vies sont menacées.

– Alors pourquoi continuer ? Pourquoi ne pas te buter, comme Garland ?

– Parce que je crois au bien et au mal. Je crois que je serai jugé, et pas par eux. Donc je les emmerde, c'est tout ce que j'ai à dire.

Les yeux fixés sur le gravier, j'avais envie de pisser.

– Tu te décides, tête de nœud ? dit Barry en déverrouillant sa portière.

– Je vais de l'autre côté.

Barry ouvrit la portière.

– Alors salut.

– Ouais, salut.

Je pivotai sur moi-même et m'éloignai sur le parking.

– Eddie !

Je me retournai et, face au soleil bas de l'hiver, plissai les paupières.

– Donc, tu n'as jamais eu envie d'essayer de tous nous délivrer du mal ?

– Non, criai-je sur le parking vide.

– Menteur, ironisa Barry, qui claqua la portière et démarra.

15 heures, dimanche après-midi, Castleford, attendant le bus de Pontefract, heureux d'avoir échappé
à la démence de Barry Gannon. Trois pintes et
demie, et presque heureux de retrouver mes rats.

Le Dératiseur : un article qui avait touché le cœur
de la population du Yorkshire.

Le bus montait la côte. Je levai le pouce.

Le Dératiseur : Graham Goldthorpe, professeur
de musique déshonoré, devenu dératiseur municipal,
qui avait étranglé sa sœur, Mary, avec un bas, et
l'avait pendue dans la cheminée, le Jour des fous,
l'année précédente.

Je payai le chauffeur et gagnai l'arrière du bus
vide, pour pouvoir fumer.

Le Dératiseur, Graham Goldthorpe, qui, d'un
coup de fusil, avait guéri son esprit troublé et ses
visions d'invasions incessantes de sales rats bruns.

Mandy suce les Pakistanais, proclamait le dossier
du siège qui se trouvait devant moi.

Le Dératiseur, une affaire chère au cœur d'Edward
Dunford, correspondant pour les affaires criminelles dans le Nord, ancien pisse-copie de Fleet
Street devenu Fils prodigue, dont les récits troubles
et les visions d'invasions incessantes de sales rats
bruns avaient secoué et choqué une province.

Le Yorkshire aux Blancs, proclamait le siège voisin.

Le Dératiseur : ma première affaire au *Post* et
une aubaine, avec mon père et ce con de Jack Whitehead tous les deux à l'hôpital.

Je tirai sur la sonnette, regrettant que Jack Whitehead ne soit pas mort.

Je descendis du bus, en cette fin d'après-midi à
Pontefract. Je cachai une nouvelle cigarette sous le
vieux manteau de mon père et, à la troisième tentative, gagnai la bataille contre les coups de fouet du
vent d'hiver.

Le territoire du Dératiseur.

Il me fallut exactement la longueur de la JPS pour aller de l'arrêt d'autobus à Willman Close, et je posai le pied en plein dans une merde de chien sanguinolente quand j'écrasai le mégot.

Une merde de chien dans Willman Close, ça aurait vraiment foutu Graham Goldthorpe en rogne.

Il faisait déjà presque noir et les sapins de Noël étaient éclairés dans presque toutes les maisons. Mais pas chez Enid Sheard, cette pitoyable salope.

Ni chez les Goldthorpe.

Je maudis ma vie et frappai à la porte vitrée du pavillon de plain-pied, entendis les aboiements de Hamlet, l'énorme berger allemand.

J'avais vu ça cent fois, pendant mon trop bref passage à Fleet Street. Les familles, les amis, les collègues et les voisins du mort ou de l'accusé, tous ces gens qui feignaient d'être si vexés, si consternés, si insultés et même si furieux, du fait qu'on proposait de rétribuer leur témoignage. Les mêmes familles, amis, collègues et voisins du mort ou de l'accusé, ces gens qui téléphoneraient un mois plus tard, soudain très impatients, très zélés, très coopératifs et si foutrement pressés de demander la rétribution de leur témoignage.

– Qui est-ce ? Qui est-ce ?

La misérable salope n'avait pas allumé dans le couloir, alors ouvrir la porte !

Je criai, à travers le battant :

– C'est Edward Dunford, madame Sheard. Du *Post*, vous vous souvenez de moi ?

– Évidemment ! C'est dimanche, aujourd'hui, monsieur Dunford, hurla-t-elle par-dessus les aboiements furieux de Hamlet le berger allemand.

– Mon rédacteur en chef, M. Hadden, a dit que vous aviez téléphoné et que vous vouliez voir un de ses journalistes, criai-je à travers le verre cathédrale.

– J'ai appelé lundi, monsieur Dunford. Je me consacre aux affaires pendant la semaine, pas le jour du Seigneur. Je vous serais reconnaissante d'agir de même, vous et votre patron, jeune homme.

– Je suis désolé, madame Sheard. Nous avons été très occupés. J'ai fait beaucoup de chemin et je ne travaille généralement pas...

Je marmonnais, me demandais si Hadden m'avait menti ou s'il avait simplement mélangé les dates.

– Tout ce que je peux dire, dans ce cas, monsieur Dunford, c'est que vous avez intérêt à avoir l'argent, dit Mme Enid Sheard en ouvrant la porte.

Presque sans un sou en poche, j'entrai dans le couloir étroit et obscur, assailli par la puanteur de Hamlet le berger allemand ; une puanteur que j'avais espéré ne jamais devoir supporter à nouveau.

La veuve Sheard, au bas mot soixante-dix ans acariâtres, me conduisit au salon et, une fois de plus, je me retrouvai assis dans l'obscurité en compagnie d'Enid Sheard, de ses souvenirs et de ses mensonges, tandis que Hamlet se grattait au pied de la porte vitrée de la cuisine.

Perché au bord du canapé, je dis :

– D'après M. Hadden, vous voulez parler...

– Je n'ai pas eu votre M. Hadden...

– Mais il y a bien quelque chose, à propos de ce qui s'est passé à côté, dont vous voulez nous faire part ?

Je fixais l'écran vide de la télévision, voyais les yeux morts de Jeanette Garland, de Susan Ridyard et de Clare Kemplay.

– Je vous serais reconnaissante de ne pas m'interrompre, monsieur Dunford.

– Je suis désolé, dis-je, l'estomac crispé chaque fois que je pensais à Mme Garland.

– Vous sentez l'alcool, monsieur Dunford. Je crois que je préférerais voir votre M. Whitehead, qui est si gentil. Et pas pendant le sabbat, voyez-vous.

– Vous avez parlé à Jack Whitehead?

Un sourire sur ses lèvres minces.

– J'ai parlé à un monsieur Whitehead. Il ne m'a pas donné son prénom et je ne l'ai pas demandé.

Dans le trou obscur et glacial qu'était cette pièce, j'eus soudain très chaud.

– Qu'est-ce qu'il a dit?

– Il a dit qu'il fallait que je vous voie, monsieur Dunford. Qu'il ne travaillait pas sur cette affaire.

– Quoi d'autre? Qu'est-ce qu'il a dit d'autre?

J'avais du mal à respirer.

– Si vous me laissiez finir...

Je glissai sur le canapé, en direction du fauteuil de la veuve.

– Quoi d'autre?

– Allons, monsieur Dunford. Il a dit qu'il fallait que je vous donne la clé. Mais j'ai dit...

– La clé? Quelle clé?

J'étais tout au bout du canapé, presque sur les genoux de la veuve.

– La clé de la maison d'à côté, annonça-t-elle, fière.

Soudain la porte de la cuisine s'ouvrit à la volée, dans un tonnerre d'aboiements, et Hamlet le berger allemand se précipita dans la pièce puis bondit entre nous, sa langue brûlante, molle et mouillée sur nos visages.

– Allons, Hamlet, ça suffit.

Il faisait nuit dehors, et Mme Enid Sheard introduisit maladroitement la clé dans la serrure de la porte de derrière du pavillon des Goldthorpe. Elle ouvrit et j'entrai.

Un mois auparavant, la police avait carrément rejeté toutes les demandes de visite des lieux, et

Enid Sheard n'avait pas fait la moindre allusion à la possibilité d'y accéder, mais j'étais là, dans la cuisine des Goldthorpe, dans le repaire du Dératiseur.

Je manœuvrai l'interrupteur.

– Ils ont sûrement coupé, souffla Mme Sheard, sur le seuil.

Je fis une nouvelle tentative.

– Apparemment.

– Entrer là-dedans sans lumière n'est pas une bonne idée. Le simple fait d'être ici me flanque les grelots.

Je scrutai la cuisine, me demandant quand Enid Sheard avait vu un fifre à grelots pour la dernière fois. La pièce sentait le renfermé, comme au retour d'une semaine de vacances sous la tente.

– Il faudra que vous reveniez de jour, n'est-ce pas ? Je vous ai bien dit que vous ne devriez pas travailler le dimanche.

– Effectivement, marmonnai-je, penché sous l'évier de la cuisine, me demandant si Enid Sheard avait apprécié la dernière fois qu'elle avait vu un fifre à grelots, si ça lui manquait maintenant, et me disant que ça expliquerait beaucoup de choses.

– Qu'est-ce que vous faites là-dessous, monsieur Dunford ?

– Alléluia ! m'écriai-je, sortant de sous l'évier avec une bougie, pensant : merci Seigneur, putain, pour ça et la semaine de trois jours.

Enid Sheard dit :

– Si vous tenez absolument à visiter dans le noir, je vais voir si je peux trouver une des vieilles lampes torches de M. Sheard. Il faut tout prévoir, disait-il toujours. On ne sait pas ce qui peut arriver, avec toutes ces grèves et je ne sais quoi.

Elle prit le chemin de son pavillon sans cesser de marmonner.

Je fermai la porte de derrière et pris une soucoupe dans un placard. J'allumai la bougie, fis couler de la cire fondue sur la soucoupe, y fixai la bougie à l'aide de quelques gouttes.

Enfin seul dans le repaire du Dératiseur.

Le sang, dans mes pieds, était devenu glacé.

La bougie éclaira les murs de la cuisine dans des tons rouges et jaunes, rouges et jaunes qui s'emparèrent de moi et me déposèrent sur la colline qui dominait le campement gitan en flammes, face à la petite fille aux boucles brunes qui pleurait dans la nuit tandis qu'une autre petite fille, des ailes dans le dos, gisait sur la table de la morgue. J'avalai ma salive, me demandai ce que je foutais ici, poussai la porte vitrée de la cuisine.

Le pavillon était disposé exactement comme celui de Mme Sheard. Un peu de lumière pénétrait par la porte d'entrée vitrée, à l'extrémité opposée du couloir, et s'ajoutait à celle de la bougie, éclairant l'entrée étroite décorée de paysages écossais ternes et d'une gravure représentant un oiseau. Les cinq autres portes étaient fermées. Je posai la bougie sur la table du téléphone, cherchai des bouts de papier dans mes poches.

Dans le repaire du Dératiseur...

Je n'aurais aucun problème pour vendre le papier aux journaux nationaux. Quelques photos et je serais paré. Peut-être un livre de poche rapide, après tout. Comme avait dit Kathryn, il s'écrivait pratiquement de lui-même :

6 Willman Close, chez Graham et Mary Goldthorpe, frère et sœur, assassin et victime.

Dans l'entrée du Dératiseur, je sortis mon stylo et choisis une porte.

La chambre de derrière était celle de Mary. Enid Sheard avait dit, précédemment, que Graham avait ses idées sur ce point, qu'il tenait à ce que sa sœur aînée ait la grande chambre au nom de l'intimité. La police avait également confirmé que Graham avait téléphoné deux fois, dans les douze mois précédant les événements du 4 novembre, pour signaler qu'un voyeur regardait par la fenêtre de sa sœur. La police n'avait rien pu prouver, ou n'avait pas essayé. Je touchai les lourds rideaux sombres et me demandai s'ils étaient neufs, si Graham les avait achetés pour Mary, pour contrer le voyeur et la soustraire aux yeux qu'il voyait.

Quels étaient ces yeux qui caressaient le corps de sa sœur ? Les yeux d'un inconnu ou bien ceux qui, en ce moment, le fixaient dans le miroir ?

Les rideaux et le reste des meubles semblaient trop lourds pour la pièce, mais il en allait de même chez Enid Sheard et chez ma mère. Il y avait un lit à une place, une armoire et une commode surmontée d'un miroir, le tout massif et en bois. Je posai la bougie près du miroir, à côté de deux brosses à cheveux, d'une brosse à vêtements, d'un peigne et du portrait de la mère des Goldthorpe.

Graham entrait-il dans cette chambre pendant son sommeil, s'emparait-il des cheveux blonds pris dans les poils de la brosse, des cheveux semblables à ceux de leur mère, qu'il gardait comme des trésors ?

Dans le premier tiroir de gauche, il y avait des produits de maquillage et des crèmes. Dans le premier tiroir de droite, j'ai trouvé les sous-vêtements de Mary. Ils étaient en soie et les policiers les avaient déplacés. Je touchai une culotte blanche, me souvins des photos, que nous avions publiées, d'une femme ordinaire, mais plutôt séduisante. Elle avait quarante ans à sa mort, et nous n'avions, les policiers et moi, pas trouvé trace d'un petit ami. C'étaient des sous-vêtements chers, pour une femme qui n'avait pas d'amant. Et du gaspillage.

Graham la regardait dormir, ses cheveux répandus sur l'oreiller. Silencieusement, il ouvrit le premier tiroir de droite, plongea les mains dans le contenu soyeux de son tiroir le plus intime. Soudain, Mary s'assit sur le lit.

La salle de bains et les toilettes occupaient la même pièce et sentaient le désodorisant « fraîcheur pin ». Debout sur un tapis de bain rose, je pissai un coup rapide dans les toilettes de Graham Goldthorpe, pensant toujours à sa sœur. Le bruit de la chasse emplit la maison.

– *Graham, qu'est-ce que tu fais ? souffla-t-elle.*

La chambre de Graham se trouvait près de la salle de bains, donnant sur la façade, petite et également pleine de lourds meubles reçus en héritage. Au mur, au-dessus de la tête du lit à une place, il y avait trois tableaux encadrés. Je posai un genou sur le lit de Graham, approchai la bougie et découvris trois gravures représentant des oiseaux, semblables à celle de l'entrée. Le pyjama de Graham était toujours sous l'oreiller.

Graham se figea, la sueur collant son pyjama sur son corps.

Près du lit, il y avait des piles de revues et de dossiers. Je posai la bougie sur la table de nuit et pris quelques magazines. Ils étaient tous consacrés aux transports, aux trains et aux bus. Je les laissai sur le couvre-lit et gagnai le bureau, sur lequel se trouvait un gros magnétophone à bandes. Il y avait un endroit vide, dans la bibliothèque, là où les policiers avaient pris les bandes.

Merde.

Les bandes du Dératiseur, disparues et pas pour de bon.

Ce soir, dans sa chambre, elle m'a surpris tandis que je la regardais, souffla Graham, sous les couvertures, tandis que les bobines tournaient silencieusement. Demain, c'est le Jour des fous, et demain, ils viendront.

Je pris un épais volume dans la bibliothèque, un vieil horaire des chemins de fer, émerveillé par l'inutilité de l'objet. Sur la page du titre, Graham Goldthorpe avait collé un dessin représentant une chouette à lunettes et écrit : *CE LIVRE APPARTIENT À GRAHAM ET MARY GOLDTHORPE. NE LE VOLEZ PAS, SINON VOUS SEREZ TRAQUÉ ET TUÉ.*

Merde.

Je pris un autre livre sur l'étagère et y trouvai le même message, puis dans un autre et un autre encore.

Foutu détraqué.

J'entrepris de ranger les livres, m'interrompis quand je tombai sur une édition brochée de *A Guide to the Canals of the North*, qui avait du mal à se refermer.

J'ouvris *A Guide to the Canals of the North* et me retrouvai directement en plein milieu de l'enfer.

Entre les photos de divers canaux du Nord, il y avait dix ou douze portraits de petites filles.

Des photos d'école.

Des yeux et des sourires éclatants.

La bouche sèche, le cœur battant, je fermai brutalement le livre.

Une seconde plus tard je l'avais ouvert à nouveau, plus près de la bougie, et regardais les photographies.

Ni Jeanette.

Ni Susan.

Ni Clare.

Seulement une dizaine de portraits d'école, format quinze sur dix, de petites filles de dix à douze ans.

Ni noms.

Ni adresses.

Ni dates.

Simplement dix paires d'yeux bleus et dix sourires blancs sur le même fond de ciel bleu.

L'esprit et le cœur en folie, je pris un autre livre sur l'étagère, puis un autre et un autre.

Rien.

Cinq minutes plus tard, j'avais retourné tous les livres et toutes les revues.

Rien.

Debout au milieu de la chambre de Graham Goldthorpe, *A Guide to the Canals of the North* entre les mains, le reste de sa chambre à mes pieds.

– Je ne sais pas ce qu'il y a de si important que vous ne puissiez pas revenir un autre jour. Oh, là là ! Quel fouillis.

Enid Sheard braquait la torche d'un coin à l'autre, secouait la tête.

– M. Goldthorpe aurait une attaque s'il voyait sa chambre dans cet état.

– Vous ne savez pas ce que la police a emporté, n'est-ce pas ?

Elle braqua la torche sur mes yeux.

– Je m'occupe de mes affaires, monsieur Dunford. Vous le savez.

– Je sais.

– Ils m'ont juré, vous savez, ils m'ont juré qu'ils avaient tout laissé comme ils l'avaient trouvé. Regardez-moi ce fouillis. Les autres pièces sont dans le même état ?

– Non. Seulement celle-ci, dis-je.

– Bon, je suppose que c'était celle qui les intéressait, dit Enid Sheard dont la torche, comme le projecteur de Colditz, éclairait successivement les coins de la pièce.

– Pouvez-vous me dire ce qui manque ?

– Monsieur Dunford, c'est la première fois que je mets les pieds dans la chambre de M. Goldthorpe. Vous, les journalistes ! L'esprit comme un égout, tous autant que vous êtes.

– Je suis désolé. Ce n'est pas ce que je voulais dire.

– Ils ont emporté tous ses dessins et ses bandes, ça j'en suis sûre.

Le faisceau de lumière blanche s'immobilisa sur le magnétophone.

– Je les ai vus moi-même emporter tout ça.

– M. Goldthorpe n'a jamais dit ce qu'il y avait sur les bandes ?

– Il y a quelques années, Mary m'a dit qu'il tenait un journal. Et je me souviens que j'ai dit : donc il aime écrire, M. Goldthorpe, n'est-ce pas ? Et Mary a dit : il n'écrit pas son journal, il le dicte à son magnétophone.

– A-t-elle dit ce qui...

Le faisceau fut braqué sur mes yeux.

– Monsieur Dunford, combien de fois ? Elle n'a rien dit et je n'ai pas demandé. Je...

– Vous vous occupez de vos affaires, je sais.

Le *Guide to the Canals of the North*, moitié sous ma chemise, moitié sous la ceinture de mon pantalon, je repris maladroitement la bougie.

– Merci, madame Sheard.

Dans le couloir, Enid Sheard s'immobilisa près de la porte du salon.

– Vous y êtes entré ?

Je fixai la porte.

– Non.

– Mais c'est là...

– Je sais, soufflai-je, imaginant Mary Goldthorpe pendue avec son bas dans la cheminée, la cervelle de son frère sur trois murs.

Je vis le mari de Paula Garland dans la même pièce.

– C'est un peu du temps perdu, à mon avis, marmonna Enid Sheard.

Dans la cuisine j'ouvris la porte de derrière, soufflai la bougie, posai la soucoupe sur l'égouttoir.

– Vous devriez venir boire une tasse de thé, dit Enid Sheard, qui ferma la porte de derrière et glissa la clé dans la poche de son tablier.

– Non, merci. J'ai assez accaparé votre dimanche. Le gros livre me comprimait l'estomac.

– Monsieur Dunford, vous pouvez faire vos affaires dans la rue, au vu et au su de tout le monde, mais pas moi.

Je souris.

– Je regrette. Je ne vous suis pas.

– Mon argent, monsieur Dunford.

– Ah, bien sûr. Je suis désolé. Il faudra que je revienne demain, avec un photographe. J'apporterai un chèque.

– Du liquide, monsieur Dunford. M. Sheard n'a jamais fait confiance aux banques et moi non plus. Donc j'aurai cent livres en liquide.

Je m'engageai sur le chemin du jardin.

– Parfait, madame Sheard, cent livres en liquide.

– Et j'espère que, cette fois, vous aurez la politesse de téléphoner pour me demander si je peux vous recevoir, cria Mme Sheard.

– Vraiment, madame Sheard ! Comment avez-vous pu penser le contraire ? criai-je, me mettant à courir, *A Guide to the Canals of the North* pressé contre mes côtes, vers un bus, en haut de la rue principale.

– Cent livres en liquide, monsieur Dunford.

– Tu t'amuses bien ?

20 heures. Le Cercle de la presse, sous le regard des lions de pierre, centre de Leeds.

Kathryn commandait un demi, je sirotais une pinte.

– Tu es ici depuis quand ? demanda-t-elle.

– Depuis l'ouverture.

La barmaid sourit à Kathryn, mima le chiffre six quand elle lui tendit son verre de cidre.

– Tu en as bu combien ?

– Pas assez.

La barmaid leva quatre doigts.

Je foudroyai la barmaid du regard et dis :

– On se trouve une putain de table ?

Kathryn commanda deux verres supplémentaires et me suivit dans le coin le plus sombre du Cercle.

– Tu n'as pas l'air très en forme, chéri. Qu'est-ce que tu as fait ?

Je soupirai, pris une cigarette dans son paquet.

– Je ne sais pas par où commencer.

Life on Mars passa sur le juke-box.

– Prends ton temps. Je ne suis pas pressée, dit Kathryn, qui posa la main sur la mienne.

Je retirai ma main.

– Tu es allée au journal, aujourd'hui ?

– Seulement une ou deux heures.

– Qui y avait-il ?

– Hadden, Jack, Gaz...

Ce con de Jack Whitehead. J'avais mal à la tête et aux épaules, à cause de la fatigue.

– Qu'est-ce qu'il faisait là un dimanche ?

– Jack ? L'autopsie. Apparemment, c'était vraiment épouvantable. Vraiment...

Elle ne poursuivit pas.

– Je sais.

– Tu as vu Jack ?

– Non.

Je pris une nouvelle cigarette dans son paquet, l'allumai au mégot de la précédente.

Bowie céda la place à Elton.

Kathryn se leva et retourna au bar.

À une autre table, George Greaves leva une cigarette dans ma direction. La salle commençait à se remplir.

Je m'appuyai contre le dossier de ma chaise, regardai les décorations de Noël et les guirlandes d'ampoules.

– M. Gannon est venu ?

Je me penchai trop vite, ma tête et mon estomac tournoyant.

– Quoi?

– Barry est venu?

– Non, dis-je.

Un jeune homme maigre, en costume marron, tourna les talons et s'éloigna.

– Qui est-ce? demanda Kathryn en posant les verres.

– Aucune idée. Un pote de Barry. Donc, l'autopsie fait la une?

Elle posa une nouvelle fois sa main sur la mienne.

– Ouais.

Kathryn voulut prendre une cigarette, mais son paquet était vide.

J'en sortis un de ma poche.

– D'autres gros trucs?

– Dix-huit morts dans l'incendie d'une maison de retraite.

– Et ça n'est pas la une?

– Non. Clare est à la une.

– Merde. Autre chose?

– Le violeur de Cambridge. Le tirage de la coupe. Leeds contre Cardiff.

– Rien sur ce campement gitan au bord de la M1?

– Non. Pas à ma connaissance. Pourquoi?

– Pour rien. J'ai vaguement entendu parler d'un incendie, c'est tout.

J'allumai une nouvelle cigarette et bus une gorgée de bière.

Kathryn prit une autre cigarette dans mon paquet.

– Et la camionnette blanche? Tu as trouvé quelque chose? demandai-je en remettant mes cigarettes dans ma poche, tentant de me souvenir de la voiture de Graham Goldthorpe.

– Je suis désolée, chéri. Je n'ai pas eu le temps. Mais je ne crois pas que ce soit important. La police l'aurait mentionnée et je suis sûre qu'elle ne figure dans aucun rapport.

– M. Ridyard était sacrément affirmatif.

– Ils disaient peut-être ça seulement pour les ménager.

– Dans ce cas, putain, ils méritent de brûler en enfer.

Les yeux de Kathryn brillaient, dans la faible lumière, au bord des larmes.

Je dis :

– Je suis désolé.

– Ça va. Tu as vu Barry ?

Sa voix tremblait.

– Mmm. L'autopsie, quels détails a-t-il mentionnés ?

Kathryn vida son verre.

– Aucun. Qu'est-ce que tu crois, bon sang ?

– Tu sais si Johnny Kelly a joué avec Trinity, aujourd'hui ?

– Il n'a pas joué.

– Gaz a dit ce qui s'était passé ?

– Personne ne le sait.

– Gaz n'a pas dit pourquoi ?

– Personne ne le sait.

Kathryn prit son verre vide et le reposa sur la table.

– Il y a une conférence de presse demain ?

Kathryn prit son paquet de cigarettes vide.

– Évidemment.

– À quelle heure ?

– Je crois qu'ils ont dit dix heures, mais je n'en suis pas sûre.

Elle sortit le papier d'aluminium du paquet.

– Qu'est-ce que Hadden a dit sur l'autopsie ?

– Je n'en sais rien, Eddie. Je n'en sais rien du tout, bon sang.

Ses yeux étaient à nouveau mouillés, son visage rouge.

– Edward, est-ce que je peux avoir une cigarette, s'il te plaît?

Je sortis mon paquet.

– Il n'en reste qu'une.

Kathryn renifla bruyamment.

– Laisse tomber. Je vais en chercher.

– Sois pas idiote. Prends-la.

– Tu es allé à Castleford?

Elle fouillait dans son sac à main.

– Ouais.

– Alors tu as vu Marjorie Dawson? Comment est-elle?

J'allumai ma dernière cigarette.

– Je ne l'ai pas vue.

– Hein?

Kathryn comptait les pièces destinées au distributeur de cigarettes.

– J'ai vu Paula Garland.

– Nom de Dieu, toujours pareil. Merde.

Sa mère dormait, son père ronflait et j'étais à genoux sur le plancher de sa chambre.

Kathryn me releva, attira ma bouche vers la sienne, tandis que nous basculions sur son lit.

Je pensais à des filles du Sud qui s'appelaient Sophie ou Anna.

Sa langue pressa plus fort sur la mienne, l'odeur de sa chatte, dans sa bouche, l'excitant davantage. Du pied gauche, je baissai sa culotte jusqu'à ses pieds.

Je pensais à Mary Goldthorpe.

Elle prit ma queue dans la main droite et la guida vers l'intérieur. Je reculai et, de la main droite, pris ma queue puis la fis tourner dans le sens des aiguilles d'une montre sur les lèvres de sa chatte.

Je pensais à Paula Garland.

Elle enfonça les ongles dans mon cul, me voulant au plus profond d'elle. J'y entrai violemment, l'estomac soudain vide et crispé.

Je pensais à Clare Kemplay.

– Eddie, souffla-t-elle.

Sa voix avait changé.

Je l'embrassai violemment, allant de son cou à son menton, revenant à sa bouche.

– Eddie !

Un changement, qui n'annonçait rien de bon.

Je cessai de l'embrasser.

– Je suis enceinte.

– Qu'est-ce que tu veux dire ? fis-je, sachant exactement ce qu'elle voulait dire.

– Je suis enceinte.

Je me dégageai, m'allongeai sur le dos.

– Qu'est-ce qu'on va faire ? souffla-t-elle, posant l'oreille sur ma poitrine.

– S'en débarrasser.

Merde, je me sentais encore saoul.

Il était presque deux heures du matin quand le taxi me déposa.

Merde, pensai-je, quand je fis jouer la clé dans la serrure de la porte de derrière. Il y avait encore de la lumière dans la pièce qui donnait sur l'arrière.

Merde, j'avais besoin d'une tasse de thé et d'un sandwich.

J'allumai la lumière de la cuisine, entrepris de fouiller dans le frigo à la recherche de jambon.

Merde, il faudrait au moins que je dise bonsoir.

Assise dans son rocking-chair, ma mère regardait l'écran noir de la télévision.

– Tu veux une tasse de thé, maman ?

– Ton ami Barry...

– Et alors ?

– Il est mort, mon chéri.

– Merde, fis-je machinalement. Tu blagues.

– Non, je ne blague pas.

– Comment ? Qu'est-ce qui est arrivé ?

– Un accident de voiture.

– Où?

– À Morley.

– À Morley?

– La police a simplement dit Morley.

– La police?

– Elle a téléphoné il y a deux heures.

– Pourquoi a-t-elle appelé ici?

– Ils ont trouvé ton nom et ton adresse dans la voiture.

– Mon nom et mon adresse?

Elle tremblait.

– J'étais malade d'inquiétude, Eddie.

Elle serrait étroitement sa robe de chambre autour d'elle, se frottait machinalement le coude.

– Je suis désolé.

– Où étais-tu passé pendant tout ce temps?

Elle criait. Je ne pus me rappeler quand elle avait élevé la voix pour la dernière fois.

– Je suis désolé.

Je la rejoignis et la pris dans mes bras à l'instant où la bouilloire se mettait à siffler.

Je gagnai la cuisine et éteignis la plaque électrique.

Je revins avec deux tasses de thé.

– Ça va te faire du bien.

– C'est lui qui est venu ce matin, n'est-ce pas?

– Ouais.

– Il était si gentil.

– Ouais.

DEUXIÈME PARTIE

Informateurs discrets

4

– Les freins ont lâché. Il fonce droit dans l'arrière d'un camion. Bang !

Gilman abattit le poing dans sa paume ouverte.

– Le camion transportait des vitres, hein ? souffla Nouvelle Tête, assis près de Tom.

– Il paraît qu'une vitre lui a coupé le cou, dit une autre Nouvelle Tête, derrière nous.

Tout le monde dit :

– Putain.

16 décembre 1974.

Commissariat de Wakefield, Wood Street, Wakefield.

La routine :

La mort d'un pote et la mort d'une petite fille.

Coup d'œil sur la montre de mon père, en ce lundi pluvieux pire que tous les lundis pluvieux.

Il était presque dix heures.

On s'était retrouvés au Parthenon, en haut de Westgate, on avait bu du café, mangé des toasts, regardé les vitres se couvrir de buée et la pluie tomber.

Parlé de Barry.

À neuf heures et demie, on avait remonté la rue en courant, sous la pluie, le journal concurrent sur la tête, jusqu'au commissariat de Wood Street et au troisième round.

Gilman, Tom et moi, au deuxième rang et nous en foutant. La presse nationale devant. Visages familiers d'avant, qui font comme s'ils ne me connaissaient pas. Moi m'en foutant complètement. Enfin presque.

– Qu'est-ce qu'il glandait à Morley ? répétait Gilman, secouant la tête d'un côté et de l'autre.

– Tu connais Barry, il cherchait probablement Lucky, blagua Tom, de Bradford.

Une grosse main sur mon épaule.

– Bourré comme une putain de bourrique, à ce qu'il paraît.

Tout le monde se retournant.

Ce con de Jack Whitehead, juste derrière moi.

– Je t'emmerde, dis-je faiblement, sans me retourner.

– Moi aussi je te souhaite le bonjour, Scoop.

Haleine au whisky sur ma nuque.

– Bonjour, Jack, dit Tom, de Bradford.

– Vous avez manqué l'oraison funèbre, ce matin. Pas un seul œil sec dans la rédaction quand Bill s'est tu. C'était très émouvant.

Tom dit :

– Vraiment ? C'est...

Jack Whitehead se pencha sur mon oreille, mais ne baissa pas la voix.

– Et ça aurait pu t'épargner un trajet, Scoop.

Les yeux droit devant.

– Quoi ?

– M. Hadden veut que tu rentres à la base, Scoop. Dare-dare, tu vois ? En quatrième vitesse, etc.

Je sentais le sourire de Jack, derrière moi, qui me vrillait la nuque.

Je me levai, sans regarder Gilman et Tom.

– Je vais lui téléphoner.

– C'est ça. Et, oh, Scoop...

Je pivotai sur moi-même, regardai Jack, assis.

– La police veut te voir.

– Quoi ?

– Tu as bu avec Barry, à ce qu'il paraît.

– Va te faire foutre.

– Le témoin vedette. Vous en avez éclusé combien ?

– Je t'emmerde.

– Ouais, fit Jack, goguenard, jetant un coup d'œil circulaire dans la pièce surpeuplée, apparemment, tu es exactement au bon endroit au bon moment. Pour une fois.

Je passai devant Tom, pris aussi vite que possible le chemin de l'extrémité de la rangée.

– Oh, et... Scoop ?

Je ne voulais pas me retourner. Je ne voulais pas revoir ce putain de sourire. Je ne voulais pas dire :

– Quoi ?

– Félicitations.

– Quoi ? répétai-je, coincé entre les jambes des pisse-copie et les chaises.

– Ce que le Seigneur prend d'une main, il le donne de l'autre.

J'étais la seule personne debout dans la pièce, hormis les flics et les techniciens, la seule qui disait :

– Quoi ?

– Le bruissement de pattes minuscules et tout ça.

– Mais, putain, qu'est-ce que tu racontes ?

Toute la pièce nous regardait alternativement, Jack et moi.

Jack croisa les mains sur la nuque et gratifia le public de son meilleur rire de scène.

– Me dis pas que j'ai battu Scoop au jeu du scoop ?

La salle souriait avec Jack.

– Ta petite amie, Dunston.

– Dunford, dis-je machinalement.

115

– Peu importe, fit Jack.

– Et alors ?

– Elle a dit à Stephanie qu'elle se sentait un peu patraque, ce matin. Mais que c'est seulement un truc auquel il faudra qu'elle s'habitue.

– C'est une putain de blague ? dit Tom, de Bradford.

Gilman fixait le sol, secouait la tête d'un côté et de l'autre.

Je restai figé sur place, Edward Dunford, Pivoine du Nord, tous les yeux sur moi, locaux et nationaux.

– Alors ? fis-je, faiblement.

– Tu vas en faire une femme honnête, j'espère ?

– Honnête ! Putain, qu'est-ce que tu sais de l'honnêteté ?

– Du calme, du calme.

– Je t'emmerde.

Je me frayai un chemin le long de la rangée. Il me fallut une éternité pour arriver au bout. Juste le temps d'une autre vacherie de Jack.

– Les jeunes, par les temps qui courent, vraiment !

Toute la salle riait et se moquait.

– Je crois que Mme Whitehouse a raison.

La salle pouffait à l'unisson de Jack.

– C'est cette putain de société permissive, voilà ce que c'est. Moi, je suis de l'avis de Keith Joseph. Stérilisons tous ces connards.

Toute la salle éclata de rire.

Cent ans plus tard, j'atteignis l'extrémité de la rangée et l'allée.

Jack Whitehead cria :

– Et n'oublie pas de te constituer prisonnier !

Toute la salle s'esclaffa.

Je passai près des flics (clins d'œil, clins d'œil) et des techniciens (coup de coude, coup de coude), atteignis le fond de la salle.

J'avais envie de me coucher, roulé en boule, et de mourir.

Il y eut un claquement.

Un silence de mort s'abattit sur la salle.

La porte latérale, à l'autre bout de la salle, fut brutalement refermée.

Je pivotai sur moi-même.

Le superintendant en chef Oldman et deux hommes en costume entrèrent.

Je tournai mon visage rouge dans leur direction, pour un dernier regard.

Oldman avait cent ans de plus.

— Merci d'être venus, messieurs. Cette conférence de presse sera très brève, parce que vous savez tous où nous préférerions être. L'homme qui se tient à ma droite est le Dr Coutts, médecin légiste qui a réalisé l'autopsie. À ma gauche se trouve le superintendant Noble qui, en collaboration avec moi, dirigera la traque de l'assassin ou des assassins de Clare Kemplay.

Le superintendant Noble me regardait droit dans les yeux.

Je connaissais la suite et je n'avais pas la moindre envie de l'entendre.

Je tournai les talons et franchis la porte à double battant.

— Ils disent que Barry était saoul ?

La pluie entrait dans la cabine téléphonique et formait une flaque à mes pieds. Je fixais, à travers la vitre sale, les lumières jaunes du commissariat de Wood Street, de l'autre côté de la rue.

Hadden, au bout du fil, semblait être sous le choc.

— C'est ce que dit la police.

Je fouillai dans mes poches.

— C'est aussi ce que dit Jack.

J'étais au milieu de la flaque, mes chaussures prenant l'eau, jonglant avec une boîte d'allumettes, une cigarette et le combiné.

– Tu rentres au journal quand ?

Je réussis à allumer une cigarette.

– Dans l'après-midi.

Silence, puis :

– Il faut que je te voie.

– Bien sûr.

Un silence plus long puis, finalement :

– Qu'est-ce qui s'est passé, hier, Eddie ?

– Je suis allé chez Enid Sheard. Elle a la clé du pavillon des Goldthorpe, rien que ça.

Hadden, à plus de quinze kilomètres, dit :

– Vraiment ?

– Ouais, mais il me faut des photos. Pouvez-vous demander à Norman ou Richard de me retrouver là-bas ?

– Quand ?

Coup d'œil sur la montre de mon père.

– Vers midi. Et il serait peut-être bon qu'il apporte de l'argent.

– Combien ?

Je fixais Wood Street, au-delà du commissariat, tandis que des nuages noirs transformaient le matin en soir.

Je pris une profonde inspiration, petite douleur dans la poitrine.

– Cette salope veut deux cents livres.

Silence.

Plus tard :

– Eddie, qu'est-ce qui s'est passé hier ?

– Quoi ?

– Chez Mme Dawson ? Qu'est-ce qui s'est passé ?

– Je ne l'ai pas vue.

Hadden, de la colère dans la voix, dit :

– Mais je t'avais explicitement demandé...

– Je suis resté dans la voiture.

– Mais je t'avais demandé...

– Je sais, je sais. Barry pensait que je risquais de la rendre trop nerveuse.

Je laissai tomber ma cigarette dans la flaque, à mes pieds, et me crus presque.

Hadden, au bout du fil, méfiant :

– Vraiment ?

La cigarette crachota dans l'eau sale.

– Ouais.

– Tu seras de retour à quelle heure ?

– Entre deux et trois.

– Il faut que je te voie.

– Ouais, je sais.

Je raccrochai.

Je vis Gilly, Tom et le reste de la meute sortir en courant du commissariat, vestes sur les têtes, chacun regagnant sa voiture et les chaudes lumières jaunes de sa rédaction.

Je tirai ma veste sur ma tête et me préparai à cavaler.

Une demi-heure plus tard, la Viva empestait le bacon.

Je baissai la vitre et regardai Brunt Street, Castleford.

J'avais les doigts gras, à cause du sandwich.

La lumière était allumée, dans le salon du numéro 11, et se reflétait sur le trottoir noir et mouillé.

Je bus une gorgée de thé très sucré et brûlant.

La lumière s'éteignit et la porte rouge s'ouvrit.

Paula Garland sortit de la maison, sous un parapluie à fleurs. Elle ferma la porte à clé et prit la direction de la Viva.

Je remontai la vitre et me laissai glisser sur mon siège. J'entendis ses hautes bottes marron approcher. Je fermai les yeux, avalai ma salive et me demandai quelle connerie je pourrais bien raconter.

Les bottes passèrent, de l'autre côté de la chaussée.

Je me redressai et regardai par la lunette arrière.

Les bottes marron, l'imperméable beige et le parapluie à fleurs tournèrent au carrefour, disparurent.

Barry Gannon avait un jour dit quelque chose du genre : « Tous les grands bâtiments ressemblent à des crimes. »

En 1970, selon les notes que Hadden m'avait données, John Dawson avait conçu et construit Shangrila, suscitant l'admiration du milieu architectural et du public en général. La télévision, les journaux et les revues avaient été invités à visiter l'intérieur, tout aussi luxueux, et à le célébrer, comme il se doit, sur des doubles pages. Le coût de l'énorme bâtisse était estimé à plus d'un demi-million de livres, cadeau de l'architecte britannique le plus célèbre d'après-guerre à son épouse, à l'occasion de leurs noces d'argent. Baptisée du nom de la ville mythique du film préféré de Marjorie Dawson, *Lost Horizon*, Shangrila s'était emparée de l'imagination du grand public britannique.

Brièvement.

Mon père disait : « Si tu veux connaître le peintre, regarde la peinture. »

Il parlait généralement de Stanley Matthews ou de Don Bradman lorsqu'il disait cela.

Je me souvenais vaguement de mon père et de ma mère prenant la Viva, un dimanche après-midi, pour aller en promenade à Castleford. Je les imaginais pendant le trajet, bavardant un peu mais, pour l'essentiel, écoutant la radio. Ils s'étaient probablement arrêtés à l'entrée de l'allée, avaient regardé Shangrila par la vitre de la voiture. Avaient-ils emporté des sandwiches et une gourde ? Putain, j'espérais que non. Non, ils s'étaient probablement arrêtés pour manger une glace chez Lumbs, en regagnant Ossett. Je vis mes parents dans leur voiture, garée dans Barnsley Road, mangeant leurs glaces en silence.

À leur retour, mon père avait dû s'asseoir à sa table et rédiger sa critique de Shangrila. Il serait allé voir le match de Huddersfield la veille, si l'équipe jouait à domicile, et il aurait écrit sur ce sujet avant de donner son modeste avis sur Shangrila et M. John Dowson.

En 1970, un an avant Fleet Street, j'étais dans mon appartement avec vue sur mer, à Brighton, parcourant la lettre hebdomadaire venue du Nord – des filles du Sud nommées Anna ou Sophie trouvaient cela si charmant –, jetant la lettre à peine lue à la poubelle, foutrement content du fait que les Beatles venaient de Liverpool et pas de Lambeth.

En 1974, dans la même voiture, à l'entrée de la même allée, je regardais, sous la pluie, la même grande demeure blanche, regrettant amèrement de ne pas avoir lu la modeste critique de mon père sur Shangrila et M. John Dowson.

J'ouvris la portière, tirai ma veste sur ma tête et me demandai ce que je foutais là.

Il y avait deux voitures, devant la maison, une Rover et une Jaguar, mais personne n'ouvrit la porte.

J'appuyai à nouveau sur la sonnette et regardai le jardin, la pluie sur le bassin, la Viva garée dans la rue. J'eus l'impression de distinguer deux ou trois poissons rouges géants, orange vif, dans le bassin. Je me demandai si la pluie leur plaisait, si elle changeait quelque chose dans leur vie.

Je me retournai dans l'intention de sonner une dernière fois, et me trouvai face au visage hostile d'un homme trapu, bronzé et vêtu pour le golf.

– Est-ce que Mme Dawson serait là, par hasard ?
– Non, répondit l'homme.

– Savez-vous quand elle reviendra ?
– Non.
– Savez-vous où je pourrais la joindre ?
– Non.
– Est-ce que M. Dawson est là ?
– Non.

Le visage me disait vaguement quelque chose.

– Eh bien, je ne vais pas vous retenir plus longtemps, monsieur Foster. Merci de votre aide.

Je pivotai sur moi-même et m'éloignai.

À mi-chemin, je me retournai et surpris le trem-
blement d'un rideau. Je pris à droite sur la pelouse
et, sur l'herbe souple, gagnai le bassin. Les gouttes
de pluie formaient de jolis motifs sur la surface. Au
fond, les poissons orange vif étaient immobiles.

Je me retournai de nouveau vers Shangrila, sous
la pluie. Les balcons incurvés et blancs évoquaient
des coquilles d'huître superposées, ou bien cette
connerie d'Opéra de Sydney. Puis je me souvins du
petit texte de mon père sur Shangrila et M. John
Dawson :

Shangrila fait penser à un cygne endormi.

Midi.

William Close, Pontefract.

Des phalanges frappèrent à la vitre embuée de la
Viva. Brutalement ramené sur terre, je la baissai.

Paul Kelly se pencha à l'intérieur de la voiture.

– Et Barry ? Putain de saloperie, hein ?

Il était essoufflé et n'avait pas de parapluie.

Je dis :

– Ouais.

– Il paraît qu'il a eu la tête coupée.

– C'est ce qu'on dit.

– Quelle drôle de façon de partir. Et à Morley,
putain, hein ?

– Ouais, je sais.

Paul Kelly sourit.

– Ça pue là-dedans, mec. Qu'est-ce que tu as fabriqué ?

– J'ai mangé un sandwich au bacon. Attention, dis-je en remontant la vitre, mais pas complètement ; puis je descendis.

Merde.

Paul Kelly, photographe. Cousin du célèbre John et de sa sœur, Paula.

La pluie devenait de plus en plus forte, et ma putain de paranoïa aussi :

Pourquoi Kelly et pas Dicky ou Norm ?

Pourquoi aujourd'hui ?

Coïncidence ?

– C'est lequel ?

– Hein ? dis-je, fermant la portière à clé et tirant ma veste sur ma tête.

– Le pavillon des Goldthorpe ? C'est lequel ?

Kelly regardait les maisons.

– Le numéro 6.

Je traversai la chaussée, suivi par Kelly, en direction des pavillons de l'extrémité.

Kelly sortit un énorme appareil japonais de son fourre-tout.

– Donc la vieille bonne femme est au 5 ?

– Ouais. Hadden t'a donné son argent ?

– Ouais, dit Kelly, qui fourra l'appareil sous sa veste.

– Combien ?

– Deux cents.

– En liquide ?

– Oui, dit Kelly, souriant, tapotant la poche de sa veste.

– Moitié moitié ? dis-je, frappant à la porte vitrée.

– Ça ira très bien comme ça, monsieur, dit Kelly alors que la porte s'ouvrait.

– Bonjour, madame Sheard.

– Bonjour, monsieur Dunford et...

– M. Kelly, dit M. Kelly.

– Une heure beaucoup plus convenable, n'est-ce pas, monsieur Dunford ?

Enid Sheard souriait à Paul Kelly.

– Je crois, dit Kelly, qui lui rendit son sourire.

– Voulez-vous une tasse de thé, messieurs ?

Je m'empressai de répondre :

– Merci, mais malheureusement nous sommes un peu pressés.

Enid Sheard pinça les lèvres.

– Dans ce cas, par ici, messieurs.

Elle nous précéda sur le chemin qui séparait les deux pavillons. Nous venions d'arriver devant la porte de derrière du numéro 6, quand des aboiements retentirent soudain au 5. Kelly sursauta.

– Hamlet, dis-je.

– Mon argent, monsieur Dunford ? dit Enid Sheard, la clé à la main.

Paul Kelly lui donna une enveloppe brune.

– Cent livres en liquide.

– Merci, monsieur Kelly, dit Enid Sheard, qui fourra l'enveloppe dans la poche de son tablier.

Je dis :

– De rien.

Elle ouvrit la porte de derrière du 6 William Close.

– Je vais mettre la bouilloire à chauffer, donc, messieurs, il vous suffira de frapper à la porte quand vous aurez terminé.

– Merci. C'est très gentil, dit Kelly, pendant que nous entrions.

Je claquai la porte au nez d'Enid Sheard.

– Il faut que tu fasses gaffe. Si tu fais démarrer son moteur sexuel, tu as intérêt à savoir comment l'arrêter, blaguai-je.

– Tu sais parler, toi ! dit Paul, qui rit aussi, mais dont le visage se figea soudain.

Je cessai de rire, fixai la bougie posée sur l'égout-toir, pensai à *A Guide to the Canals of the North*, me demandai où il était.

Chez Kathryn.

– L'antre du Dératiseur, souffla Kelly.

– Oui. Rien d'extraordinaire, hein ?

– Tu en veux combien ?

Kelly fixait un flash sur un de ses appareils.

– Disons deux par pièce et un peu plus du salon.

– Deux de chaque pièce ?

– Entre nous, j'ai l'intention de faire un livre sur cette affaire, donc j'aurai besoin de pas mal de photos. Je te mets dans le coup, si ça t'intéresse ?

– Ouais ? Merci, Eddie.

Je restai hors de la lumière tandis que Kelly passait de la cuisine dans le couloir, puis gagnait la porte de la chambre de Mary Goldthorpe.

– Donc c'est la chambre de la sœur ?

– Ouais, dis-je, passant près de Kelly.

Je m'approchai de la commode et ouvris le premier tiroir de droite. Je fouillai parmi les culottes jusqu'au moment où je trouvai ce que je cherchais. Je drapai un bas sur le bord du tiroir et me détestai à mort.

– Magique, fit Kelly, qui appuya sur le déclencheur tandis que je m'éloignais.

Je regardai le jardin et la pluie, pensai à ma sœur.

– Tu crois qu'ils le faisaient ?

– Probablement.

Je remis le bas en place et fermai le tiroir sur les sous-vêtements de Mary Goldthorpe.

– Sales vicelards.

Je précédai Kelly dans la chambre de Graham. Je pris un livre sur l'étagère et l'ouvris.

– Essaie d'en faire une bonne de ça, dis-je, montrant l'étiquette de la chouette et la menace qui se trouvait dessous.

– *Ce livre appartient à Graham et Mary Gold-thorpe. Ne le volez pas, sinon vous serez traqué et tué*, lut Kelly. Putain de Dieu !

– Prends-en une de la bibliothèque et tout.

– Des livres vraiment palpitants, blagua Kelly.

Je traversai le petit couloir obscur et ouvris la porte du salon.

La cheminée fut la première chose que je vis.

Kelly entra derrière moi, les éclairs de flash explosant dans la pièce faiblement éclairée.

– Alors c'est là que c'est arrivé ?

– Ouais.

Nue et étranglée.

– Dans la cheminée, ouais ?

– Ouais.

Pendue dans la cheminée.

– Donc il t'en faut quelques-unes d'elle ?

– Ouais.

Le fusil dans la bouche.

– Putain, ça me fout les jetons.

– Ouais, dis-je au vide qui se trouvait au-dessus du foyer.

Le doigt sur la détente.

– Pourquoi il a fait ça ?

– On n'en sait foutre rien.

Kelly renifla.

– Tu dois bien avoir une idée, tu vis avec cette histoire depuis Dieu sait combien de temps.

– D'après la police, il détestait le bruit. Voulait du silence.

– Maintenant il en a, pas de problème.

– Ouais.

Je regardai Kelly prendre des photos, étoiles blanches traversant la pièce.

Le mari de Paula s'était aussi suicidé avec un fusil.

– On se demande pourquoi on prend encore la peine de construire des cheminées, dit Kelly, qui mitraillait toujours.

– Elles ont leurs usages.

– Pour ce connard de père Noël, ouais.

– Le style, suggérai-je.

– Ceux-là, ils en ont. Tu te souviens du bordel à cause d'eux ?

– À cause de quoi ?

– De ces pavillons.

– Non.

Kelly entreprit de changer de pellicule.

– Oui, ça a été tout un truc. Je m'en souviens parce qu'on voulait installer ma maman et mon papa dans un de ceux-là, ou bien dans d'autres, semblables, à Castleford.

– Je ne te suis pas.

– Ils étaient théoriquement destinés aux personnes âgées, c'est pour ça que ce sont des pavillons de plain-pied. Mais cette putain de municipalité les a vendus. Les Goldthorpe devaient avoir de sacrés appuis, c'est moi qui te le dis.

– Combien valaient-ils ?

– Je ne m'en souviens pas. Ils n'étaient pas bon marché, ça je peux te le dire. Dessinés par ce connard de John Dawson. Pose la question à la vieille bonne femme d'à côté. Je parie qu'elle pourra te dire exactement combien ils coûtaient.

– John Dawson a dessiné ces pavillons ?

– Oui, le pote de Barry. D'après mon père, c'est ce qui a donné à la municipalité l'idée de les bazarder, tout ce foin sur son travail.

– Merde.

– C'était une des choses sur lesquelles Barry revenait tout le temps. C'était louche, tout le monde le savait à l'époque.

– Je ne le savais pas.

– Ce n'était pas nouveau, ici, donc je suppose qu'on n'en a pas parlé dans le Sud.

– Non, je suppose. Quand ont-ils été construits ?

127

– Il y a cinq ou six ans. À peu près à l'époque...

Kelly laissa sa phrase en suspens. Je savais où il allait.

Debout dans la pièce froide et obscure, brillamment éclairée par intermittence, nous restâmes silencieux jusqu'à ce qu'il eût terminé.

– Voilà, fini, sauf si tu penses à autre chose, dit Kelly, qui fouillait dans son fourre-tout.

– Quelques-unes de l'extérieur, tu ne crois pas ? dis-je, regardant la pluie.

Une voiture tournait dans la rue.

Kelly jeta un coup d'œil par la fenêtre.

– Il faudra peut-être revenir quand il fera meilleur, mais je vais essayer.

La voiture s'arrêta devant la maison.

– Merde, dis-je.

– Putain, fit Kelly.

– Ouais, dis-je, alors que deux policiers en uniforme descendaient de la voiture bleu et blanc.

Les deux policiers s'étaient engagés dans l'allée tandis que nous sortions de la maison. Le premier était de haute taille et barbu, le deuxième était de petite taille et avait un gros nez. Ils faisaient penser à une paire de comiques, mais personne ne riait et ils avaient l'air foutrement mauvais.

Hamlet se mit à aboyer, dans le pavillon voisin, et le policier de petite taille jura. Kelly ferma la porte derrière nous. Enid Sheard était invisible. Il pleuvait comme vache qui pisse et nous ne pouvions nous cacher nulle part.

– Qu'est-ce que vous faites ici, les gars ? demanda le grand flic barbu.

– On est du *Post*, dis-je, regardant Kelly.

Le policier de petite taille ricanait.

– Ça explique pourquoi vous êtes là, cette connerie ?

Je fouillai dans les poches de ma veste, à la recherche de papiers.

– On travaille sur un article.

– Connerie, répéta le flic de petite taille, qui sortit son carnet et jeta un coup d'œil sur le ciel.

– C'est vrai, dit Kelly, le premier à sortir sa carte de presse.

Le flic de haute taille prit les cartes tandis que l'autre recopiait ce qu'elles indiquaient.

– Alors comment vous êtes entrés, les gars ?

Le petit ne me laissa pas le temps de répondre.

– Et merde, dit-il. Ouvre la porte, tu veux ? Je ne reste pas dehors sous cette putain de flotte.

Il arracha la feuille trempée sur laquelle il tentait d'écrire et la froissa.

Je dis :

– Je ne peux pas.

Le grand ne souriait plus.

– Tu peux, bordel, et tu vas le faire.

– C'est une serrure Yale. Nous n'avons pas la clé.

– Qu'est-ce que vous êtes, ce con de père Noël ? Comment vous êtes entrés ?

Je pris un risque et dis :

– Quelqu'un nous a fait entrer.

– Arrête de déconner. Qui vous a fait entrer ?

– L'avocat des Goldthorpe, dit Kelly.

– Qui est... ?

Je m'efforçai de ne pas paraître trop satisfait.

– Edward Clay et fils, Towngate, Pontefract.

– Putain de petit malin, cracha le grand.

– Hé, tu n'es pas parent de Johnny Kelly, hein ? dit le petit flic, qui nous rendit les cartes de presse.

– C'est mon cousin.

– Putain, vous, les Irlandais, vous vous reproduisez comme des lapins.

– Il a fait comme Lucan, pas vrai ? La malle.

Kelly répondit simplement :

– Je ne sais pas.

Le policier de haute taille montra la rue d'un signe de tête.

– Tu as intérêt à foutre le camp et à le retrouver avant dimanche prochain, hein ?

– Pas toi, père Noël, dit le petit, un doigt posé sur ma poitrine.

Kelly pivota. Je lui lançai les clés de la Viva. Il haussa les épaules et partit à petites foulées vers la voiture, nous laissant tous les trois debout près de la porte de derrière, la pluie dégoulinant sur le toit du pavillon, écoutant les aboiements d'Hamlet, attendant que quelqu'un dise quelque chose.

Le petit prit tout son temps pour ranger son carnet. Le grand quitta ses gants, tendit les doigts, fit craquer ses articulations, puis remit ses gants. Je me balançais sur les talons, les mains dans les poches, la pluie coulant goutte à goutte de mon nez.

Après deux minutes de cette connerie, je dis :

– Alors, qu'est-ce qu'il y a ?

Le flic de haute taille tendit soudain les bras et me poussa contre la porte. Il saisit ma gorge d'une main gantée et, de l'autre, pressa mon visage contre la peinture. Mes pieds ne touchaient pas le sol.

– N'ennuie pas les gens qui ne veulent pas être ennuyés, me souffla-t-il à l'oreille.

– Ce n'est pas bien, siffla le petit, sur la pointe des pieds, le visage à deux centimètres du mien.

J'attendis le coup, l'estomac crispé.

Une main se referma sur mes couilles, les caressa doucement.

– Tu devrais te trouver un hobby.

Le petit accentua l'étreinte sur mes couilles.

– Observer les oiseaux, c'est un gentil petit hobby.

Un doigt, à travers mon pantalon, s'introduisit dans mon trou du cul.

J'eus envie de dégueuler.

– Ou la photographie.

Il lâcha mes couilles, m'embrassa sur la joue et s'éloigna en sifflant *We Wish You a Merry Christmas and a Happy New Year*. Hamlet se remit à aboyer.

Le grand flic pressa mon visage plus fortement contre la porte.

– Et n'oublie pas : Big Brother te regarde.

Un coup de klaxon retentit.

Il me jeta à terre.

– Toujours.

Le klaxon retentit à nouveau et, toussant, à genoux sous la pluie, je regardai les godillots de taille quarante-quatre, à bouts renforcés de métal, s'éloigner dans l'allée, puis monter dans la voiture de police.

Les roues tournèrent, puis les chaussures et la voiture de police disparurent.

J'entendis une porte s'ouvrir, Hamlet aboyant plus fort.

Je me levai et traversai la chaussée en courant, me frottant le cou, une main sur les couilles.

– Monsieur Dunford ! Monsieur Dunford ! cria Enid Sheard.

Le moteur de la Viva tournait, Kelly au volant. J'ouvris la portière du passager et montai précipitamment.

– Putain, fit Kelly, qui accéléra, pied au plancher.

Je me retournai, les couilles et le visage toujours en feu, et vis Enid Sheard qui, à l'extrémité opposée de William Close, s'égosillait.

– N'ennuie pas les gens qui ne veulent pas être ennuyés.

Kelly avait les yeux fixés sur l'autoroute.

– Ce n'est pas un si mauvais conseil, tu sais.

– Qu'est-ce que tu veux dire ? fis-je, alors que je savais très bien ce qu'il voulait dire.

– J'ai vu Paula, hier soir. Elle allait très mal, tu sais.

– Je sais. Je regrette, dis-je, les yeux fixés sur la voiture qui nous précédait, me demandant pourquoi il avait attendu jusqu'à maintenant.

– Tu aurais pu me demander avant.

– Je ne savais pas. C'était davantage l'idée de Barry que la mienne.

– Ne dis pas ça, Eddie. Ce n'est pas bien.

– Non, c'est la vérité. Je ne savais pas que vous étiez parents. Je...

– Tu fais ton boulot, je sais. Mais c'est seulement que, tu comprends, on ne s'en est jamais vraiment remis. Et l'histoire de l'autre gamine, ça remue tous les souvenirs.

– Je sais.

– Plus tout ce merdier avec Johnny. On a l'impression que ça ne cesse jamais.

– Donc tu ne sais rien ?

– Non, rien.

Je dis :

– Je suis désolé, Paul.

– Je sais que tout le monde croit que c'est une nana, ou que c'est encore une de ses saouleries, mais je ne sais pas. J'espère que c'est ça.

– Mais tu ne le crois pas ?

– C'est Johnny qui a souffert le plus, tu sais, après Paula et Geoff. Il aime les mômes. En fait, c'est lui-même un grand môme. Il adorait vraiment notre Jeanie.

– Je suis désolé.

– Je sais. Je ne voulais pas en parler, mais...

Je n'avais pas envie d'entendre la suite.

– Où il est, d'après toi ?

Kelly me regarda.

132

– Si je le savais, bon sang, je ne conduirais pas ta voiture comme si j'étais ton putain de chauffeur, hein ?

Il voulut sourire, mais n'y parvint pas.

– Je suis désolé, dis-je pour la millième fois.

Je regardai, par la fenêtre, les champs marron, avec leurs quelques arbres marron et leurs morceaux de haies marron. Nous arrivions au campement des Gitans.

Kelly alluma la radio et les Bay City Rollers chantèrent brièvement *All of Me Loves All of You*, jusqu'au moment où il éteignit.

Je regardai, au-delà de Kelly, passer les caravanes calcinées et tentai de trouver quelque chose à dire.

Personne ne parla jusqu'à Leeds, jusqu'au moment où il gara la voiture sous les arcades, près de l'immeuble du *Post*.

Kelly coupa le moteur et sortit son portefeuille.

– Qu'est-ce que tu veux qu'on fasse de ça ?

– Moitié moitié ?

– Ouais, dit Kelly, qui compta les billets de dix. Il m'en donna cinq.

– Merci, dis-je. Qu'est devenue ta voiture ?

– Hadden m'a dit de prendre le bus. Que tu reviendrais ici, que tu pourrais me ramener.

Merde, pensai-je. J'étais persuadé qu'il l'avait fait.

– Pourquoi cette question ?

– Pour rien. Comme ça.

– Nous vivons la grande époque du journalisme d'investigation et Barry Gannon comptait au nombre de ceux qui sont à l'origine de cette époque. Quand il voyait l'injustice, il demandait la justice. Quand il voyait des mensonges, il demandait la vérité. Barry Gannon posait les grandes questions aux grands hommes parce qu'il croyait que le public de Grande-Bretagne méritait de tout savoir. Barry

Gannon a dit un jour que la vérité ne peut que nous rendre plus riches. Nous tous qui cherchons cette vérité, la disparition prématurée de Barry nous laisse beaucoup plus pauvres.

Bill Hadden, qui semblait épuisé et petit, derrière son bureau, ôta ses lunettes et leva la tête. J'acquiesçai, pensant : Barry Gannon a dit beaucoup de choses, autour d'autant de bières, l'une d'entre elles étant une histoire qu'il avait rapportée d'Inde, à propos d'un éléphant, de trois aveugles et de la vérité.

Après un silence convenable, je dis :

– C'est dans l'édition d'aujourd'hui ?

– Non. Nous allons attendre la fin de l'enquête judiciaire.

– Pourquoi ?

– Tu sais ce que c'est. On ne peut jamais prévoir ce qu'ils vont trouver. Qu'est-ce que tu en penses ?

– Très bon.

– Ça ne fait pas trop panégyrique ?

– Absolument pas, dis-je, ignorant absolument ce que signifiait panégyrique.

– Bien, dit Hadden, qui posa la feuille de papier A4, sur laquelle le texte était tapé à la machine, sur un coin du bureau. Donc tu as vu Paul Kelly ?

– Ouais.

– Et tu as donné son argent à Mme Sheard ?

– Oui, dis-je, avec beaucoup trop d'entrain, me demandant si cette pitoyable salope téléphonerait à Hadden à propos de la police et parlerait argent.

– Il a les photos et tout ?

– Ouais.

– As-tu fini le papier ?

– Presque, mentis-je.

– Qu'est-ce que tu as d'autre en train ?

– Pas grand-chose, mentis-je à nouveau, pensant : Jeanette Garland, Susan Ridyard, Clare Kemplay, l'incendie du campement des Gitans, *The Canals of the North*, Arnold Fowler et ses cygnes sans ailes, les agents Laurel et Hardy, et les derniers mots de Barry Gannon.

– Mmm, fit Hadden, la ville, déjà noire, derrière lui.

– J'ai vu les parents de Susan Ridyard, samedi, comme on avait dit. Vous vous souvenez, le suivi ?

– Laisse tomber, dit Hadden, qui se leva, sur le point de faire les cent pas. Je veux que tu te concentres sur l'affaire Clare Kemplay.

– Mais je croyais que vous...

Hadden avait levé la main.

– Il nous faudra beaucoup plus de documentation, si nous voulons que cette histoire reste en vie.

– Mais je croyais que vous aviez dit que Jack s'en occupait.

Ma voix s'était faite à nouveau plaintive.

Le visage de Hadden s'assombrit.

– Et je croyais que nous avions décidé que vous la couvririez tous les deux.

J'insistai.

– Mais, jusqu'ici, il n'y a pas eu tellement d'union.

– Mmm, fit Hadden, reprenant l'éloge funèbre de Barry. C'est une période très difficile pour nous tous. Tu avais tes raisons, sans aucun doute, mais tu n'étais pas toujours là quand nous avions besoin de toi.

– Je suis désolé, dis-je, pensant : c'est vraiment un crétin.

Hadden se rassit.

– Comme je l'ai dit, tu a eu tes chagrins et tes problèmes, je sais. Le fait est que Jack couvre l'enquête au jour le jour et que tu travailles sur la documentation.

– La documentation ?

– C'est ce que tu fais le mieux. Jack disait, aujourd'hui encore, que tu ferais un grand romancier.

Hadden souriait.

J'imaginais la scène.

– Et c'est censé être un compliment ?

Hadden riait.

– Venant de Jack Whitehead, c'en est un.

– Ouais ?

Je souris et me mis à compter à l'envers à partir de cent.

– De toute façon, tu vas adorer. Je veux que tu rendes visite à cette médium...

Quatre-vingt-six, quatre-vingt-cinq.

– Une médium ?

– Oui, une médium, une diseuse de bonne aventure, expliqua Hadden, fouillant dans un des tiroirs de son bureau. Elle prétend qu'elle a conduit la police jusqu'au cadavre de Clare et qu'on lui a demandé de l'aider à identifier l'assassin.

– Et vous voulez que je l'interviewe ? soupirai-je.

Trente-neuf, trente-huit.

– Oui. Voilà : appartement 5, 28 Blenheim Road, Wakefield. Derrière le collège.

Bonjour, les allées de la mémoire. Vingt-quatre, vingt-trois.

– Comment s'appelle-t-elle ?

– Mandy Wymer. Elle se fait appeler Mystic Mandy.

Je laissai tomber.

– Il va falloir lui graisser la patte ?

– Malheureusement, une femme aussi talentueuse n'est pas bon marché.

– Quand ?

– Demain. J'ai pris rendez-vous pour toi à treize heures.

– Merci, dis-je, parvenu au trente-sixième dessous, me levant.

Hadden se leva en même temps que moi.

– Tu sais que l'enquête judiciaire a lieu demain matin ?

– Laquelle ?

– Celle de Barry.

– Demain ?

– Oui. Un certain sergent Fraser veut te voir.

Il regarda sa montre, ajouta :

– Dans un quart d'heure, dans le hall d'entrée.

D'autres flics. Mes couilles se ratatinèrent.

– Bon.

J'ouvris la porte, pensant : ça pourrait être pire, il aurait pu mentionner Mme Dawson, la rencontre avec les deux flics à Ponty, ou même cette conne de Kathryn Taylor.

– Et n'oublie pas Mystic Mandy.

– Pas de danger.

Je fermai la porte.

– C'est exactement dans tes cordes.

– Je regrette de vous ennuyer, monsieur Dunford, dans un moment comme celui-ci, mais je tente de reconstituer exactement l'emploi du temps de M. Gannon dans la journée d'hier.

Le sergent était jeune, sympathique et blond.

Je crus qu'il se foutait de ma gueule et je dis :

– Il est venu me chercher aux environs de dix heures...

– Excusez-moi, monsieur. Où ?

– 10, Wesley Street, Ossett.

– Merci.

Il nota et releva la tête.

– Nous sommes allés à Castleford avec la voiture de Barry, euh, de M. Gannon. J'ai interviewé une certaine Mme Garland, au 11 Brunt Street, Castleford, et...

– Paula Garland ?

– Ouais.

Le sergent Fraser avait cessé de prendre des notes.

– Comme dans Jeanette Garland ?

– Ouais.

– Je vois. Et vous étiez en compagnie de M. Gannon ?

– Non. M. Gannon s'est rendu chez Mme Marjorie Dawson. À Shangrila, Castleford. Comme dans John Dawson.

– Merci. Donc il vous a déposé.

– Ouais.

– Et vous ne l'avez pas revu ?

Après un bref silence, je dis :

– Non. J'ai retrouvé Barry au Swan, un pub de Castleford, entre treize heures et quatorze heures. Je ne pourrais pas vous dire exactement quand.

– M. Gannon buvait-il ?

– Je crois qu'il a pris un demi. Une pinte, tout au plus.

– Et ensuite ?

– Nous sommes partis chacun de notre côté. Il ne m'a pas dit où il allait.

– Et vous ?

– Je suis allé à Pontefract en bus. J'avais une autre interview.

– Donc, à quelle heure, à votre avis, avez-vous vu M. Gannon pour la dernière fois ?

– Il devait être quatorze heures quarante-cinq, au plus tard, dis-je, pensant : et il m'a raconté que Marjorie Dawson lui avait dit que sa vie était en danger, et je ne l'ai pas pris au sérieux et je n'en parlerai pas maintenant.

– Et vous ignorez où il est allé ensuite ?

– Oui. J'ai supposé qu'il revenait ici.

– Pourquoi avez-vous cru cela ?

– Sans raison. J'ai simplement supposé que c'était ce qu'il ferait. Pour taper l'interview.

– Vous ignorez pourquoi il allait à Morley ?

– Totalement.

– Je vois. Merci. Il faudra que vous assistiez à l'enquête judiciaire, demain, vous le savez ?

J'acquiesçai.

– Un peu rapide, pas vrai ?

– Nous disposons pratiquement de tous les détails et, entre vous et moi, je crois que la famille tient à... vous savez... Avec Noël et tout.

– Ça se passera où ?

– À la mairie de Morley.

– Très bien, dis-je.

Je pensais à Clare Kemplay.

Le sergent Fraser ferma son carnet.

– On vous posera à peu près les mêmes questions. Mais les magistrats insisteront peut-être un peu plus sur la boisson. Vous savez ce que c'est.

– Il dépassait ?

– Je crois.

– Et les freins ?

Fraser haussa les épaules.

– Ils ont lâché.

– Et l'autre véhicule ?

– En stationnement.

– Est-il vrai qu'il transportait des plaques de verre ?

– Oui.

– Et que l'une d'entre elles a transpercé le pare-brise ?

– Oui.

– Et...

– Oui.

– Donc ça a été instantané.

– À mon avis, oui.

– Putain.

– Ouais.

Nous étions blêmes. Je regardai, par les baies vitrées du hall, la circulation de la fin d'après-midi sous la pluie, les phares et les stops qui s'allumaient et s'éteignaient, jaune et rouge, jaune et rouge. Le sergent Fraser feuilletait son carnet.

Quelques instants plus tard, il se leva.

– Vous ne savez pas où je pourrais joindre Kathryn Taylor, n'est-ce pas ?

– Si elle n'est pas dans l'immeuble, elle est probablement rentrée chez elle.

– Non, je n'ai pu la joindre ni ici ni chez elle.

– Je doute qu'elle sache quelque chose. Elle a passé pratiquement toute la soirée avec moi.

– C'est ce qu'on m'a dit. Mais on ne sait jamais.

Je gardai le silence.

Le sergent mit sa casquette.

– Si vous voyez miss Taylor, demandez-lui, s'il vous plaît, de me contacter. On peut me joindre à toute heure par l'intermédiaire du commissariat de Morley.

– Ouais.

– Merci, monsieur Dunford.

– Merci.

– À demain.

– Ouais.

Je le regardai gagner la réception, dire quelque chose à Lisa, qui était assise derrière le comptoir, puis franchir la porte à tambour.

J'allumai une cigarette, le cœur battant à cent trente à l'heure.

Trois heures de rang, assis à mon bureau, je travaillai.

Il n'y a pas de temps mort, dans le seul journal régional paraissant matin et soir, mais ce jour-là était aussi proche que possible de la permanence de nuit, tout le monde foutant le camp le plus tôt possible. Un au revoir par-ci, un au revoir par-là, et on sera au Cercle de la presse, plus tard, si ça te chante.

Pas Barry Gannon, absent.

Donc, je tapai et tapai ; la première fois que je travaillais vraiment depuis la mort de mon père et la disparition de Clare Kemplay. Je tentai de me souvenir de la dernière fois où, assis à ce bureau, j'avais simplement travaillé et tapé. Les rodéos automobiles, sûrement. Mais impossible de me souvenir si mon père était toujours à l'hôpital ou si on l'avait ramené à la maison.

Ronald Dunford, absent.

Vers six heures, Kelly apporta les photos et on les tria, mettant les meilleures dans le tiroir. Kelly apporta mon papier et ses photos au rédacteur en chef adjoint, puis à la compo. Dans l'opération, je perdis cinquante mots qui, dans un bon jour, auraient justifié un verre, au Cercle de la presse, en compagnie de Kathryn.

Mais ce n'était pas un bon jour.

Kathryn Taylor, absente.

J'étais allé voir la Grosse Steph et lui avais dit de la fermer, mais elle n'avait pas compris de quoi je parlais, seulement que Jack Whitehead avait raison sur mon compte. Nous sommes tous bouleversés, tu sais, mais tu devrais réagir. Jack Whitehead avait raison sur mon compte, disait et répétait Stephanie, inlassablement, à moi et à tous ceux qui se trouvaient dans un rayon de dix kilomètres.

Ce con de Jack Whitehead, absent ?

Aucune chance, bordel.

Sur tous les exemplaires de l'édition du soir :

ARRÊTEZ CE MONSTRE.

Cinq colonnes à la une de l'*Evening Post*.

PAR JACK WHITEHEAD,
GRAND REPORTER POUR LES AFFAIRES CRIMINELLES
ET REPORTER DE L'ANNÉE EN 1968 & 1971.

Merde.

L'autopsie de Clare Kemplay, dix ans, a révélé qu'on l'a torturée, violée puis étranglée. La Police du West Yorkshire se refuse à communiquer la nature exacte des sévices, mais le superintendant en chef George Oldman, lors d'une conférence de presse qui s'est déroulée dans la journée, a indiqué que le caractère extrême du meurtre « défiait l'entendement » et était « de loin le cas le plus horrible que les membres de la Police métropolitaine du West Yorkshire et lui-même eussent jamais rencontré ».

Le Dr Alan Coutts, médecin légiste qui a dirigé l'autopsie, a déclaré : « Il n'y a pas de mots capables d'exprimer les horreurs subies par cette petite fille. » Le Dr Coutts, qui a plus de cinquante autopsies à son actif, était visiblement bouleversé et a ajouté qu'il espérait « ne plus jamais se trouver dans l'obligation d'accomplir une telle tâche ».

Le superintendant Oldman a indiqué qu'il était urgent d'arrêter le meurtrier et a annoncé que le superintendant Peter Noble serait responsable du suivi de l'enquête destinée à démasquer l'auteur du meurtre de Clare.

En 1968, le superintendant Noble, qui appartenait alors à la Police des West Midlands, avait bénéficié d'une notoriété nationale en ayant été le principal artisan de l'arrestation du meurtrier de Cannock Chase, Raymond Morris. Entre 1965 et 1967, Morris avait agressé puis étouffé trois petites filles, à Stafford et dans les environs, avant d'être arrêté par Noble, qui était alors détective.

Le superintendant Noble s'est déclaré résolu à identifier le meurtrier de Clare Kemplay et a demandé l'assistance de la population en ces termes : « Il faut que nous arrêtions ce monstre avant qu'il tue une nouvelle innocente. »

Le superintendant en chef Oldman a ajouté que la police tenait plus particulièrement à rencontrer toutes

les personnes qui se trouvaient aux environs de
la Tranchée du Diable, à Wakefield, le vendredi
13 décembre dans la soirée ou le samedi 14 décembre
en début de matinée.

La Police métropolitaine du West Yorkshire
demande à tous ceux qui détiennent des informa-
tions de contacter directement le service chargé
de l'enquête, au 3838 ou au 3839 à Wakefield, ou
de téléphoner au commissariat le plus proche. Tous
les appels seront traités avec la plus grande dis-
crétion.

L'article s'accompagnait de deux photographies :
le cliché d'école de Clare, qui illustrait mon premier
papier, et un autre, dont on voyait le grain, de policiers fouillant la Tranchée du Diable, où on avait
trouvé le cadavre de Clare.

Chapeau bas devant Jack.

Je déchirai la première page, la fourrai dans la
poche de ma veste et gagnai le bureau de Barry
Gannon. J'ouvris le tiroir du bas, en sortis la fidèle
bouteille de Bells de Barry et m'en servis une triple
dose dans une tasse de café encore à moitié pleine.

À ta santé, Barry Gannon.

C'était foutrement dégueulasse, si foutrement
dégueulasse que je trouvai une autre tasse à moitié
pleine sur un autre bureau, et m'en envoyai un
putain de deuxième.

À ta santé, Ronald Dunford.

Cinq minutes plus tard, je posai la tête sur mon
bureau, sentis le bois, le whisky et la journée de travail sur mes manches. J'envisageai de téléphoner
chez Kathryn, mais le whisky dut vaincre le café et
je plongeai dans un sommeil de merde sous les
lumières crues de la rédaction.

– Réveille-toi, Scoop, réveille-toi.
J'ouvris un œil.

– Lève-toi et marche, Monsieur l'Ensommeillé. Ton petit ami sur la ligne deux.

J'ouvris l'autre.

Assis sur la chaise de Barry, au bureau de Barry, Jack Whitehead brandissait le combiné et l'agitait dans ma direction. La rédaction n'était plus morte, préparait l'édition suivante. Je me redressai et hochai la tête. Jack m'adressa un clin d'œil et le téléphone sonna sur mon bureau.

Je décrochai.

– Ouais ?

Une voix masculine, jeune, demanda :

– Edward Dunford ?

– Ouais ?

Il y eut un silence puis un clic, Jack ayant pris son putain de temps avant de raccrocher. Je me tournai vers l'extrémité opposée de la rédaction. Jack Whitehead leva les mains vides, feignant de capituler.

Tout le monde rit.

Mon souffle, contre le combiné, empestait.

– Qui est à l'appareil ?

– Un ami de Barry. Vous connaissez le Gaiety, un pub de Roundhay Road ?

– Ouais.

– Soyez dans la cabine téléphonique qui se trouve devant à dix heures.

Il raccrocha. Je dis :

– Je regrette, il faudra d'abord que je voie mon rédacteur en chef. Mais si vous voulez me rappeler demain dans la journée... Je comprends, merci. Au revoir.

– Encore un gros coup, Scoop ?

– Ce putain de Dératiseur. Il aura ma peau.

Tout le monde rit.

Même Jack.

Vingt et une heures trente, lundi soir 16 décembre 1974.

Je me garai sur le parking situé face au Gaiety Hotel, Roundhay Road, à Leeds, et décidai de ne pas bouger pendant une demi-heure. Je coupai le moteur et les phares, restai assis dans le noir, les yeux fixés sur le Gaiety, à l'autre bout du parking, la lumière du bar me permettant de voir clairement la cabine téléphonique et le pub lui-même.

Le Gaiety, un pub moderne et laid, avec tout le vieux charme laid des pubs qui bordaient Harehill et Chapeltown. Un restaurant qui ne servait pas de repas et un hôtel qui n'avait pas de lits, voilà le Gaiety.

J'allumai une cigarette, entrouvris la vitre et basculai la tête en arrière.

Environ quatre mois plus tôt, peu après mon retour dans le Nord, j'avais passé presque une journée entière, et une partie de la suivante, à me bourrer la gueule au Gaiety en compagnie de George Greaves, de Gaz des sports et de Barry.

Environ quatre mois plus tôt, quand mon retour dans le Nord était encore une nouveauté et s'encanailler au Gaiety une idée hilarante et, aussi, une incitation à la lucidité.

Environ quatre mois plus tôt, quand Ronald Dunford, Clare Kemplay et Barry Gannon étaient encore en vie.

En réalité, cette séance d'une journée n'avait pas été vraiment hilarante, mais s'était avérée une initiation utile pour un correspondant pour les affaires criminelles dans le Nord tout nouveau et très inexpérimenté.

– C'est le territoire de Jack Whitehead, avait soufflé George Greaves quand nous avions franchi la porte à double battant et étions entrés au Gaiety, vers onze heures ce matin-là.

Au bout de cinq heures, j'avais voulu rentrer chez moi, mais le Gaiety ne se conformait pas aux lois locales sur les heures d'ouverture et, malgré l'absence de menu, de lits et de piste de danse, pouvait servir de l'alcool de vingt-trois heures à trois heures du matin, en vertu du fait que c'était un restaurant, un hôtel ou une discothèque, selon le flic à qui on s'adressait. Et contrairement au Queen's Hotel du centre, disons, le Gaiety proposait, à l'heure du déjeuner, un spectacle de strip-tease à ses habitués. De plus, faute de menu comportant des plats chauds, le Gaiety était en mesure de fournir à ses clients la possibilité de brouter les strip-teaseuses du spectacle de midi, à un tarif très raisonnable. C'était une collation qui, selon Gaz des sports, valait bien ses cinq livres.

– Il a été champion olympique de tir à la chatte, à Munich, notre Gaz, avait blagué George Greaves.

– Ce n'est pas donné à n'importe quel crétin, avait ajouté Gaz.

J'avais dégueulé pour la première fois vers six heures, mais, les yeux fixés sur les poils pubiens qui tournoyaient dans la cuvette ébréchée des toilettes, je m'étais senti en état de continuer.

Les clientèles diurne et nocturne du Gaiety étaient à peu près les mêmes ; seules les proportions changeaient. Dans la journée, il y avait davantage de prostituées et de chauffeurs de taxi pakistanais, tandis que le soir voyait une augmentation des ouvriers et des hommes d'affaires. Les journalistes bourrés, les flics et les Jamaïcains mornes étaient des constantes, jour et nuit, trois cent soixante-cinq jours par an.

C'est le territoire de Jack Whitehead.

Le dernier événement de cette journée dont je me souvienne vraiment, c'est d'avoir dégueulé sur le parking, pensant : c'est le territoire de Jack, pas le mien.

Je vidai le cendrier de la Viva par la vitre, tandis qu'une machine à sous crachait sa monnaie au Gaiety, parmi les acclamations qui accueillirent un nouveau passage de *The Israelites* sur le juke-box. Je remontai la vitre et me demandai combien de fois j'avais entendu ce foutu disque, ce jour-là, quatre mois auparavant. Ils n'en avaient donc jamais marre?

À dix heures moins cinq, alors que *Young, Gifted and Black* recommençait, je quittai la Viva et le jardin des souvenirs, allai attendre près de la cabine téléphonique.

À dix heures pile, je décrochai à la deuxième sonnerie.

– Allô?
– Qui est à l'appareil?
– Edward Dunford.
– Vous êtes seul?
– Ouais.
– Vous avez une Vauxhall Viva verte?
– Ouais.
– Allez au carrefour de Harehills Lane et de Chapeltown Road, puis garez-vous devant l'hôpital.

Il raccrocha.

À dix heures dix, j'étais garé devant l'hôpital Chapel Allerton, au carrefour de Harehills Lane, à l'endroit où Chapeltown Road devient Harrogate Road, beaucoup plus enthousiasmante.

À dix heures onze, quelqu'un tenta d'ouvrir la portière du passager, puis frappa à la vitre. Je me penchai sur le siège et ouvris.

– Faites demi-tour et retournez à Leeds, dit Costume Marron aux cheveux orange, qui monta. Quelqu'un sait que vous êtes ici?

– Non, dis-je, faisant demi-tour et pensant : putain de Bowie le voyou.

– Votre petite amie ?

– Et alors ?

– Elle sait que vous êtes ici ?

– Non.

Costume Marron renifla, fort, secoua sa chevelure orange d'un côté et de l'autre.

– Tournez à droite au parc.

– Ici ?

– Ouais. Allez jusqu'à l'église.

Au carrefour, devant l'église, Costume Marron renifla une nouvelle fois, fort, et dit :

– Arrêtez-vous ici, attendez dix minutes, puis prenez Spencer Place à pied. À peu près cinq minutes plus tard, vous arriverez à Spencer Mount, c'est la cinquième ou la sixième à gauche. Le numéro 3 est à droite. Ne sonnez pas, montez directement à l'appartement 5.

Je dis :

– Appartement 5, 3 Spencer Mount...

Mais Costume Marron et ses cheveux orange détalaient déjà.

Vers dix heures et demie, je suivais Spencer Place, pensant : je les emmerde, lui et ses conneries de ruses d'espion. Et je l'emmerde aussi parce qu'il me fait prendre Spencer Place à dix heures et demie, comme si c'était une connerie de test.

– Tu cherches quelque chose, hein, chéri ?

De dix heures du soir à trois heures du matin, Spencer Place était la rue la plus animée du Yorkshire, hormis le quartier de Manningham, à Bradford. Et ce soir-là ne faisait pas exception. Des voitures roulaient au pas dans les deux sens, stops d'un rouge éblouissant, comme un départ en week-end prolongé.

– Le spectacle te plaît ?

Les femmes les plus âgées étaient assises sur le muret d'une cité ouvrière plongée dans le noir, tandis que les jeunes allaient et venaient, tapant des pieds pour lutter contre le froid.

– Excusez-moi, monsieur l'agent...

Les seuls autres hommes, dans la rue, étaient des Jamaïcains, qui montaient dans les voitures en stationnement et en descendaient, dans un nuage de fumée et de musique, proposaient leur marchandise et gardaient un œil sur leurs petites amies blanches.

– Tu as des cactus dans les poches ?

Les rires me suivirent jusqu'au carrefour de Spencer Mount. Je traversai la chaussée, gravis les trois marches en pierre qui permettaient d'accéder à la porte du 3, au-dessus de laquelle, sur le verre gris, était peinte une étoile de David écaillée.

De Youpinville à Cochonville en combien d'années ?

Je poussai la porte et montai l'escalier.

Je dis :

– Chouette quartier.

– Je vous emmerde, cracha Costume Marron, qui maintenait ouverte la porte de l'appartement 5.

C'était un studio où il y avait trop de meubles, de grandes fenêtres et la puanteur de trop nombreux hivers du Nord. Karen Carpenter était sur tous les murs, mais c'était Ziggy qui passait sur le minuscule électrophone. Il y avait une guirlande d'ampoules, mais pas de sapin.

Costume Marron retira des vêtements posés sur un des fauteuils et dit :

– Asseyez-vous, Eddie.

– Il semblerait que vous ayez l'avantage, fis-je, souriant.

– Barry James Anderson, dit Barry James Anderson, fièrement.

– Encore un Barry ?

Le fauteuil sentait le moisi.

– Ouais, mais vous pouvez m'appeler BJ, gloussa-t-il. Tout le monde le fait.

Je ne mordis pas.

– O.K.

– Le nom c'est BJ, la profession c'est PD.

Il cessa de rire, gagna rapidement une vieille armoire qui se trouvait dans un coin.

– Comment avez-vous rencontré Barry ? dis-je, me demandant si Barry était une pédale.

– Je le rencontrais ici et là, vous voyez. On a parlé.

Barry-la-porte-de-derrière. Putain de pédé.

– Vous le rencontriez où ?

– Ici et là, c'est tout. Du thé ? dit-il, fouillant dans le bas de l'armoire.

– Non, merci.

– Comme vous voulez.

J'allumai une cigarette et pris une assiette sale en guise de cendrier.

– Voilà, dit BJ, qui sortit du bas de l'armoire un sac en plastique de chez Hillard et me le tendit. Il voulait que je vous remette ça s'il lui arrivait quelque chose.

– S'il lui arrivait quelque chose ? répétai-je en ouvrant le sac.

Il était plein de chemises cartonnées et d'enveloppes en papier kraft.

– Qu'est-ce que c'est ? demandai-je.

– L'œuvre de sa vie.

J'écrasai ma cigarette dans la sauce tomate séchée.

– Pourquoi ? Je veux dire : qu'est-ce qui l'a amené à laisser ça ici ?

– Dites-le franchement : pourquoi moi ? ironisa BJ. Il est passé hier soir. Il a dit qu'il avait besoin de mettre tout ça dans un endroit sûr. Et que, s'il lui arrivait quelque chose, je devais vous le donner.

150

– Hier soir ?

BJ s'assit sur le lit et ôta sa veste.

– Ouais.

– Je vous ai vu, hier soir, hein ? Au Cercle de la presse.

– Ouais, et vous n'avez pas été très gentil, hein ?

Il y avait, sur sa chemise, des milliers de petites étoiles.

– J'étais bourré.

– Dans ce cas, ça va, ironisa-t-il.

J'allumai une nouvelle cigarette. Je détestais le petit pédé et sa chemise à étoiles.

– Mais, bordel, qu'est-ce qui vous liait à Barry ?

– J'ai vu des choses, vous savez.

– Je n'en doute pas, fis-je, jetant un coup d'œil sur la montre de mon père.

Il se leva d'un bond.

– Écoutez, je ne vous retiens pas.

Je me levai également.

– Je suis désolé. Asseyez-vous, s'il vous plaît. Je suis désolé.

BJ s'assit, le menton toujours en avant.

– Je connais des gens.

– J'en suis convaincu.

Il était à nouveau debout, tapait du pied.

– Non, connard. Des gens célèbres.

Je me levai, les mains tendues.

– Je sais, je sais...

– Écoutez, j'ai sucé la queue et léché les couilles de quelques-uns des plus grands hommes de notre pays.

– Qui ?

– Oh, non. Vous n'aurez pas ça aussi facilement.

– Très bien. Pourquoi ?

– Pour de l'argent. Qu'est-ce qu'il y a d'autre ? Vous croyez que ça me plaît d'être moi ? D'avoir ce corps ? Regardez-moi ! Ce n'est pas moi.

Il était à genoux, levait sa chemise.

– Je ne suis pas un pédé. À l'intérieur, je suis une femme, hurla-t-il, se levant et arrachant un des posters de Karen Carpenter, le froissant devant mon visage. Elle sait ce que c'est. Il sait, dit-il, pivotant sur lui-même, donnant un coup de pied dans l'électrophone, si bien que le disque de Ziggy s'arrêta dans un grincement.

Barry James Anderson tomba à plat ventre près de l'électrophone, la tête entre les mains, tremblant.

– Barry comprenait.

Je m'assis, puis me levai. Je rejoignis le jeune homme allongé, dans sa chemise à étoiles argentées et son pantalon marron, l'aidai à se relever, le fis asseoir sur le lit.

– Barry comprenait, pleurnicha-t-il.

Je gagnai l'électrophone et posai le saphir sur le disque, mais la chanson était déprimante et sautait, si bien que j'éteignis la musique et repris place dans le fauteuil qui sentait le moisi.

– Vous aimiez bien Barry ?

Il avait séché ses larmes, s'était redressé, me regardait.

– Ouais, mais je ne le connaissais pas vraiment bien.

Les yeux de BJ s'emplirent à nouveau de larmes.

– Il vous aimait bien.

– Pourquoi croyait-il qu'il risquait de lui arriver quelque chose ?

BJ se leva d'un bond.

– Allons ! Merde, c'était évident.

– Pourquoi était-ce évident ?

– Ça ne pouvait pas continuer. Il savait trop de choses sur de trop nombreuses personnes.

Je me penchai.

– John Dawson ?

– John Dawson, ce n'est que la partie émergée de ce putain d'iceberg. Vous n'avez donc pas lu ses trucs ?

Il montra le sac en plastique posé à mes pieds.

– Seulement ce qu'il donnait au *Post*, mentis-je.

Il sourit.

– Eh bien, toutes les affaires sont dans ce sac.

Je détestais le petit enculé, ses magouilles et son appartement.

– Où est-il allé, hier soir, après être passé ici ?

– Il a dit qu'il allait vous aider.

– Moi ?

– C'est ce qu'il a dit. Que ça avait un rapport avec cette petite fille de Morley et qu'il pouvait tout relier.

J'étais debout.

– Qu'est-ce que vous voulez dire ? Comment ça ?

– C'est tout ce qu'il a dit...

Consumé par la vision d'ailes cousues sur le dos de Clare, de seins en balles de cricket sur la poitrine de BJ, je me jetai sur Barry James Anderson et criai :

– Réfléchissez !

– Je ne sais pas. Il n'a pas expliqué.

Je le tenais par les étoiles de sa chemise, l'immobilisai sur le lit.

– Est-ce qu'il a dit autre chose sur Clare ?

Son souffle était aussi moisi que la pièce, et je le recevais en plein visage.

– Clare qui ?

– La petite fille assassinée.

– Seulement qu'il allait à Morley et que ça vous aiderait.

– Mais, merde, ça m'aiderait comment ?

– Il ne l'a pas dit. Il faut que je vous le répète combien de fois encore ?

– Rien d'autre ?

– Rien. Maintenant lâchez-moi, bordel !

Je saisis sa bouche et serrai fort.

– Non. Expliquez-moi pourquoi Barry vous a dit ça, dis-je, serrant son visage de toutes mes forces avant de le lâcher.

– Peut-être parce que j'ai les yeux ouverts. Parce que je vois des choses et que je m'en souviens.

Sa lèvre inférieure saignait.

Je regardai les étoiles argentées serrées dans mon autre main et les lâchai.

– Vous savez que dalle.

– Croyez ce que vous voulez.

Je me levai pour prendre le sac de chez Hillards.

– C'est ce que je ferai.

– Vous devriez dormir un peu.

Je pris le sac et me dirigeai vers la porte. Je l'ouvris, me tournai vers l'enfer du studio et posai une dernière question.

– Est-ce qu'il était ivre ?

– Non, mais il avait bu.

– Beaucoup ?

– Il sentait l'alcool.

Des larmes roulèrent sur ses joues.

Je posai le sac en plastique.

– À votre avis, qu'est-ce qui lui est arrivé ?

– Je crois qu'ils l'ont tué, renifla-t-il.

– Qui ?

– Je ne connais pas les noms et je ne veux pas les connaître.

Hantise : *Il y a des escadrons de la mort dans toutes les villes, dans tous les pays.*

Je dis :

– Qui ? Dawson ? La police ?

– Je ne sais pas.

– Alors pourquoi ?

– Pour l'argent, quoi d'autre ? Pour que les affaires restent dans votre sac. Pour qu'on puisse l'enterrer.

Je regardai, à l'extrémité de la pièce, un poster où Karen Carpenter serrait un Mickey Mouse géant dans ses bras.

Je pris le sac en plastique.

– Comment puis-je vous joindre ?

Barry James Anderson sourit.

– Au 442189. Dites que Eddie a appelé et j'aurai le message.

Je notai le numéro.

– Merci.

– De rien.

Spencer Place au pas de course, dans Leeds le pied au plancher, puis sur la M1, espérant ne jamais le revoir.

Planète des singes, Escape from the Dark, tourbillon de théories :

Pluie sur le pare-brise, lune volée.

Cut sur la traque :

J'ai vu l'homme qui a vu l'homme.

Il pouvait tout lier...

Anges et démons, démons et anges.

Le squelette :

FAIRE COMME SI TOUT ALLAIT BIEN.

Je regardais ma mère, endormie dans son fauteuil, et tentais de tout lier.

Pas ici.

L'escalier ; les enveloppes, les dossiers et les photos sur mon lit.

Pas ici.

Je fourrai le tout dans un grand sac-poubelle noir, bourrai mes poches d'aiguilles et d'épingles ayant appartenu à mon père.

Pas ici.

L'escalier en sens inverse, baiser sur le front de ma mère et la porte.

Pas ici.

Pied au plancher, à toute vitesse dans l'aube d'Ossett.

Pas ici.

5

Au Redbeck Cafe & Motel, ce mardi 17 décembre 1974 à l'aube.

J'avais roulé toute la nuit et j'étais revenu ici, comme si tout revenait ici.

Je payai deux semaines d'avance et j'en eus pour mon argent :

La chambre 27 donnait sur l'arrière, deux motards d'un côté, une femme et ses quatre enfants de l'autre. Il n'y avait ni téléphone, ni toilettes, ni télé. Mais pour deux livres la nuit j'avais la vue sur le parking, un lit double, une armoire, un bureau, un lavabo et pas de questions.

Je fermai la porte à double tour et tirai les rideaux humides. Je défis le lit, épinglai le drap le plus épais sur les rideaux, puis posai le matelas debout contre le drap. Je trouvai une capote usagée, que je fourrai dans un sachet de chips à moitié vide.

Je retournai à la voiture, pissai dans les toilettes où j'avais pris le billet de ce voyage en enfer.

Debout, je pissai, me demandant si c'était mardi ou mercredi, certain que je ne pourrais pas préciser davantage. Je secouai et ouvris la porte de la cabine d'un coup de pied, certain qu'il n'y aurait qu'une merde jaune et molle et des graffitis obscènes.

Je fis le tour jusqu'à la façade, achetai deux grands cafés très sucrés dans des gobelets en plastique sales. J'ouvris le coffre de la Viva puis emportai le sac-poubelle noir et les deux cafés noirs dans la chambre 27.

Je fermai à nouveau la porte à double tour, bus un café, vidai le sac-poubelle sur le sommier du lit et me mis au travail.

Les dossiers et les enveloppes de Barry Gannon portaient des noms. Je les posai par ordre alphabétique sur une moitié du lit, puis je dépouillai l'épaisse enveloppe que Hadden m'avait donnée, classai les documents dans les dossiers de Barry correspondants.

Certains noms étaient précédés d'un titre, d'autres d'un grade, d'autres encore simplement de Monsieur. Je connaissais quelques noms, j'avais vaguement entendu parler d'autres, la plupart ne me disaient rien.

Sur l'autre moitié du lit, je disposai mes dossiers en piles, trois minces et une épaisse : Jeanette, Susan, Clare et, à droite, Graham Goldthorpe, Dératiseur.

En bas de l'armoire, je trouvai un rouleau de papier peint. Prenant une poignée d'épingles ayant appartenu à mon père, je retournai le papier peint et le fixai au mur au-dessus du bureau. Avec un gros feutre rouge, je divisai l'envers du papier peint en cinq larges colonnes. En haut de chaque colonne, en capitales rouges, j'écrivis cinq noms : JEANETTE, SUSAN, CLARE, GRAHAM et BARRY.

Près du morceau de papier peint, j'épinglai la carte du West Yorkshire provenant de la Viva. Au feutre rouge, je traçai quatre croix et une flèche pointée sur Rochdale.

Buvant le deuxième gobelet de café, je rassemblai mon courage.

Les mains tremblantes, je pris l'enveloppe posée sur la pile de Clare. Demandant pardon, j'ouvris l'enveloppe et en sortis quatre grandes photos en noir et blanc. L'estomac crispé, la bouche pleine d'épingles, je regagnai le tableau tracé sur le papier peint et, soigneusement, épinglai les trois clichés au-dessus de trois noms.

Je reculai, les joues trempées de larmes, et regardai mon nouveau papier peint, la peau si pâle, les cheveux si blonds, les ailes si blanches.

Un ange en noir et blanc.

Trois heures plus tard, assis sur le plancher de la chambre 27, les yeux rougis de larmes à cause de ce que je venais de lire, je me levai.

L'enquête de Barry : trois hommes riches : John Dawson, Donald Foster et un troisième que Barry ne pouvait ou ne voulait nommer.

Mon enquête : trois petites filles mortes : Jeanette, Susan et Clare.

Mon enquête, son enquête – deux enquêtes : mêmes moments et mêmes endroits, noms et visages différents.

Mystère, passé.

Un lien ?

J'avais posé une petite pile de pièces sur l'appareil de la cabine téléphonique du hall d'entrée du Redbeck.

– Le sergent Fraser, s'il vous plaît ?

L'entrée, tout en jaune et marron, empestait la fumée. Derrière la porte vitrée à double battant, des jeunes jouaient au billard et fumaient.

– Sergent Fraser à l'appareil.

– C'est Edward Dunford. On m'a communiqué des informations sur dimanche soir, à propos de Barry...

– Des informations de quelle nature ?

Je coinçai le combiné entre mon menton et mon cou, puis grattai une allumette.

– C'est un coup de téléphone anonyme selon lequel la visite de M. Gannon à Morley aurait été en relation avec Clare Kemplay, dis-je, une cigarette entre les dents.

– Autre chose ?

– Pas au téléphone.

Sur le flanc de l'appareil, au feutre, on avait écrit *Jeune queue* et six numéros de téléphone.

– Il faudrait qu'on se voie avant l'enquête judiciaire, dit le sergent Fraser.

Dehors, il s'était remis à pleuvoir et les chauffeurs routiers couraient, blouson sur la tête, jusqu'au café ou aux chiottes.

Je dis :

– Où ?

– Angelo's, dans une heure. C'est en face de la mairie de Morley.

– D'accord. Mais j'ai besoin d'un service.

Je cherchai un cendrier, mais dus me contenter du mur.

Fraser souffla, au bout du fil :

– Lequel ?

Les bips retentirent et je glissai une nouvelle pièce.

– J'ai besoin des noms et des adresses des ouvriers qui ont trouvé le corps.

– Quel corps ?

– Celui de Clare Kemplay.

Je comptai les cœurs griffonnés autour du téléphone.

– Je ne sais pas...

– S'il vous plaît, dis-je.

Quelqu'un avait écrit *pour Eva, à Geva* dans un cœur rouge.

Fraser dit :

– Pourquoi moi ?

– Parce que je pense que vous êtes un type bien, que j'ai besoin d'un service et que je ne sais pas à qui d'autre le demander.

Silence, puis :

– Je verrai ce que je peux faire.

– Dans une heure, dis-je, puis je raccrochai.

Je replaçai le combiné sur son support, le décrochai, mis une nouvelle pièce, composai un numéro.

Desmond fait jouir les femmes des taudards.

– Ouais ?

– Dites à BJ qu'Eddie a appelé et donnez-lui ce numéro : le 276578. Il faudra qu'il demande Ronald Gannon, chambre 27.

J'emmerde Wakey Ken.

Je raccrochai, décrochai à nouveau, mis une nouvelle pièce et composai un autre numéro.

L'amour vrai ne meurt jamais.

– Peter Taylor à l'appareil.

– Bonjour. Est-ce que Kathryn est là, s'il vous plaît ?

– Elle n'est pas réveillée.

Coup d'œil sur la montre de mon père.

Je dis :

– Quand elle se réveillera, pourriez-vous lui dire qu'Edward a appelé ?

– D'accord, répondit le père, comme si c'était une putain d'énorme faveur.

– Au revoir.

Je raccrochai, décrochai, mis la dernière pièce et composai un numéro.

Une vieille femme qui sentait le bacon sortit du café, entra dans le hall.

– Ossett 256199.

– C'est moi, maman.

– Tout va bien, mon chéri ? Où es-tu ?

Un des jeunes poursuivait l'autre autour du billard, brandissant une queue.

Je dis :

– Ça va. Je suis au travail.

La vieille femme s'était assise dans un des fauteuils marron du hall, face au téléphone, regardait
fixement les camions et la pluie.

– Je vais peut-être devoir m'absenter quelques
jours.

– Où ?

Le gamin armé de la queue avait immobilisé
l'autre sur le feutre.

– Dans le Sud, dis-je.

– Tu téléphoneras, n'est-ce pas ?

La vieille femme péta bruyamment et les jeunes
de la salle de billard cessèrent de se battre,
entrèrent en courant dans le hall.

– Bien sûr...

– Je t'aime, Edward.

Les jeunes relevèrent leurs manches, posèrent les
lèvres sur leurs bras et entreprirent de se faire des
suçons.

– Moi aussi.

La vieille femme regardait fixement la pluie et les
camions, les jeunes dansant autour d'elle.

Je raccrochai.

4 LUV.

Angelo's, face à la mairie de Morley, coup de feu
du petit déjeuner.

Je buvais mon deuxième café, bien au-delà de la
fatigue.

– Je peux vous apporter quelque chose ?

Le sergent Fraser était au comptoir.

– Un café, s'il vous plaît. Noir, deux sucres.

Je regardai, dans la salle, la muraille de gros titres
défendant chaque petit déjeuner.

534 millions de livres de déficit de la balance commerciale, augmentation de 12 % de l'essence, trêve de Noël de l'IRA, un portrait du nouveau Dr Who, et Clare.

– Bonjour, dit Fraser, qui posa une tasse devant moi.

– Merci.

Je vidai ma tasse de café froid et bus une gorgée de café brûlant.

– J'ai vu le coroner, tôt ce matin. Il dit qu'ils vont être obligés de reporter.

– De toute façon, ils voulaient aller trop vite.

Une serveuse apporta un petit déjeuner complet qu'elle posa devant le sergent.

– Ouais, mais avec Noël et la famille, ça aurait été bien.

– Merde, ouais. La famille.

Fraser empila la moitié du contenu de l'assiette sur sa fourchette.

– Vous connaissez ses parents ?

– Non.

– Des gens très bien, soupira Fraser, qui épongea le jus des œufs et des tomates avec un morceau de toast.

– Ouais ? fis-je, et je me demandai quel âge avait Fraser.

– Mais ils vont rendre le corps, donc ils pourront organiser les funérailles.

– S'en débarrasser.

Fraser posa son couteau et sa fourchette, poussa l'assiette impeccable sur le côté.

– Mardi, je crois, d'après eux.

– C'est ça. Mardi.

Je ne pouvais pas me rappeler si la crémation de mon père avait eu lieu jeudi ou vendredi dernier.

Le sergent Fraser s'appuya contre le dossier de sa chaise.

– Alors, ce coup de téléphone anonyme ?

Je me penchai, baissai la voix.

– Comme je l'ai dit, en plein milieu de la nuit...

– Allons, Eddie.

Je regardai le sergent Fraser, ses cheveux blonds, ses yeux bleus larmoyants, son visage rouge et charnu, son très léger accent écossais et son alliance toute simple. Il ressemblait à mon voisin de paillasse en classe de chimie.

– Puis-je être franc avec vous ?

– Je crois que vous avez intérêt à l'être, dit Fraser, qui m'offrit une cigarette.

– Barry avait un informateur, vous savez.

J'allumai la cigarette.

– Vous voulez dire un indic ?

– Un informateur.

Fraser haussa les épaules.

– Continuez.

– J'ai reçu un appel au journal hier soir. Pas de nom, seulement : Soyez au Gaiety, dans Roundhay Road. Vous connaissez, hein ?

– Non, blagua Fraser. Je connais, évidemment. Comment pouviez-vous être sûr qu'on ne vous menait pas en bateau ?

– Barry avait beaucoup de contacts. Il connaissait beaucoup de gens.

– Quelle heure était-il ?

– À peu près dix heures. Quoi qu'il en soit, j'ai accepté et je suis allé au rendez-vous de ce type...

Les avant-bras sur la table, penché, Fraser souriait.

– Alors, qui était-ce ?

– Un jeune Noir, pas de nom. Il a dit qu'il avait vu Barry dimanche soir.

– Comment était-il ?

– Noir, vous voyez.

J'écrasai ma cigarette et en pris une autre dans mon paquet.

– Jeune ? Vieux ? Grand ? Petit ?

– Noir. Cheveux crépus, gros nez, lèvres épaisses. Qu'est-ce que vous voulez que je vous dise ?

Le sergent Fraser sourit.

– Il vous a dit si Barry Gannon avait bu ?

– Je lui ai posé la question et il a répondu que Barry avait bu quelques verres, mais qu'il n'était pas bourré.

– Où cela s'est-il passé ?

J'hésitai, me disant que c'était l'endroit où je merderais, puis je dis :

– Au Gaiety.

– Dans ce cas, il y aura des témoins ?

Fraser avait sorti son carnet et prenait des notes.

– Des témoins comme ceux qu'on rencontre au Gaiety, ouais.

– Je présume que vous n'avez pas tenté de persuader votre ami de couleur de communiquer cette information à un représentant de la police de son quartier ?

– Non.

– Ensuite ?

– Vers onze heures, d'après lui, Barry a dit qu'il allait à Morley. Que cela avait un rapport avec le meurtre de Clare Kemplay.

Par-dessus mon épaule, le sergent Fraser fixait la pluie et, en face, la mairie.

– Lequel ?

– Il ne savait pas.

– Vous le croyez ?

– Pourquoi pas ?

– Conneries, il se fichait de vous. À onze heures du soir, un dimanche, après avoir picolé au Gaiety ?

– C'est ce qu'il a dit.

– Très bien. À votre avis, si Gannon savait une chose susceptible de justifier qu'il vienne jusqu'ici, à cette heure, un dimanche soir, qu'est-ce que c'était ?

– Je n'en sais rien. Je vous rapporte simplement ce que ce type m'a dit.

– Et c'est tout ?

Le sergent Fraser rit.

– Conneries, poursuivit-il. Vous êtes journaliste. Vous lui avez sûrement posé d'autres questions.

J'allumai une nouvelle saloperie de cigarette.

– Ouais. Mais je vous assure que ce type ne savait que dalle.

– Très bien. À votre avis, qu'est-ce que Gannon avait découvert ?

– Je vous ai dit que je n'en sais rien. Mais ça explique pourquoi il était à Morley.

– Les gros bonnets vont adorer, soupira Fraser.

Une serveuse vint débarrasser les tasses et l'assiette. L'homme assis à la table voisine nous écoutait, les yeux fixés sur le portrait-robot du violeur de Cambridge, qui aurait pu être n'importe qui.

Je dis :

– Avez-vous les noms ?

Le sergent Fraser alluma une nouvelle cigarette et se pencha.

– C'est entre nous.

– Évidemment, dis-je, puis je sortis une feuille de papier et un stylo de la poche de ma veste.

– Deux ouvriers du bâtiment, Terry Jones et James Ashworth. Ils travaillent sur le chantier du lotissement qui se trouve derrière la prison de Wakefield. C'est l'entreprise Foster, je crois.

– L'entreprise Foster, répétai-je, pensant : Donald Foster, Barry Gannon, lien.

– Je n'ai pas leurs adresses et je ne vous les donnerais pas si je les avais. Donc il faudra que vous vous contentiez de ça.

– Merci. Encore une chose...

– Laquelle ?

– Qui a accès au rapport d'autopsie et aux photos de Clare Kemplay ?

Fraser s'appuya contre le dossier de sa chaise.

– Pourquoi ?

– Simple curiosité. Je veux dire : est-ce que tous les flics qui travaillent sur l'affaire peuvent les consulter ?

– Ils sont à leur disposition, oui.

– Les avez-vous vus ?

– Je ne travaille pas sur l'affaire.

– Mais vous avez sûrement participé aux recherches.

– Ouais, mais l'équipe chargée de l'enquête est basée à Wakefield.

– Donc vous ne savez pas quand on les a mis à la disposition des enquêteurs ?

– Pourquoi ?

– Je veux connaître la procédure. Simple curiosité.

Fraser se leva.

– Ce ne sont pas des questions à poser, Eddie.

Puis il sourit, m'adressa un clin d'œil et ajouta :

– Il faut que j'y aille. À un de ces quatre.

– Ouais, fis-je.

Le sergent Fraser ouvrit la porte du café puis se tourna vers moi.

– Restez en contact, hein ?

– Ouais, évidemment.

– Et pas un mot, d'accord ?

Il riait presque.

– Pas un mot, marmonnai-je en pliant ma feuille de papier.

Gaz, des sports, gravissait l'escalier de la mairie. Je fumais une cigarette, assis sur les marches.

– Qu'est-ce que tu fous ici ?

– C'est absolument charmant, vraiment, dit Gaz, qui sourit sans découvrir les dents. Je suis cité comme témoin.

– Ouais ?

Le sourire avait disparu.

– Ouais, je ne te fais pas marcher. J'avais rendez-vous avec Barry, dimanche soir, mais il n'est pas venu.

– Ça va être reporté, tu sais ?

– Tu blagues ? Pourquoi ?

– La police ne sait toujours pas ce qu'il faisait dimanche soir.

J'offris une cigarette à Gaz et en allumai une nouvelle.

Gaz accepta solennellement la cigarette et le feu.

– Mais elle sait qu'il est mort, putain, hein ?

J'acquiesçai et dis :

– Les funérailles auront lieu jeudi.

– Merde. Si vite ?

– Ouais.

Gaz renifla bruyamment, puis cracha sur les marches en pierre.

– Tu as vu le patron ?

– Je ne suis pas entré.

Il écrasa sa cigarette et se remit à gravir les marches.

– Vaudrait mieux que j'y aille.

Je dis :

– Je vais attendre ici. S'ils ont besoin de moi, ils savent où me trouver.

– Je ne peux pas te le reprocher.

– Écoute, dis-je, tandis qu'il s'éloignait. Tu as appris quelque chose sur Johnny Kelly ?

– Que dalle, répondit Gaz. Mais hier soir, au Inns, un type a dit que Foster ne voulait plus entendre parler de lui.

– Foster ?

– Don Foster. Le président de Trinity.

Je me levai.

– Don Foster est le président de Wakefield Trinity ?

– Ouais. D'où tu débarques, putain ?

– Ils nous ont fait perdre notre temps.

Une demi-heure plus tard, Gaz, des sports, descendait l'escalier de la mairie en compagnie de Bill Hadden.

– On ne peut pas précipiter ces choses-là, Gareth, dit Hadden, qui semblait bizarre sans son bureau.

Assis sur ma marche froide, je me levai pour les accueillir.

– Au moins, ils peuvent organiser les obsèques.

– Bonjour, Edward, dit Hadden.

– Bonjour. Vous avez une minute ?

– La famille semble ne pas prendre ça trop mal, fit Gaz, tourné vers le haut de l'escalier.

Je dis :

– Il paraît.

– Des gens très forts. Tu as quelque chose à me dire ?

Hadden posa la main sur mon épaule.

– Je verrai tout le monde plus tard, dit Gaz des sports, qui descendit les marches deux par deux, saisit sa chance.

– Et Cardiff City ? cria Hadden.

– On va les réduire en bouillie, patron ! répondit Gaz.

Hadden sourit.

– Un enthousiasme comme ça, on n'en fait plus.

– Non, dis-je. C'est vrai.

– Alors, qu'est-ce qu'il y a ? demanda Hadden, qui croisa les bras à cause du froid.

– J'ai l'intention de voir les deux hommes qui ont trouvé le corps, de lier ça à la voyante et à l'histoire de la Tranchée du Diable, dis-je, beaucoup trop vite, comme quelqu'un qui a eu une demi-heure de réflexion.

Hadden se mit à caresser sa barbe, ce qui était toujours mauvais signe.

– Intéressant. Très intéressant.

– Vous trouvez ?

– Mmm. Mais le ton m'inquiète un peu.

– Le ton ?

– Mmm. Cette voyante, cette médium, c'est plutôt un élément du tableau d'ensemble. Un truc pour le supplément. Mais les hommes qui ont découvert le corps, je ne sais pas...

Du tac au tac, en plein visage :

– Mais vous avez dit qu'elle connaît le nom de l'assassin. Ce n'est pas du décor, c'est pour la une.

Hadden, négligeant l'appât, dit :

– Tu vas les voir aujourd'hui ?

– Je pensais y aller tout de suite, puisque je dois passer à Wakefield de toute façon.

– Très bien, dit Hadden, qui se dirigea vers sa Rover. Rapporte-moi tout ça à cinq heures et on le regardera en prévision de l'édition de demain.

– D'accord, criai-je, jetant un coup d'œil sur la montre de mon père.

Un guide des rues de Leeds et Bradford ouvert sur les genoux, mes notes sur le siège du passager, je roulais au pas dans les petites rues de Morley.

Je pris Victoria Road et la suivis lentement, m'arrêtai juste avant le carrefour de Rooms Lane et de Church Street.

Barry devait arriver en sens inverse, en direction de Wakefield Road ou de la M62. Le camion était sûrement là, au feu de Victoria Road, attendant de prendre Rooms Lane à droite.

Je feuilletai mon bloc, de plus en plus vite, jusqu'à la première page.

Gagné.

Je démarrai, avançai et m'arrêtai au feu.

À gauche, de l'autre côté du carrefour, une église noire et, près d'elle, l'école maternelle et élémentaire de Morley Grange.

Le feu passa au vert. Je lisais toujours.

Au carrefour de Rooms Lane et de Victoria Road, Clare a dit au revoir à ses amies et on l'a vue pour la dernière fois dans Victoria Road, marchant en direction de chez elle...

Clare Kemplay.

Vue pour la dernière fois.

Au revoir.

Je traversai le carrefour, un camion du Co-op attendant de prendre Rooms Lane à droite.

Le camion de Barry était sûrement là, lui aussi, au feu de Victoria Road, attendant de prendre Rooms Lane à droite.

Barry Gannon.

Vu pour la dernière fois.

Au revoir.

Je suivis Victoria Lane au pas, klaxons derrière moi, Clare marchant près de moi, sur le trottoir, vêtue de sa parka orange et de ses bottes en caoutchouc rouges.

Vue pour la dernière fois dans Victoria Road, marchant en direction de chez elle.

Le terrain de sport, Sandmead Close, Winterbourne Avenue.

Clare, au carrefour de Winterbourne Avenue, faisant signe de la main.

Je mis mon clignotant à gauche et pris Winterbourne Avenue.

C'était une impasse de six maisons mitoyennes de construction ancienne et de trois pavillons neufs.

Un policier se tenait, sous la pluie, devant le numéro 3.

Je reculai dans l'entrée du garage d'un des pavillons neufs et fis demi-tour.

Je regardai, de l'autre côté de la chaussée, le 3 Winterbourne Avenue.

Rideaux tirés.

La Viva cala.

Un rideau frémit.

Mme Kemplay, les bras croisés, à la fenêtre.

Le policier regarda sa montre.

Je m'en allai.

L'entreprise Foster.

Le chantier se trouvait derrière la prison de Wakefield, à quelques mètres de la Tranchée du Diable.

À l'heure du déjeuner, par un mardi pluvieux de décembre, il y régnait un silence de mort.

Une chanson, le son ténu dans l'air humide : *Dreams Are Ten A Penny*.

Je suivis mes oreilles.

– Ça va ? dis-je en écartant la grosse toile qui fermait l'entrée d'une maison en construction.

Quatre hommes qui mangeaient des sandwiches, buvaient le thé de leurs thermos.

– On peut vous être utiles ? dit l'un d'entre eux.

– Vous êtes perdu ? dit un autre.

Je dis :

– En fait, je cherche...

– Jamais entendu parler d'eux, dit le premier.

– Journaliste, hein ? fit le deuxième.

– Ça se voit à ce point ?

– Ouais, firent-ils tous.

– Savez-vous où je peux trouver Terry Jones et James Ashworth ?

Un colosse en veste de bleu de travail se leva, avala la moitié d'un pain.

– Je suis Terry Jones.

Je tendis la main.

– Edward Dunford. *Yorkshire Post*. Je voudrais vous parler.

Il ne tint pas compte de ma main.

– Vous allez payer ?

Tout le monde rit, le nez dans son thé.

– On peut en discuter, pas de problème.

– En tout cas, vous pouvez foutre le camp si vous le faites pas, pas de problème, dit Terry Jones, provoquant de nouveaux éclats de rire.

– Je suis sérieux, protestai-je.

Terry Jones soupira et secoua la tête.

– Il y a des gens qui ont un sacré culot, dit un des hommes.

– Au moins, c'est un putain de journaliste local.

– Venez, bâilla Terry Jones avant d'engloutir le reste de son thé.

– Oublie pas de le faire cracher, cria un autre homme tandis que nous sortions.

– Beaucoup de journaux sont venus ? demandai-je en offrant une cigarette à Terry Jones.

– Les gars disent qu'il y a eu un photographe du *Sun*, mais on était au commissariat de Wood Street.

Il bruinait fort et je montrai une autre maison en construction. Terry Jones hocha la tête et me précéda.

– La police vous a gardé longtemps ?

– Non, pas vraiment. Mais, dans une affaire comme ça, elle ne prend pas de risques, hein ?

– Et James Ashworth ?

Nous nous tenions sur le seuil, juste hors de portée de la pluie.

– Comment ça, James Ashworth ?

– Ils l'ont gardé longtemps ?

– Pareil.

– Il est ici ?

– Il est malade.

– Ouais ?

– Un truc qui traîne.

– Ouais ?

– Ouais.

Terry Jones lâcha sa cigarette, l'écrasa sous son godillot et ajouta :

– Gaffer est en arrêt-maladie depuis jeudi, Jimmy hier et aujourd'hui, deux autres gars la semaine dernière.

Je dis :

– Qui l'a trouvée ? Vous ou Jimmy ?

– Jimmy.

– Où était-elle ? demandai-je, les yeux fixés sur la boue et la flotte.

Terry Jones renifla une masse énorme de morve et dit :

– Je vais vous montrer.

Je le suivis en silence, dans le chantier, jusqu'à la bande de terre à l'abandon qui est parallèle à la route de Wakefield à Dewsbury. Un ruban de police, bleu et blanc, était tendu au bord de la Tranchée. Côté route, il y avait deux flics dans une voiture pie. L'un d'entre eux nous regarda et adressa un signe de tête à Terry Jones.

Il répondit de la main.

– Combien de temps vont-ils surveiller cet endroit ?

– Aucune idée.

– Il y a eu des bâches sur tout ça jusqu'à hier soir.

Je regardai, dans la Tranchée du Diable, les poussettes rouillées, les bicyclettes, les cuisinières et les réfrigérateurs. Les feuillages et les ordures serpentaient partout, roulaient dans sa gueule, si bien qu'on ne pouvait voir le fond.

– L'avez-vous vue ? demandai-je.

– Oui.

– Putain !

– Elle était sur une poussette, à peu près à mi-pente.

– Une poussette ?

Il fixait quelque chose qui se trouvait très, très loin.

– La police l'a emportée. Elle avait, ah, merde...

– Je sais.

J'avais fermé les yeux.

– La police a dit qu'il ne fallait pas qu'on en parle.

– Je sais, je sais.

– Mais, merde...

Il luttait contre la boule qui obstruait sa gorge, les larmes qui emplissaient ses yeux.

Je lui donnai une nouvelle cigarette.

– Je sais. J'ai vu les photos de l'autopsie.

Il montra, de la cigarette non allumée, un endroit délimité séparément.

– Une des ailes était là-bas, presque en haut.

– Putain !

– Je voudrais ne l'avoir pas vue.

Je fixai la tranchée, les photos épinglées au mur du Redbeck flottant dans mon esprit.

– Si seulement je ne l'avais pas vue, souffla-t-il.

– Où habite Jimmy Ashworth ?

Terry Jones me regarda.

– Je ne crois pas que ce soit une très bonne idée.

– S'il vous plaît.

– Ça lui a fait un gros choc. C'est un môme.

– Parler lui fera peut-être du bien, dis-je, les yeux fixés sur une poussette bleu sale qui se trouvait à mi-pente.

– C'est des conneries, cracha-t-il.

– Pardon ?

– Fitzwilliam, dit Terry Jones, qui pivota sur lui-même et s'éloigna.

Je passai sous le ruban de police bleu et blanc puis, agrippé à une racine, me penchai dans la Tranchée du Diable, ramassai une plume blanche posée sur un buisson.

Une heure à tuer.

Je passai devant le collège Queen Elizabeth, me garai, regagnai Wakefield à petites foulées, sous la pluie, accélérant devant l'école.

Cinquante minutes à tuer.

Comme c'était jeudi, je fis le tour du marché aux puces, fumant des cigarettes et me faisant tremper jusqu'aux os, regardai les poussettes, les bicyclettes d'enfants et tout ce qui avait été récupéré dans les maisons des morts quand on les avait vidées.

Le marché couvert empestait les vêtements mouillés et il y avait toujours un étal de livres à l'endroit où se trouvait autrefois Joe's Books.

Je jetai un coup d'œil sur ma montre tout en feuilletant une pile de vieux super-héros.

Quarante minutes à tuer.

Tous les samedis matin pendant trois ans, nous avions pris, mon père et moi, le 126 à la station de bus d'Ossett, mon père lisant le *Post*, parlant football ou cricket, les sacs à provisions vides sur les genoux, tandis que je rêvais à la pile de bandes dessinées qui était toujours mon salaire lorsque j'aidais Joe.

Tous les samedis matin, jusqu'au samedi matin où le vieux Joe n'avait pas ouvert et où j'avais attendu, debout, mon père revenant avec deux sacs de courses, le fromage enveloppé dans du papier sur le dessus.

Trente-cinq minutes à tuer.

À l'Acropolis, en haut de Westgate, où j'avais autrefois été amoureux d'une serveuse, je me forçai à manger du Yorkshire pudding à la sauce à l'oignon, puis le vomis aussitôt dans les petites toilettes du fond, les toilettes où je rêvais toujours que je sauterais enfin la serveuse, qui s'appelait Jane.

Vingt-cinq minutes à tuer.

Dehors, sous la pluie, je pris le chemin du Bullring, passai devant le Stafford Arms, *le pub le plus dur du Nord*, devant le coiffeur où ma sœur avait travaillé à mi-temps et rencontré Tony.

Vingt minutes à tuer.

Au Silvio's, café préféré de ma mère et endroit où je retrouvais secrètement Rachel Lyons après l'école, je commandai un éclair au chocolat.

Je sortis mon bloc humide et relus les rares notes que j'avais pu prendre sur Mystic Mandy.

« *L'avenir, comme le passé, est écrit. On ne peut le changer, mais il peut contribuer à guérir les plaies du présent.* »

Assis près de la vitrine, je regardai Wakefield.

Avenirs passés.

Il pleuvait si fort, à présent, que la ville tout entière semblait être sous l'eau. J'aurais voulu qu'elle le soit, que la pluie noie les gens et emporte tout ça.

J'avais tué tout le temps dont je disposais.

Je bus la tasse de thé brûlant très sucré, laissai l'éclair et repris le chemin de St. Johns, une feuille de thé collée sur ma lèvre et une plume dans la poche.

Blenheim Road était une des plus belles rues de Wakefield, bordée de grands arbres robustes et de vastes maisons se dressant au milieu des jardins.

Le 28 ne faisait pas exception, énorme bâtisse ancienne qu'on avait divisée en appartements.

Je traversai la cour, évitant les flaques, et entrai. Les fenêtres du hall et de l'escalier étaient des vitraux, et l'endroit empestait la vieille église en hiver.

L'appartement numéro 5 était situé à droite sur le palier du premier étage.

Je jetai un coup d'œil sur la montre de mon père et sonnai. Le carillon évoquait *Tubular Bells* et je pensais à *L'Exorciste* quand la porte s'ouvrit.

Une femme d'âge mûr, sortie tout droit de *York-shire Life* dans son chemisier et sa jupe campagnards, me tendit la main.

– Mandy Wymer, dit-elle tandis que nous nous serrions brièvement la main.

– Edward Dunford. Du *Yorkshire Post*.

– Entrez.

Elle s'appuya contre le mur tandis que je passais, laissa la porte entrouverte et me suivit dans le couloir obscur, orné de tableaux sombres, puis dans une vaste pièce sombre également, aux grandes fenêtres masquées par des arbres plus grands encore. Il y avait une caisse à chat, dans un coin, et son odeur se répandait dans toute la pièce.

– Asseyez-vous donc, dit la femme, montrant l'extrémité d'un grand canapé recouvert de tissu imprimé.

L'aspect strict de la femme jurait avec le décor oriental et vaguement hippy, ainsi qu'avec sa profession. Une pensée que je ne pus manifestement déguiser.

– Mon ex-mari était turc, dit-elle soudain.

– Ex? fis-je, allumant le Pocket Memo Philips sans le sortir de ma poche.

– Il est retourné à Istanbul.

Je ne pus résister.

– Vous n'avez rien vu venir?

– Je suis médium, monsieur Dunford, pas diseuse de bonne aventure.

Assis à l'extrémité du canapé, j'eus l'impression d'être stupide, fus incapable de trouver quelque chose à répondre.

Finalement, je dis :

– Je ne fais pas très bonne impression, n'est-ce pas?

Miss Wymer, qui s'était assise dans un fauteuil, se leva brusquement.

– Voulez-vous du thé ?

– Avec plaisir, si ça ne vous dérange pas.

La femme traversa la pièce en courant presque, s'immobilisa soudain sur le seuil comme si elle avait posé le pied sur une assiette.

– Vous sentez très fort les mauvais souvenirs, dit-elle à voix basse, me tournant le dos.

– Pardon ?

– Ou la mort.

Elle s'était immobilisée sur le seuil, tremblante et pâle, les mains crispées sur l'encadrement.

Je me levai.

– Ça va ?

– Je crois qu'il vaudrait mieux que vous partiez, souffla-t-elle, glissant contre l'encadrement jusqu'au sol.

– Miss Wymer...

Je traversai la pièce.

– Je vous en prie ! Non !

Je tendis les bras, dans l'intention de l'aider à se relever.

– Miss Wymer...

– Ne me touchez pas !

Je reculai et la femme se recroquevilla en boule.

– Je suis désolé, dis-je.

– C'est si fort.

Elle ne parlait pas, elle gémissait.

– Quoi ?

– Vous en êtes couvert.

– De quoi ? criai-je, furieux, pensant à BJ, aux jours et aux nuits passés dans des chambres de location en compagnie de malades mentaux.

– De quoi ? Dites-moi.

– De sa mort.

L'air fut soudain épais et hostile.

– Qu'est-ce que c'est que cette connerie ?

Je me dirigeai vers elle, le sang battant à mes oreilles.

– Non !

Elle hurlait, glissait sur le derrière dans le couloir, les bras et les jambes écartés, la jupe remontée.

– Mon Dieu, non !

– Fermez-la, fermez-la, fermez-la !

Je hurlais, maintenant, dans le couloir à mon tour.

Elle se releva péniblement, supplia :

– Je vous en prie, je vous en prie, laissez-moi tranquille.

– Attendez !

Elle entra dans une pièce et me claqua la porte au nez, coinçant un des doigts de ma main gauche dans une charnière pendant une seconde.

– Putain de salope ! criai-je, donnant des coups de pied et des coups de poing contre la porte fermée à clé. Putain de salope cinglée !

Je cessai, mis mon doigt douloureux dans ma bouche et le suçai.

L'appartement était silencieux.

Je posai la tête contre le battant et, d'une voix contenue, dis :

– Je vous en prie, miss Wymer...

J'entendais, derrière la porte fermée, des sanglots terrifiés.

– Je vous en prie, miss Wymer. Il faut que je vous parle.

J'entendis le bruit de meubles qu'on déplaçait, de commodes et d'armoires qu'on poussait contre la porte.

– Miss Wymer ?

Une voix faible me parvint, à travers les couches et les couches de bois et de portes, un enfant murmurant des confidences à un ami, sous les couvertures.

– Dites-leur, pour les autres...

– Pardon ?

– Je vous en prie, dites-leur pour les autres.

179

J'étais appuyé contre la porte, le goût du vernis sur les lèvres.

– Quels autres ?

– Les autres.

– Mais quels autres, putain ? criai-je, tournant la poignée et tirant dessus.

– Toutes les autres, sous ces jolies moquettes neuves.

– Fermez-la !

– Sous l'herbe qui pousse dans les fissures et entre les pierres.

– Fermez-la !

Poings contre le battant, phalanges en sang.

– Dites-leur. Je vous en prie, dites-leur où elles sont.

– Fermez-la ! Fermez-la, putain !

Ma tête contre la porte, la marée de bruit descendant, l'appartement silencieux et sombre.

– Miss Wymer ? soufflai-je.

Silence, sombre silence.

Je sortis de l'appartement, léchant et suçant mes phalanges et mon doigt, vis la porte d'en face s'entrouvrir légèrement.

– Fourrez pas votre putain de nez dans les affaires des autres ! criai-je, descendant l'escalier au pas de course, si vous voulez pas qu'on vous le coupe !

Cent trente à l'heure, terrifié.

Pied au plancher sur la M1, exorcisant les fantômes de Wakefield, passés et présents.

Dans le rétroviseur, une Rover verte qui me suivait. Moi, paranoïaque, la prenant pour une voiture de police banalisée.

Les yeux au ciel, tout là-haut, roulant dans le ventre énorme d'une baleine, ciel de la couleur de sa chair grise, les arbres noirs et nus, ses os puissants : une prison humide.

Dans le rétroviseur, la Rover gagnait du terrain.

Je pris la sortie de Leeds, près des ruines calcinées du campement gitan, les armatures noires des caravanes brûlées, elles aussi comme des os, dressées comme une sorte de cercle païen en hommage à leurs morts.

Dans le rétroviseur, la Rover verte continua en direction du nord.

Sous les arcades de la gare, je garai la Viva, deux corbeaux noirs mangeant le contenu de sacs-poubelles noirs, déchirant la viande gaspillée, leurs croassements résonnant dans la nuit, en cette Saison de la Calamité.

Dix minutes plus tard, j'étais à mon bureau.

J'appelai les renseignements, puis James Ashworth, puis BJ.

Pas de réponse, tout le monde faisait les courses de Noël.

– Tu as l'air complètement crevé.

Stephanie, des dossiers dans les bras, grasse comme une oie.

– Ça va.

Stephanie resta immobile devant mon bureau, silencieuse.

Je fixai la seule carte de Noël posée sur ma table, tentai de chasser l'image de Jack Whitehead la baisant par-derrière, durcis vaguement.

– J'ai vu Kathryn hier soir.

– Et alors ?

– Tu t'en fiches vraiment ?

Elle était déjà en colère.

Moi aussi.

– Ce que je pense ne te regarde pas, bordel.

Elle ne bougea pas, resta plantée là, dansant d'un pied sur l'autre, ses yeux s'emplissant de larmes.

J'eus honte, donc je dis :

– Je suis désolé, Steph.

– Tu es un porc. Un putain de porc.

– Je suis désolé. Comment va-t-elle ?

Elle hochait la tête, son visage gras reflétant ses pensées grasses.

– Ce n'est pas la première fois, n'est-ce pas ?

– Qu'est-ce que Kathryn a dit ?

– Il y en a eu d'autres, n'est-ce pas ?

D'autres, toujours d'autres.

– Je te connais, Eddie Dunford, poursuivit-elle, penchée sur le bureau, ses bras comme des cuisses. Je te connais.

– Ta gueule, dis-je sans élever la voix.

– Il y en a eu combien d'autres, hein ?

– Occupe-toi de ton cul, grosse salope.

Des applaudissements et des acclamations retentirent dans la rédaction, poings s'abattant sur les bureaux, pieds martelant le plancher.

Je fixai la carte de Noël de Kathryn.

– Porc, cracha-t-elle.

Je levai la tête, mais elle était partie, franchissait la porte en sanglotant.

À l'autre bout, George Greaves et Gaz levèrent leur cigarette, en guise de salut, me montrèrent leurs pouces dressés.

Je levai mon pouce, du sang frais sur ma phalange.

Il était dix-sept heures.

– Il faut encore que je voie James Ashworth. En fait, c'est lui qui a trouvé le corps.

Hadden, qui fixait sa pile de cartes de Noël, leva la tête. Il transféra la carte la plus grande sous la pile et dit :

– C'est un peu mince tout ça.

– La bonne femme déconnait complètement.

– Tu as essayé d'obtenir une déclaration de la police ?

– Non.

– C'est peut-être aussi bien, soupira-t-il, les yeux à nouveau fixés sur ses cartes.

J'étais fatigué au point de ne plus avoir sommeil, j'avais faim au point de ne plus pouvoir manger, une chaleur plus que torride régnait dans la pièce, laquelle n'était que trop réelle.

Hadden leva la tête et me dévisagea.

– Du neuf aujourd'hui? demandai-je, la bouche soudain pleine d'eau bilieuse.

– Rien qui vaille la peine d'être imprimé. Jack est sur un de ses...

J'avalai ma salive.

– Un de ses?

– Il ne montre pas ses cartes, dirons-nous.

– Je suis sûr qu'il fait pour le mieux.

Hadden me rendit le brouillon de mon papier.

J'ouvris la chemise posée sur mes genoux, rangeai le papier et en sortis un deuxième.

– Il y a aussi ça.

Hadden prit la feuille et remonta ses lunettes sur l'arête de son nez.

Je fixai la fenêtre, derrière lui, le reflet de la lumière jaune des bureaux sur Leeds, noire et mouillée.

– Des cygnes mutilés, hein?

– Je suis sûr que vous savez qu'il y a eu une vague de mutilations d'animaux.

Hadden soupira et ses joues rougirent.

– Je ne suis pas stupide. Jack m'a montré le rapport d'autopsie.

Des rires retentirent, quelque part, dans l'immeuble.

– Je suis désolé, dis-je.

Hadden ôta ses lunettes et se frotta l'arête du nez.

– Tu en fais trop.

– Je suis désolé, répétai-je.

183

– Tu es comme Barry. Il était pareil, tout le temps...

– Je n'avais pas l'intention de mentionner le rapport d'autopsie, ni Clare.

Hadden, debout, faisait les cent pas.

– Tu ne peux pas écrire des choses, puis considérer que c'est la vérité simplement parce que tu le crois.

– Je ne fais jamais ça.

– Je m'interroge, dit-il à la nuit. C'est comme si tu tirais dans toutes les directions au cas peu probable où il y aurait quelque chose à tuer.

Je dis :

– Je regrette que vous croyiez ça.

– Il n'y a pas qu'un moyen d'arriver à ses fins, tu sais.

– Je sais.

Hadden pivota sur lui-même.

– Arnold Fowler travaille pour nous depuis des années.

– Je sais.

– Il ne faut pas que tu ailles voir ce malheureux et que tes histoires horribles lui fassent peur.

– Ce n'est pas mon intention.

Hadden reprit place dans son fauteuil et soupira bruyamment.

– Obtiens des déclarations. Adopte un ton paternaliste et ne mentionne pas l'affaire Clare Kemplay.

Je me levai, la pièce soudain dans le noir, puis éclairée à nouveau.

– Merci.

– On le passera jeudi. Mauvais traitements infligés aux animaux, rien de plus.

– Évidemment.

J'ouvris la porte car j'avais besoin d'air, d'un soutien, et de sortir.

– Comme les chevaux des manèges.

Je courus aux chiottes, les tripes aux lèvres.

184

Je griffonnai *La médium et le message*, au stylo à bille, en haut de l'article, puis j'ajoutai un point d'interrogation et allumai une cigarette.

Après quelques bouffées, j'arrachai une page de bloc, écrasai ma clope et établis deux listes. En bas de la page, j'écrivis Dawson et le soulignai.

J'étais fatigué, affamé et totalement perdu.

Je fermai les yeux, dans l'espoir d'échapper à la dure lumière blanche de la rédaction et au bourdonnement confus qui envahissait mes pensées.

Je n'entendis pas immédiatement la sonnerie du téléphone.

– Edward Dunford à l'appareil.

– Ici Paula Garland.

Je me penchai; mes coudes, posés sur le bureau, soutenaient le poids du téléphone et celui de ma tête.

– Oui?

– J'ai appris que vous aviez vu Mandy Wymer aujourd'hui.

– Ouais, plus ou moins. Comment l'avez-vous appris?

– Paul me l'a dit.

– Bon.

Je ne savais absolument pas quoi dire ensuite.

Un long silence, puis :

– Il faut que je sache ce qu'elle vous a dit.

J'étais droit sur ma chaise, changeant le combiné de main, essuyant la sueur sur mon pantalon.

– Monsieur Dunford?

– Elle n'a pas dit grand-chose.

– Je vous en prie, monsieur Dunford. Vraiment rien?

Je coinçai le combiné entre mon oreille et mon menton, jetai un coup d'œil sur la montre de mon père, fourrai *La médium et le message* dans une enveloppe.

Je dis :

– Je peux vous retrouver au Swan. Dans une heure environ ?

– Merci.

Le couloir, puis les archives.

Les dossiers, double indexation, ce qu'il me fallait.

Coup d'œil sur la montre de mon père : 20 h 05.

Remonter le temps :

Juillet 1969 : l'homme sur la Lune, petits pas et pas de géant.

12 juillet 1969 : disparition de Jeanette Garland, huit ans.

13 juillet : *L'appel bouleversant d'une mère.*

14 juillet : le superintendant Oldman lance un appel.

15 juillet : la police reconstitue les derniers petits pas de Jeanette.

16 juillet : la police élargit les recherches.

17 juillet : la police hésite.

18 juillet : la police abandonne les recherches.

Petits pas et pas de géant.

17 décembre 1974 : un bloc couvert de notes griffonnées.

Coup d'œil sur la montre de mon père : 20 h 30.

Plus de temps.

Le Swan, Castleford.

J'étais au bar, commandai une pinte et un scotch.

La salle était pleine, en cette période de Noël, et les gens chantaient en même temps que le juke-box.

Une main sur mon coude.

– Il y en a un pour moi ?

– Lequel vous voulez ?

Paula Garland prit le whisky et se fraya un chemin, dans la foule, jusqu'au distributeur de cigarettes. Elle posa son sac à main et son verre sur la machine.

– Vous venez souvent ici, monsieur Dunford ? demanda-t-elle, souriante.

– Edward, s'il vous plaît.

Je posai ma pinte sur le distributeur et ajoutai :

– Non, pas assez souvent.

Elle rit et m'offrit une cigarette.

– C'est la première fois ?

– La deuxième, dis-je, pensant à la fois précédente.

Elle alluma sa cigarette à la flamme de mon allumette.

– En général, ce n'est pas aussi animé.

– Donc vous venez souvent ?

– Essayez-vous de me draguer, monsieur Dunford ?

Elle riait.

Je soufflai la fumée au-dessus de sa tête, souris.

– Autrefois, je venais souvent, ajouta-t-elle, le rire soudain disparu.

J'hésitai sur ce qu'il fallait dire, choisis :

– Ça semble être un bon pub de quartier.

– Autrefois.

Elle prit son verre.

Je faisais tout mon possible pour ne pas la dévisager, mais elle était si pâle, sur le fond rouge de son pull, et sa tête semblait très petite, très fragile, au-dessus des renflements et des plis du col.

Et, tandis qu'elle buvait le whisky, de petites taches rouges apparurent sur ses joues, on aurait dit qu'on l'avait frappée ou battue.

Paula Garland but une deuxième gorgée de whisky, vida le verre.

– À propos de dimanche, je...

187

– Laissez tomber. J'étais hors d'état de fonctionner. Un autre ? dis-je, le tout un peu trop vite.

– Ça va pour le moment, merci.

– Si vous changez d'avis, dites-le.

Elton John remplaça Gilbert O'Sullivan.

Gênés, nous regardions le pub, les chapeaux en papier et le gui.

Paula dit :

– Alors vous avez vu Mandy Wymer.

J'allumai une nouvelle cigarette, l'estomac contracté.

– Ouais.

– Pourquoi êtes-vous allé la voir ?

– Elle prétendait qu'elle avait dit à la police où trouver le corps de Clare Kemplay.

– Vous ne la croyez pas.

– Deux ouvriers du bâtiment ont trouvé le corps.

– Qu'est-ce qu'elle a répondu ?

– Je n'ai pas vraiment eu l'occasion de lui en parler, dis-je.

Paula Garland tira fort sur sa cigarette, puis dit :

– Sait-elle qui l'a tuée ?

– Elle le prétend.

– Elle ne l'a pas dit ?

– Non.

Elle tripotait son verre vide, le faisait tourner sur le distributeur.

– A-t-elle mentionné Jeanette ?

– Je ne sais pas.

– Vous ne savez pas ?

Ses yeux s'étaient emplis de larmes.

– Elle a vaguement parlé des « autres », c'est tout.

– Qu'est-ce qu'elle a dit ?

Je regardai le pub. Nous parlions presque à voix basse, mais je n'entendais qu'elle, comme si le reste du monde avait cessé d'exister.

– Elle a dit que je devais « leur parler des autres », puis elle s'est lancée dans des histoires de moquette ensanglantée et d'herbe entre les pierres.

Paula Garland m'avait tourné le dos. Ses épaules tremblaient.

Je posai la main sur son épaule.

– Je suis désolé.

– Non, monsieur Dunford, c'est moi qui suis désolée, dit-elle au papier peint rouge dont la texture évoquait le velours. C'est très gentil d'être venu mais, maintenant, j'ai besoin d'être seule.

Paula Garland prit son sac à main et ses cigarettes. Quand elle se retourna, de pâles lignes noires rayaient son visage, des yeux aux lèvres.

Je levai les mains, lui barrant le chemin.

– Je crois que ce n'est pas une bonne idée.

– Je vous en prie, insista-t-elle.

– Laissez-moi au moins vous reconduire chez vous.

– Non, merci.

Elle passa près de moi, fendit la foule, sortit.

Je vidai ma pinte et pris mes cigarettes.

Brunt Street, ligne noire de la cité ouvrière face aux murs blancs des maisons jumelées, peu de lumière de part et d'autre.

Je me garai du côté des maisons, le plus loin possible du 11, et comptai les sapins de Noël en attendant.

Il y avait un sapin au numéro 11, mais pas de lumière.

Neuf sapins et cinq minutes plus tard, j'entendis les talons de ses hautes bottes marron. Tassé sur mon siège, je regardai Paula Garland ouvrir la porte rouge et entrer.

Le 11 resta dans le noir.

Assis dans la Viva, je regardai, me demandai ce que je dirais, si je trouvais le courage de frapper à cette porte rouge.

Dix minutes plus tard, un homme qui avait une casquette et un chien sortit d'une maison mitoyenne puis traversa la chaussée. Il se retourna et fixa ma voiture, tandis que son chien chiait du côté de la cité ouvrière.

Le 11 était toujours dans le noir.

Je démarrai.

La bouche grasse, à cause d'une assiettée des mauvaises frites du Redbeck, je posai une petite pile de pièces sur le téléphone du hall et composai un numéro.

– Ouais ?

– Avez-vous dit à BJ qu'Eddie avait appelé ?

Derrière la porte vitrée à double battant, les mêmes jeunes jouaient au billard.

– Il a laissé un message. Il vous rappellera à minuit.

Je raccrochai.

Coup d'œil sur la montre de mon père : 23 h 35.

Je décrochai et composai un nouveau numéro.

À la troisième sonnerie, je raccrochai.

Qu'elle aille se faire foutre.

Je m'assis dans le fauteuil marron où la femme avait pété ce matin, le cliquetis des boules de billard et les jurons des jeunes me tenant éveillé.

À minuit pile, j'étais debout et devant le téléphone sans avoir laissé une chance aux jeunes.

– Ouais ?

BJ dit :

– Ronald Gannon.

– C'est moi, Eddie. Tu as eu mon message ?

– Ouais.

190

– J'ai besoin de ton aide et je veux t'aider.

– Tu n'avais pas l'air d'en être tellement sûr, hier soir.

– Je suis désolé.

– Tu peux l'être. Tu as un stylo ?

– Ouais, dis-je en fouillant dans mes poches.

– Il faudrait que tu voies Marjorie Dawson. Elle est à la clinique Hatley, à Hemsworth, et elle y est depuis dimanche, depuis qu'elle a reçu Barry.

– Merde, comment tu as appris ça ?

– Je connais des gens.

– Il faut que je sache qui te l'a dit.

– Avec des « il faut », on n'obtient jamais rien.

– Merde, BJ ! Il faut que je le sache.

– Je ne peux pas te le dire.

– Merde !

– Mais il y a une chose que je peux te dire : j'ai vu Jack Whitehead sortir du Gaiety et il était bourré et furax. Tu devrais être prudent, mon cher.

– Tu connais Jack ?

– Depuis une éternité.

– Merci.

– Pas de quoi, dit-il en riant avant de raccrocher.

Le même rêve me réveilla trois fois, sur le plancher de la chambre 27.

Chaque fois je pensais : tu es en sécurité maintenant, tu es en sécurité maintenant, rendors-toi.

Chaque fois le même rêve : Paula Garland dans Brunt Street, serrant un gilet rouge autour d'elle, me hurlant dix ans de bruit au visage.

Chaque fois un gros corbeau noir jaillissait d'un ciel aux mille nuances de gris et griffait ses cheveux blond sale.

Chaque fois il la poursuivait dans la rue, tentant d'atteindre ses yeux.

Chaque fois paralysé, me réveillant sur le plancher, glacé.

Chaque fois le clair de lune entrant dans la pièce, donnant vie aux photos épinglées sur le mur.

La dernière fois, les fenêtres toutes dégoulinantes de sang.

6

Mercredi 18 décembre 1974.

Sept heures et hors de la chambre, foutrement content d'en sortir.

Un thé et un toast beurré au Redbeck.

Les camionneurs tenaient les premières pages verticalement :

Wilson nie avoir espionné Stonehouse, l'explosion de trois bombes fait une victime, l'essence à 74 pence.

Johnny Kelly, en dernière page, devenait une affaire nationale :

Le lord Lucan du rugby? Où est notre garnement?

Deux policiers entrèrent, la casquette à la main, s'installèrent près de la vitrine.

Mon cœur s'arrêta tandis que je parcourais les gribouillages de mon bloc :

Arnold Fowler, Marjorie Dawson et *James Ashworth.*

Trois dates.

Retour dans le hall d'entrée du Redbeck, avec une nouvelle pile de monnaie.

– Arnold Fowler à l'appareil.

– Ici Edward Dunford, du *Post.* Je suis désolé de vous déranger, mais je prépare un papier sur les agressions dont les cygnes ont été victimes dans le parc de Bretton.

– Je vois.

– J'espérais que nous pourrions nous rencontrer.

– Quand ?

– Dans la matinée ? Je sais qu'il aurait mieux valu vous avertir avant.

– En fait, je suis au parc de Bretton ce matin. Je dirige une sortie écologique à l'intention des élèves du collège de Horbury, mais elle ne débute qu'à dix heures trente.

– Puis-je vous retrouver là-bas à neuf heures et demie ?

– Je vous attendrai dans le hall principal.

– Merci.

– Au revoir.

Un soleil d'hiver clair et fragile transperçait le pare-brise, sur la route de Bretton, le chauffage faisant autant de bruit que la radio.

L'IRA et Stonehouse, la course pour être le numéro un à Noël, Clare Kemplay mourant une deuxième fois sur la scène nationale.

Coup d'œil dans le rétroviseur.

Une main sur le bouton, je passai aux nouvelles locales :

Clare respirait toujours sur Radio Leeds. Les auditeurs, au téléphone, exigeaient qu'on agisse contre ce genre de chose, demandant quel monstre pouvait faire ce genre de chose, affirmant que, de toute façon, la pendaison était trop douce pour ceux qui faisaient ce genre de chose.

La police soudain silencieuse, pas de pistes, pas de conférence de presse.

Moi pensant : le calme avant la putain de tempête de merde.

– Belle journée pour une promenade dans la nature, dis-je, tout sourire.

– Pour une fois, répondit Arnold Fowler, soixante-cinq ans et vêtements assortis.

Le hall principal était vaste et glacial ; murs couverts de dessins d'enfants, de toiles représentant des oiseaux et des arbres.

En haut, un énorme cygne en papier mâché était suspendu aux poutres du toit.

Le hall, lui aussi, empestait comme une église en hiver et je pensai à Mandy Wymer.

– Je connaissais votre père, dit Arnold Fowler, qui me précéda dans une petite cuisine où il y avait deux chaises et une petite table à plateau de formica bleu pâle.

– Vraiment ?

– Oui. Un bon tailleur.

Il déboutonna sa veste en tweed et me montra l'étiquette que j'avais vue tous les jours de ma vie : *Ronald Dunford, tailleur.*

– Le monde est petit, dis-je.

– Oui. Mais pas autant qu'autrefois.

– Il serait très flatté.

– Je ne crois pas. Pas si je me souviens bien de Ronald Dunford.

– Vous avez raison, dis-je, souriant, pensant que cela ne faisait qu'une semaine.

Arnold Fowler dit :

– Sa disparition m'a beaucoup attristé.

– Merci.

– Comment va votre mère ?

– Elle tient le coup, vous savez. Elle est très forte.

– Oui. Une vraie fille du Yorkshire.

Je dis :

– Vous savez, vous êtes venu à Holy Trinity, à l'époque où j'y étais.

– Ça ne m'étonne pas. Je suppose que je suis allé dans toutes les écoles du West Riding à un moment ou à un autre. Ça vous a plu ?

– Ouais. Je m'en souviens bien, mais j'étais absolument incapable de dessiner.

– Donc vous ne vous êtes pas inscrit à mon Club de la Nature ?

– Non, désolé. Je faisais partie de la Brigade des garçons.

– À cause du football ?

– Ouais.

Je ris, pour la première fois depuis longtemps.

– Aujourd'hui encore, nous sommes perdants face à la Brigade.

Il me donna une tasse de thé et ajouta :

– Servez-vous en sucre.

J'en mis deux grosses cuillerées et tournai longtemps.

Quand je levai la tête, Arnold Fowler me regardait fixement.

– Pourquoi Bill Hadden s'intéresse-t-il soudain aux cygnes ?

– Ce n'est pas M. Hadden. J'ai fait un papier sur les chevaux maltraités du côté de Netherton, et puis j'ai entendu parler des cygnes.

– Comment en avez-vous entendu parler ?

– Une conversation au *Post*. Barry Gannon...

Arnold Fowler secoua la tête.

– Horrible, une affaire horrible. Je connais son père. Je le connais très bien.

– Vraiment ? fis-je, restant dans mon rôle, jouant l'imbécile.

– Oui. Quel dommage ! Un jeune homme très talentueux, Barry.

Je bus une gorgée brûlante de thé très sucré, puis je dis :

– Je ne connais pas les détails.

– Pardon ?

– À propos des cygnes.

– Je vois.

Je sortis mon bloc.

– Combien d'agressions y a-t-il eu ?

– Deux cette année.

– Quand ?

– La première dans le courant du mois d'août. La deuxième il y a un peu plus d'une semaine.

– Vous avez dit : cette année.

– Oui. Il y a toujours des agressions.

– Vraiment ?

– Oui. C'est écœurant.

– Le même genre ?

– Non, non. Celles de cette année étaient carrément barbares.

– Que voulez-vous dire ?

– On les a torturés.

– Torturés ?

– On leur a coupé les ailes. Les cygnes vivants et tout.

J'avais la bouche très sèche quand je dis :

– Et d'habitude ?

– Arbalètes, carabines à air comprimé, fléchettes.

– Et la police ? Vous signalez les agressions ?

– Oui. Bien entendu.

– Et qu'est-ce qu'elle dit ?

– La semaine dernière ?

– Ouais.

Je hochai la tête.

– Rien. Enfin, qu'est-ce qu'elle pourrait dire, hein ?

Soudain nerveux, Arnold Fowler tripotait la cuiller du sucrier.

– Donc, les policiers ne sont pas revenus vous voir depuis la semaine dernière ?

Arnold Fowler regarda, par la fenêtre, le lac.

– Monsieur Fowler ?

– Quel article écrivez-vous, monsieur Dunford ?

– Un article qui relate la vérité.

– Eh bien, on m'a demandé de garder mes vérités pour moi.

– Que voulez-vous dire ?

– Qu'il y a des choses qu'on m'a demandé de garder pour moi.

Il me dévisagea comme si j'étais stupide.

Je pris ma tasse et finis mon thé.

– Avez-vous le temps de me montrer où vous les avez trouvés ? demandai-je.

– Oui.

Il se leva et, à sa suite, je traversai le hall principal, sous le cygne.

À la porte, je lui demandai :

– Clare Kemplay venait-elle ici ?

Arnold Fowler se dirigea vers un dessin corné, accroché au mur au-dessus d'un radiateur de nombreuses fois repeint. Il représentait deux cygnes s'embrassant sur le lac.

Il lissa un des coins.

– Dans quel fichu monde nous vivons !

J'ouvris la porte à la lumière vide du soleil et je sortis.

Je le suivis sur le chemin en pente conduisant du hall principal au pont qui franchissait le lac des cygnes.

De l'autre côté du lac, les nuages passaient rapidement devant le soleil, projetaient leur ombre au pied des Moors, les violets et les bruns comme un visage tuméfié.

Je pensais à Paula Garland.

Sur le pont, Arnold Fowler s'arrêta.

– Apparemment, on a jeté le dernier par-dessus le parapet, ici, dans le lac.

– Où lui a-t-on coupé les ailes ?

– Je ne sais pas. En réalité, personne n'a vraiment cherché à savoir.

– Et l'autre ? Celui d'août ?

– Pendu par le cou dans cet arbre.

Il montra un grand chêne, de l'autre côté du lac.

– Ils l'ont crucifié, puis ils lui ont coupé les ailes.

– Vous blaguez.

– Non. Absolument pas.

– Et il n'y a pas eu de témoins ?

– Non.

– Qui les a trouvés ?

– Le premier, celui qui était dans l'arbre, des enfants. L'autre, c'est un gardien.

– Et la police n'a rien fait ?

– Monsieur Dunford, dans le monde où nous vivons, crucifier un cygne est une mauvaise blague, pas un crime.

À ses côtés, je remontai la pente en silence.

Sur le parking, un autocar déchargeait une classe ; les enfants chahutaient en descendant.

Je déverrouillai la portière de la voiture.

Arnold Fowler tendit la main.

– Prenez soin de vous, monsieur Dunford.

– Vous aussi, dis-je, lui serrant la main. Vous revoir était un plaisir.

– Oui. Je regrette que ce soit dans ces circonstances.

– Je sais.

– Et bonne chance, ajouta Arnold Fowler, qui s'éloigna en direction des enfants.

– Merci.

Je me garai sur le parking vide d'un pub, entre Bretton et Netherton.

La cabine publique avait perdu pratiquement toutes ses vitres et toute sa peinture rouge, si bien que le vent me transperçait tandis que je composais mon numéro.

– Commissariat de Morley.

– Le sergent Fraser, s'il vous plaît.

– De la part de qui, monsieur ?

– Edward Dunford.

J'attendis, comptant les voitures qui passaient, imaginant de gros doigts sur le micro du combiné, des appels dans le commissariat de Morley.

– Sergent Fraser à l'appareil.

– Bonjour. C'est Edward Dunford.

– Je croyais que vous étiez dans le Sud.

– Qu'est-ce qui vous faisait croire ça ?

– Votre mère.

– Merde.

Compter les voitures, compter les mensonges.

– Donc vous avez essayé de me joindre ?

– À propos de notre conversation d'hier. Mes supérieurs tiennent absolument à ce que vous fassiez une déposition officielle.

– Je suis désolé.

– Qu'est-ce que vous voulez ?

– Un autre service.

– Vous blaguez, hein ?

– J'ai quelque chose en échange.

– Quoi ? Vous avez encore entendu le tam-tam dans la jungle ?

– Avez-vous interrogé Marjorie Dawson à propos de dimanche dernier ?

– Non.

– Pourquoi ?

– Parce qu'elle est dans le Sud, auprès de sa mère mourante.

– Ça m'étonnerait.

– Alors où est-elle, Sherlock ?

– Tout près.

– Ne faites pas l'idiot, Dunford.

– J'ai dit que j'avais quelque chose en échange.

– Vous avez intérêt, putain.

Il parlait bas, d'une voix sifflante.

– Dites-moi où elle est, sinon je vous fais coffrer pour entrave à la justice.

– Allons ! Je veux seulement savoir ce que la police a sur des cygnes tués dans le parc de Bretton.

– Vous êtes défoncé ? Quels cygnes ?

– La semaine dernière, on a coupé les ailes d'un cygne à Bretton. Je veux simplement savoir ce que la police en pense, rien de plus.

Fraser respirait avec bruit.

– Coupées ?

– Ouais, coupées.

Il en a entendu parler, pensai-je.

Fraser dit :

– On les a retrouvées ?

– Quoi ?

– Les ailes.

– Vous savez que oui, putain.

Silence, puis :

– Très bien.

– Très bien quoi ?

– Très bien, je vais voir ce que je peux faire.

– Merci.

– Maintenant, où est Marjorie Dawson ?

– À la maison de retraite Hatley, à Hemsworth.

– Comment avez-vous appris ça, nom de Dieu ?

– Par le tam-tam de la jungle.

Je lâchai le combiné et le laissai se balancer.

Moi, pied au plancher.

Le sergent Fraser, pointure 45, courant dans le commissariat.

Moi, à dix minutes de la maison de retraite Hatley.

Le sergent Fraser boutonnant sa veste, saisissant sa casquette.

Moi, la vitre entrouverte, une cigarette allumée, Radio 3 et Vivaldi, fort.

Le sergent Fraser assis devant le bureau de son chef, jetant un coup d'œil sur la montre bon marché que sa femme lui a offerte pour Noël.

Moi, souriant, ayant au moins une heure d'avance.

Des fleurs fraîches à la main, je sonnai à la porte de la maison de retraite Hatley.

Je n'avais jamais apporté de fleurs à St. James.

Pas apporté la plus petite plante à mon père.

Le bâtiment, qui évoquait une demeure aristocratique ou un hôtel, jetait une ombre froide et noire sur le parc mal entretenu. Deux vieilles femmes me dévisageaient, derrière la vitre d'une serre. L'une d'entre elles massait son sein gauche, en serrait la pointe entre ses doigts.

Je me demandai quand ma mère avait cessé d'apporter des fleurs à mon père.

Une femme en blouse blanche, d'âge mûr et le visage rouge, ouvrit la porte.

– Puis-je vous aider ?

– Je l'espère. Je viens voir ma tante Marjorie. Mme Marjorie Dawson.

– Vraiment ? Je vois. Entrez, je vous prie, dit la femme, qui maintint la porte ouverte.

Je fus incapable de me souvenir quand j'avais rendu visite à mon père pour la dernière fois, si c'était le lundi ou le mardi.

– Comment va-t-elle ?

– Il a fallu lui donner quelque chose pour les nerfs. Seulement pour la calmer.

Elle me précéda dans une entrée imposante dominée par un escalier plus imposant encore.

Je dis :

– Cela me fait de la peine.

– Eh bien, il paraît qu'elle était plus ou moins dans tous ses états, quand on l'a ramenée.

Ramenée, pensai-je, me mordant la langue.

– Quand avez-vous vu votre tante pour la dernière fois, monsieur... ?

– Dunston, Eric Dunston, dis-je, tendant la main
et souriant.

– Mme White, dit Mme White, qui me serra la
main. Les Hatley sont absents, cette semaine.

– Ravi de vous rencontrer, dis-je, sincèrement
reconnaissant de manquer les Hatley.

– Elle est à l'étage. Chambre 102. Une chambre
particulière, naturellement.

Mon père avait fini dans une chambre particulière, sans fleurs, tas d'os dans un sac de peau
brune.

Mme White, dans sa blouse moulante, me précéda dans l'escalier.

Le chauffage était au maximum et on entendait le
bourdonnement d'un poste de télévision ou de
radio. Une odeur de cuisine industrielle nous suivit
dans l'escalier, comme elle restait collée à ma peau
quand je quittais l'hôpital St. James de Leeds.

En haut de l'escalier, je la suivis, dans un couloir-
sauna bordé de radiateurs en fonte énormes, jusqu'à
la chambre 102.

Le cœur battant fort et vite, je dis :

– Ça va. Je vous ai suffisamment dérangée,
madame White.

– Oh, ne soyez pas stupide, dit Mme White, souriante, frappant à la porte et l'ouvrant. Vous ne me
dérangez pas.

C'était une belle chambre, baignée par le soleil
d'hiver et pleine de fleurs, où Radio 2 diffusait une
musique légère.

Marjorie Dawson était allongée, les yeux fermés,
sur deux oreillers, le col de sa robe de chambre
dépassant sous le drap et la couverture. Une mince
pellicule de sueur couvrait son visage et aplatissait
sa permanente, si bien qu'elle faisait en réalité plus
jeune que son âge probable.

Elle ressemblait à ma mère.

Je fixai les flacons de Lucozade et de Robinson's Barley Water, aperçus le visage maigre de mon père dans le miroir.

Mme White se dirigea vers les oreillers, posa légèrement la main sur le bras de Mme Dawson.

– Marjorie, vous avez de la visite.

Mme Dawson ouvrit lentement les yeux et son regard fit le tour de la pièce.

– Voulez-vous que je fasse monter du thé ? demanda Mme White tout en redressant les fleurs de la table de nuit.

– Non, merci, dis-je, les yeux rivés sur Mme Dawson.

Mme White prit mes fleurs et gagna le lavabo, qui se trouvait dans un coin.

– Très bien, je vais mettre celles-ci dans l'eau, puis je vous laisserai.

– Merci, dis-je, pensant : merde.

Mme Dawson me fixait, regardait à travers moi.

Mme White acheva d'emplir un vase d'eau.

– C'est Eric, ma chère. Votre neveu, dit-elle.

Puis elle se tourna vers moi et souffla :

– Ne vous inquiétez pas. Elle met parfois un peu de temps à réagir. C'était la même chose avec votre oncle et ses amis, hier soir.

Mme White posa le vase de fleurs sur la table de nuit.

– Voilà, c'est terminé. Je serai dans la serre, si vous avez besoin de quelque chose. À tout à l'heure, dit-elle, souriante, m'adressant un clin d'œil tandis qu'elle fermait la porte.

La radio fut soudain absolument insupportable.

Chaleur insupportable.

Mon père parti.

Je gagnai la fenêtre. Le loquet avait été peint. Je passai un doigt sur la peinture.

– Elle est fermée à clé.

Je pivotai sur moi-même. Mme Dawson était assise sur son lit.

– Je vois, fis-je.

Je restai près de la fenêtre, le corps trempé sous mes vêtements.

Mme Dawson tendit la main en direction de la table de nuit et éteignit la radio.

– Qui êtes-vous ?

– Edward Dunford.

– Et que faites-vous ici, monsieur Edward Dunford ?

– Je suis journaliste.

– Donc vous avez menti à cette chère Mme White ?

– Privilège de la profession.

– Comment avez-vous appris que j'étais ici ?

– Grâce à un tuyau anonyme.

– Je suppose que je devrais me sentir flattée de faire l'objet d'un tuyau anonyme, dit Mme Dawson, qui repoussa ses cheveux derrière ses oreilles. C'est très romantique, vous ne trouvez pas ?

– Autant qu'un cheval de course, dis-je, pensant à BJ.

– Alors, pourquoi vous intéressez-vous à un vieux cheval de retour tel que moi, monsieur Edward Dunford ?

– Mon collègue, Barry Gannon, vous a rendu visite dimanche dernier. Vous vous en souvenez ?

– Je m'en souviens.

– Vous avez dit que sa vie était en danger.

– Vraiment ? Je dis tellement de choses.

Mme Dawson se pencha et huma les fleurs que je lui avais apportées.

– Il a été tué dimanche soir.

Mme Dawson leva la tête, les yeux mouillés et fixes.

– Et c'est pour me le dire que vous êtes venu ?

– Vous ne le saviez pas ?

– Qui peut dire ce que je suis censée savoir, par les temps qui courent ?

Je regardai, au bout du parc, les arbres nus dont les ombres pâlissaient en même temps que le soleil.

– Pourquoi lui avez-vous dit que sa vie était en danger ?

– Il posait des questions dangereuses sur des hommes dangereux.

– Quelles questions ? À propos de votre mari ?

Mme Dawson eut un sourire triste.

– Monsieur Dunford, mon mari est sans doute de nombreuses choses, mais il n'est pas dangereux.

– De quoi avez-vous parlé, dans ce cas ?

– D'amis communs, d'architecture, de sport, de ce genre de choses.

Une larme roula sur sa joue, puis sur son cou.

– De sport ?

– De rugby, même si cela peut vous étonner.

– À quel propos ?

– Je ne suis pas une fan, donc c'était un peu unilatéral.

– Donald Foster est un fan, n'est-ce pas ?

– Vraiment ? Je croyais que c'était sa femme.

Nouvelle larme.

– Sa femme ?

– Allons, mjonsieur Dunford, nous voilà à nouveau au même point. Les propos dangereux peuvent tuer.

Je me tournai une nouvelle fois vers la fenêtre.

Une voiture de police bleu et blanc s'était engagée sur le chemin gravillonné.

– Merde.

Fraser ?

Coup d'œil sur la montre de mon père.

Il n'y avait que quarante minutes que j'avais téléphoné.

Pas Fraser ?

Je gagnai la porte.

– Vous partez déjà ?

– Malheureusement, je crois que la police est là. Elle veut peut-être vous poser des questions sur Barry Gannon.

– Encore ? soupira Mme Dawson.

– Encore ? Comment ça, encore ?

Bruits de course et cris dans l'escalier.

– Je crois vraiment que vous devriez partir, dit Mme Dawson.

La porte s'ouvrit à la volée.

– Ouais, je crois vraiment que tu devrais partir, dit le policier qui entra le premier.

Le barbu.

Pas Fraser.

Merde à Fraser.

– Je croyais qu'on t'avait dit de ne pas ennuyer les gens qui ne veulent pas être ennuyés, dit le deuxième policier, celui qui était de petite taille.

Il n'y avait qu'eux deux, mais on avait l'impression que la pièce était pleine d'hommes en uniforme noir, des chaussures à bout renforcé de métal aux pieds et la matraque à la main.

Le petit se dirigea vers moi.

– Voilà le flic qui vient te couper la tête.

La douleur fulgurante d'un coup de pied à la cheville me fit tomber à genoux.

Tentant de me redresser, battant des paupières, les yeux pleins de larmes brûlantes et rouges, je m'étalai sur la moquette.

Deux cuisses blanches se dirigèrent vers moi.

– Sale menteur, cracha Mme White.

Deux pieds énormes l'éloignèrent.

– Tu es mort, souffla le policier barbu, qui me prit par les cheveux et me traîna dans le couloir.

Je regardai le lit, le cuir chevelu rouge et à vif.

Mme Dawson était allongée sur le flanc, le dos à la porte, et la radio marchait, fort.

La porte se ferma.

La chambre disparut.

De grosses mains de singe me saisirent rudement sous les aisselles, les autres pattes, plus petites, toujours dans mes cheveux.

Je vis un radiateur énorme dont la peinture s'écaillait en bandes.

Merde, laine blanche et chaude dans la douleur noire et jaune.

J'étais en haut des marches, mes chaussures tentant de rester sur mes pieds.

Puis je me cramponnai à la rampe, au milieu de l'escalier.

Merde, ma poitrine et mes côtes étaient à bout de souffle.

Puis je fus au pied de l'escalier, tentant de me relever, une main sur la dernière marche, l'autre sur ma poitrine.

Merde, mon crâne : douleur rouge, noire, jaune.

Puis la chaleur disparut et il n'y eut plus que l'air froid et les gravillons du chemin sous mes paumes.

Merde, mon dos.

Puis nous courûmes tous ensemble sur le chemin.

Merde, ma tête contre la portière verte de la Viva.

Puis ils touchèrent ma queue, leurs mains dans mes poches, si bien que je me tortillai et ris bêtement.

Merde, de grosses mains en cuir serrant mon visage : douleur jaune, rouge.

Puis ils ouvrirent la portière de ma voiture, tendirent mon bras, immobilisèrent ma main.

Merde, merde, merde.

Puis le noir.

Lumière jaune.

Qui aimera notre petit Eddie tout rouge?
Lumière jaune à nouveau.

– Oh, Dieu merci.

Le visage rose de ma mère, oscillant de droite à gauche.

– Qu'est-ce qui s'est passé, chéri?

Deux hautes silhouettes noires, derrière elle, comme des corbeaux énormes.

– Eddie, chéri?

Une pièce jaune pleine de noirs et de bleus.

– Vous êtes aux Urgences de Pinderfield, dit une voix d'homme, dans le noir lointain.

Il y avait quelque chose au bout de mon bras.

– Sentez-vous quelque chose?

Une grosse main pansée au bout de mon bras.

– Attention, chéri.

Main tendre et brune sur ma joue.

Lumière jaune, éclairs noirs.

– Ils savent qui je suis! Ils savent où on habite!

– Pour le moment, il vaut mieux le laisser, dit un autre homme.

Éclair noir.

– Je suis désolé, maman.

– Ne t'inquiète pas pour moi, chéri.

Un taxi, radio pakistanaise et désodorisant au pin.

Je regardai ma main droite blanche.

– Quelle heure est-il?

– Un peu plus de trois heures.

– Mercredi?

– Oui, chéri. Mercredi.

Derrière la vitre, le centre de Wakefield se traînait.

– Qu'est-ce qui s'est passé, maman?

– Je ne sais pas, chéri.

– Qui t'a téléphoné?

– Téléphoné? C'est moi qui t'ai trouvé.

– Où ?

Ma mère, face à la vitre, renifla.

– Devant le garage.

– Qu'est devenue la voiture ?

– Je t'ai trouvé dans la voiture. Tu étais sur la banquette arrière.

– Mmm...

– Couvert de sang.

– Mmm...

– Allongé.

– Je t'en prie...

– Bon sang, j'ai cru que tu étais mort.

Elle pleurait.

Je fixai ma main droite blanche, la puanteur du pansement plus forte que celle du taxi.

– Et la police ?

– L'ambulancier l'a appelée. Quand il t'a vu, il l'a tout de suite prévenue.

Ma mère posa la main sur mon bras intact, les yeux dans les yeux.

– Qui t'a fait ça, chéri ?

Ma main droite glacée palpitait au rythme du pouls, sous le pansement.

– Je ne sais pas.

La maison, Wesley Street, Ossett.

La portière du taxi claqua derrière nous.

Je sursautai.

Il y avait des taches brunes sur la portière du passager de la Viva.

Ma mère me suivait, fermant son sac à main.

Je fourrai ma main gauche dans ma poche droite.

– Qu'est-ce que tu fais ?

– Il faut que je sorte.

– Ne sois pas stupide, mon garçon.

– Maman, je t'en prie.

– Tu n'es pas en état.

– Maman, cesse.
– Non, c'est à toi de cesser. Ne me fais pas ça.
Elle tenta de s'emparer des clés de la voiture.
– Maman !
– Je te déteste, Edward.
Je sortis en marche arrière, larmes et éclairs noirs.
Ma mère, debout devant le garage, me regarda partir.

Le chauffeur manchot.
Feu rouge, feu vert, feu orange, rouge.
En larmes sur le parking du Redbeck.
Douleur noire, douleur blanche, douleur jaune, encore et toujours.

Chambre 27 intacte.
Une main en conque versant de l'eau froide sur ma nuque.
Un visage dans le miroir, marron de vieux sang.
La chambre 27 : rien que du sang.

Vingt minutes plus tard, sur la route tortueuse de Fitzwilliam.
Conduisant une main sur le rétroviseur, débouchant un flacon de paracétamol avec les dents, en avalant six pour annuler la douleur.
Fitzwilliam en vue, ville minière d'un brun sale.
Ma grosse main blanche sur le volant, la main gauche dans mes poches. Ma main intacte et mes dents dépliant une page de l'annuaire du Redbeck.
Ashworth, D., 69 Newstead View, Fitzwilliam.
Entouré et souligné.
On avait bombé AUX CHIOTTES L'IRA sur le pont métallique qui permettait d'accéder à la ville.
– Salut, les gars. Où se trouve Newstead View ?
Trois adolescents en pantalon vert, qui partageaient une cigarette, crachaient des glaviots veinés de rouge sur la vitre d'un arrêt de bus.

Ils dirent :

– Quoi ?

– Newstead View.

– Tout droit et à gauche.

– Merci bien.

– Y a intérêt.

Je tentai péniblement de remonter ma vitre et calai en démarrant, les trois pantalons verts trop larges me saluant d'un déluge rose de deux doigts dressés.

Sous mon pansement, quatre doigts écrasés n'en formant plus qu'un.

À droite devant le magasin d'alcools, puis à gauche en direction de Newstead View.

Je me garai et coupai le moteur.

Newstead View était une cité ouvrière face au marécage sale. Des chevaux broutaient entre les tracteurs rouillés et les tas de ferraille. Une bande de chiens poursuivait un sac en plastique d'un bout à l'autre de la rue. Quelque part, des bébés pleuraient.

Je fouillai dans les poches de ma veste.

Je sortis mon stylo, l'estomac vide, les yeux pleins.

Je regardai fixement la main droite vide, qui refusait de se fermer, la main droite blanche, qui refusait d'écrire.

Le stylo roula lentement sur le pansement, tomba sur le plancher de la voiture.

69, Newstead Wiew, un jardin bien entretenu et des encadrements de fenêtres à la peinture écaillée.

Lueur de la télé.

Toc, toc.

De la main gauche, j'allumai le Pocket Memo Philips, dans la poche droite de ma veste.

– Bonjour. Je m'appelle Edward Dunford.

– Oui ? fit une femme à l'accent irlandais et aux dents proéminentes, prématurément grise.

– James est-il là ?

Les mains enfoncées dans les poches de sa blouse bleue, elle dit :

– Vous êtes le journaliste du *Post*, pas vrai ?

– Oui.

– Qu'est-ce que vous voulez à Jimmy ?

– Bavarder un peu avec lui, c'est tout.

– Il a assez bavardé avec la police. Il ne faut pas qu'il revienne sans arrêt là-dessus. Surtout avec des gens comme...

Je tendis le bras afin d'éviter de perdre l'équilibre, saisis le chambranle de la porte.

– Vous avez eu un accident ?

Elle soupira et murmura :

– Vous devriez entrer vous asseoir. Vous n'avez pas l'air dans votre assiette.

Mme Ashworth me poussa jusqu'au salon, puis dans un fauteuil trop proche de la cheminée.

– Jimmy ! Il y a un monsieur du *Post* qui voudrait te voir.

La joue déjà brûlante, j'entendis deux chocs sourds dans la pièce du dessus.

Mme Ashworth éteignit la télé, plongeant la pièce dans une pénombre orange.

– Vous auriez dû venir plus tôt.

– Pourquoi ?

– Je ne l'ai pas vu moi-même, mais il paraît qu'il y avait des policiers partout.

– Quand ?

– Vers cinq heures du matin.

– Où ? demandai-je, les yeux fixés, dans l'obscurité, sur le portrait, posé sur le poste de télévision, d'un adolescent qui me dévisageait, ironique, le nœud de sa cravate aussi gros que son visage.

– Ici. Dans notre rue.

– À cinq heures du matin ?

– Ouais, à cinq heures. Personne ne sait pourquoi, mais tout le monde croit que c'est...

213

– Maman, tais-toi !

Jimmy Ashworth se tenait sur le seuil, en chemise d'uniforme scolaire et pantalon de survêtement violet.

– Ah, tu es levé. Une tasse de thé ? dit la mère.

Je dis :

– Avec plaisir.

– Ouais, fit le jeune homme.

Mme Ashworth sortit de la pièce presque à reculons, en marmonnant.

Le jeune homme s'assit par terre, le dos contre le canapé, écarta les longues mèches raides qui tombaient devant ses yeux.

– Jimmy Ashworth ?

Il acquiesça.

– Vous êtes le type qui est allé voir Terry ?

– Ouais, c'est ça.

– Terry dit qu'on pourrait se faire un peu de blé.

– Possible.

Il fallait que je change de place.

Jimmy Ashworth tendit le bras derrière lui, en direction du paquet de cigarettes posé sur l'accoudoir du canapé. Le paquet tomba par terre et il en sortit une cigarette.

Je me penchai et dis à voix basse :

– Tu veux bien me raconter ce qui s'est passé ?

– Qu'est-ce que vous avez à la main ? demanda Jimmy en allumant sa cigarette.

– Je l'ai coincée dans une portière de voiture. Et qu'est-ce que tu as à l'œil ?

– Ça se voit, hein ?

– Seulement quand tu allumes une cigarette. Ce sont les flics qui t'ont fait ça ?

– Peut-être.

– Ils t'ont maltraité ?

– On peut dire ça.

– Alors, tire un peu de blé de tout ça. Raconte-nous ce qui s'est passé.

Jimmy Ashworth tira longuement sur sa cigarette, puis souffla lentement la fumée dans la lueur orange du poêle.

– On attendait Gaffer, mais il n'arrivait pas et il pleuvait, donc on tuait le temps, vous voyez, on buvait du thé, ce genre de truc. Je suis allé jusqu'à la tranchée pour pisser un coup, et c'est à ce moment-là que je l'ai vue.

– Où était-elle ?

– Dans la tranchée. Près du haut. C'était comme si elle avait roulé, ou quelque chose comme ça. Après, j'ai vu les... les...

Dans la cuisine, la bouilloire se mit à siffler.

– Les ailes ?

– Alors vous savez ?

– Ouais.

– Terry vous l'a dit ?

– Ouais.

Jimmy Ashworth écarta les cheveux qui tombaient devant son visage, les roussit légèrement avec sa cigarette.

– Merde.

L'odeur des cheveux brûlés se répandit dans la pièce.

Jimmy Ashworth me regarda.

– Elles étaient tout emmêlées.

– Qu'est-ce que tu as fait ? demandai-je, m'éloignant autant que possible de la cheminée.

– Rien. Merde, je suis seulement resté paralysé. Je ne pouvais pas croire que c'était elle. Elle était si différente, si blanche.

Mme Ashworth revint avec un plateau, qu'elle posa.

– Tout le monde disait toujours qu'elle était si jolie, souffla-t-elle.

J'avais l'impression que le sang ne circulait plus dans mon bras droit.

— Et tu étais seul ? demandai-je.

— Ouais.

La main m'élançait à nouveau, le pansement suait et me démangeait.

— Et Terry Jones ?

— Quoi, Terry Jones ?

— Merci, dis-je en prenant la tasse que Mme Ashworth me tendait. Quand Terry l'a-t-il vue ?

— Eh bien, je suis allé avertir les gars, fallait bien.

— Quand ?

— Comment ça, quand ?

— Tu viens de dire que tu es resté paralysé, donc je me demandais combien de temps tu étais resté immobile avant de prévenir les autres.

— J'en sais foutre rien.

— Jimmy, s'il te plaît. Pas à la maison, dit sa mère sans hausser le ton.

— Mais il est comme ces crétins de flics. Je ne sais pas combien de temps je suis resté.

— Je suis désolé, Jimmy, dis-je, posant ma tasse sur la cheminée afin de pouvoir gratter mon pansement.

— Je suis retourné à la cabane en espérant que Gaffer y serait, mais...

— M. Foster ?

— Non, non. M. Foster, c'est le patron. Gaffer, c'est M. Marsh.

— George Marsh. Un homme très bien, fit Mme Ashworth.

Jimmy Ashworth regarda sa mère, soupira et dit :

— De toute façon, Gaffer n'était pas là. Il n'y avait que Terry.

— Et les autres ?

— Ils s'étaient barrés avec la camionnette.

— Donc tu as averti Terry Jones et il est retourné avec toi au bord de la Tranchée du Diable ?

— Non, non. Je suis allé téléphoner à la police. Une fois m'avait suffi.

– Donc Terry est allé jeter un coup d'œil pendant que tu téléphonais à la police ?

– Ouais.

– Seul ?

– Ouais, c'est ce qu'il a dit.

– Et puis ?

Jimmy Ashworth fixa la lueur orange.

– Puis la police est venue et nous a emmenés au commissariat de Wood Street.

– Les policiers croyaient que c'était lui, vous savez.

Mme Ashworth se tamponnait les yeux.

– Maman, tais-toi !

– Et Terry Jones ? demandai-je, souffrant d'un violent élancement suivi d'une phase d'insensibilité, persuadé qu'il manquait quelque chose.

– Il ne vaut rien, celui-là.

– Maman, veux-tu te taire, bon sang !

J'étais en sueur, engourdi et fatigué.

Je dis :

– La police l'a interrogé ?

– Ouais.

Je transpirais, j'avais des démangeaisons et il fallait absolument que je sorte de cette étuve.

– Mais les flics n'ont pas cru que c'était lui, hein ?

– Je n'en sais rien. Demandez-leur.

– Pourquoi ont-ils cru que c'était toi, Jimmy ?

– Je vous l'ai dit : demandez-leur.

Je me levai.

– Tu es un garçon intelligent, Jimmy.

Il leva la tête, étonné.

– Pourquoi ?

– Parce que tu la fermes.

– C'est un bon garçon, monsieur Dunford. Il n'a rien fait, dit Mme Ashworth, qui se leva.

– Merci de m'avoir fait entrer, madame Ashworth.

– Qu'est-ce que vous allez écrire sur lui ?

Elle se tenait sur le seuil, les mains au fond de ses poches bleues.

– Rien.

– Rien ? fit Jimmy Ashworth, pieds nus.

– Rien, répétai-je, levant ma grosse main blanche.

Dans le noir, je regagnai lentement le Redbeck, gobant des cachets et en répandant davantage sur le plancher de la voiture, feux de camions et sapins de Noël comme des fantômes sortant de l'obscurité.

J'avais les joues pleines de larmes, et pas à cause de la douleur.

Dans quel monde nous vivons.

On massacrait des enfants et tout le monde s'en foutait. Vive le roi Hérode.

Sous la forte lumière jaune du hall d'entrée, je pris une nouvelle pile de pièces, composai le numéro de Wesley Street, laissai sonner cinq minutes.

Je te déteste, Edward.

J'envisageai d'appeler ma sœur, mais je changeai d'avis.

J'allai acheter l'*Evening Post* et bus un café au Redbeck.

La hausse des prix et l'IRA emplissaient le journal. Il y avait un petit papier concernant l'enquête sur Clare Kemplay, des déclarations insipides du superintendant Noble, en page 2, sans signature.

Qu'est-ce que foutait Jack, bordel !

J'ai vu Jack Whitehead sortir du Gaiety, et il avait l'air bourré et furax.

Les dernières pages étaient entièrement consacrées au Leeds United, le football envoyant le rugby aux oubliettes.

Rien sur Johnny Kelly, rien sur Wakefield Trinity, seulement 7 points d'avance pour St. Helens.

Vraiment? Je croyais que c'était sa femme.

Je dessinais des cercles avec une cuiller à café sèche.

Petite fille disparue : Clare Kemplay.

Corps de Clare Kemplay découvert par James Ashworth.

James Ashworth, employé de l'entreprise de construction Foster.

Donald Foster, propriétaire de l'entreprise de construction Foster.

Donald Foster, président de Wakefield Trinity, le club de rugby.

Johnny Kelly, joueur vedette de Wakefield Trinity.

Johnny Kelly, frère de Paula Garland.

Paula Garland, mère de Jeanette Garland.

Jeanette Garland, petite fille disparue.

Tout est lié. Montrez-moi deux choses qui n'ont pas de rapport.

Barry Gannon comme s'il était assis là, de l'autre côté de la table.

Alors, quel est ton plan?

Retour dans le hall d'entrée jaune vif, juste après six heures, je feuilletai fiévreusement l'annuaire.

– C'est Edward Dunford.

– Oui?

– Il faut que je vous voie.

– Entrez.

Mme Paula Garland debout sur le pas de la porte du 11 Brunt Street, Castleford.

– Merci.

J'entrai une nouvelle fois dans une pièce chaude – *Coronation Street* venait de commencer –, la main droite dans ma poche.

Une petite femme grasse et rousse sortit de la cuisine.

– Bonsoir, monsieur Dunford.

– Je vous présente Scotch Clare, elle habite deux maisons plus bas. Elle s'en allait, n'est-ce pas ?

– Oui. Ravie de vous rencontrer, dit la femme, qui serra ma main gauche.

– Vous ne partez pas à cause de moi, j'espère ? mentis-je professionnellement.

– Ooh, il est bien élevé, celui-là, hein ? blagua Scotch Clare, qui gagna la porte rouge vif.

Paula Garland maintenait toujours la porte ouverte.

– À demain.

– Oui. Heureuse de vous avoir rencontré, monsieur Dunford. Vous passerez peut-être prendre un petit verre pour Noël, hein ?

– Eddie, s'il vous plaît. Ce serait bien, souris-je.

– Alors à bientôt, Eddie. Joyeux Noël, dit Clare, souriante.

Paula Garland sortit dans la rue en compagnie de Clare.

– Alors à bientôt, dit-elle avec un rire étouffé.

Je restai un moment seul dans le salon, les yeux fixés sur la photo posée sur la télé.

Paula Garland revint et ferma la porte rouge.

– Désolée.

– Non, c'est moi qui suis désolé, téléphoner comme ça et...

– Ne soyez pas stupide. Asseyez-vous donc.

– Merci, dis-je avant de m'asseoir sur le canapé blanc cassé.

Elle commença :

– À propos d'hier soir, je...

Je levai les mains.

– Laissez tomber.

– Qu'est-ce que vous vous êtes fait ?

Les mains devant la bouche, Paula Garland fixait le pansement déjà grisâtre qui se trouvait au bout de mon bras.

220

– Quelqu'un m'a claqué une portière de voiture sur la main.

– Vous blaguez?

– Non.

– Qui?

– Deux policiers.

– Vous blaguez?

– Non.

– Pourquoi?

Je levai la tête et tentai de sourire.

– Je pensais que vous pourriez peut-être me le dire.

– Moi?

Il y avait un morceau de fil rouge sur sa jupe évasée, et j'eus envie d'interrompre ce que j'avais commencé à lui dire et de lui parler du morceau de fil de coton.

Mais je dis :

– Les deux flics qui m'ont menacé après ma visite ici, dimanche.

– Dimanche?

– La première fois que je suis venu ici.

– Je n'ai rien dit à la police.

– À qui en avez-vous parlé?

– Seulement à Paul.

– À qui d'autre?

– À personne...

– Je vous en prie, dites-le-moi.

Paula Garland était debout parmi les meubles, entourée de coupes, de photographies, de cartes de Noël, serrait étroitement son gilet à rayures jaunes, vertes et marron autour d'elle.

– Je vous en prie, madame Garland.

– Paula, souffla-t-elle.

Je n'avais qu'une envie : renoncer, tendre la main, retirer le morceau de fil de coton rouge et la serrer dans mes bras de toutes mes forces.

Mais je dis :

– Paula, je vous en prie, il faut que je sache.

Elle soupira et s'assit en face de moi, dans le fauteuil blanc cassé.

– Après votre départ, j'étais contrariée et...

– Je vous en prie.

– Eh bien, les Foster sont passés...

– Donald Foster ?

– Et sa femme.

– Pourquoi sont-ils venus ?

Les yeux bleus de Paula Garland se firent glacés.

– Ce sont des amis, vous savez.

– Je suis désolé. Ce n'est pas ce que je voulais dire.

Elle soupira.

– Ils venaient voir si j'avais des nouvelles de Johnny.

– Quand sont-ils arrivés ?

– Environ un quart d'heure après votre départ. Je pleurais toujours et...

– Je suis désolé.

– Ce n'était pas seulement à cause de vous. Ils avaient téléphoné pendant tout le week-end, demandant à parler à Johnny.

– Qui ?

– Les journaux. Vos copains.

Elle s'adressait au plancher.

– Et vous avez parlé de moi à Foster ?

– Je ne lui ai pas donné votre nom.

– Que lui avez-vous dit ?

– Seulement qu'un putain de journaliste était venu me poser des questions sur Jeanette.

Paula Garland leva la tête, regarda fixement ma main droite.

– Parlez-moi de lui, dis-je, ma main morte se réveillant.

– De qui ?

La douleur augmentait, palpitait.

– De Donald Foster.

Paula Garland, beaux cheveux blonds noués sur la nuque, dit :

– Que voulez-vous que je vous dise ?

– Tout.

Paula Garland avala sa salive.

– Il est riche et il aime bien Johnny.

– Et ?

Battant rapidement des paupières, Paula Garland souffla :

– Et il a été très gentil avec nous quand Jeanette a disparu.

La bouche sèche, la main en feu, les yeux fixés sur le morceau de fil de coton rouge, je dis :

– Et ?

– Et c'est un salaud si on le contrarie.

Je levai ma main droite.

– Vous croyez qu'il ferait ce genre de chose ?

– Non.

– Non ?

– Je ne sais pas.

– Vous ne savez pas ?

– Non, je ne sais pas, parce que je ne sais pas pourquoi il le ferait.

– À cause de ce que je sais.

– Que voulez-vous dire ? Qu'est-ce que vous savez ?

– Parce que je sais que tout est en relation et qu'il y a un lien.

– Un lien avec quoi ? De quoi parlez-vous ?

Paula Garland se grattait les avant-bras.

– Donald Foster vous connaît, vous et Johnny, et on a trouvé le corps de Clare Kemplay sur un de ses chantiers, à Wakefield.

– C'est tout ?

– Il est le lien entre Jeanette et Clare.

Paula Garland était blême et tremblait, griffait la peau de ses bras.

— Vous croyez que Donald Foster a tué cette petite fille et m'a pris ma Jeanette ?

— Ce n'est pas ce que je dis, mais il sait.

— Qu'est-ce qu'il sait ?

J'étais debout, brandissais mon pansement, criais.

— Il y a quelqu'un, dehors, qui enlève, viole et assassine des petites filles, et il enlèvera, violera, assassinera encore, et personne ne l'en empêchera, parce que tout le monde s'en fout, bordel !

— Je ne m'en fous pas.

— Je sais que vous ne vous en foutez pas, mais ils s'en foutent. Ils ne s'intéressent qu'à leurs petits mensonges et à leur argent.

Paula Garland se leva d'un bond, m'embrassa sur la bouche, sur les yeux, les oreilles, me serra dans ses bras, répéta :

— Merci, merci, merci.

Ma main gauche était pressée sur les os de son dos, ma main droite pendait, engourdie, tripotant sa jupe, le morceau de fil en coton rouge accroché à mon pansement.

— Pas ici, dit Paula, qui prit doucement ma main droite toute blanche et m'entraîna dans l'escalier, l'escalier raide.

Il y avait trois portes, en haut des marches, deux fermées et celle de la salle de bains, entrou-verte. Deux plaques en plastique sur les battants : *Chambre de papa et maman* et *Chambre de Jeanette*.

Nous avons franchi précipitamment la porte de *papa et maman*, Paula m'embrassant de plus en plus violemment, parlant de plus en plus vite.

— Tu ne t'en fous pas et tu y crois. Tu ne sais pas combien ça compte pour moi. Il y a si longtemps que tout le monde s'en fout.

Nous étions sur le lit, la lumière du palier jetant des ombres chaudes sur l'armoire et la coiffeuse.

– Tu sais combien de fois je me réveille encore et pense : il faut que je prépare le petit déjeuner de Jeanette, il faut que je la réveille ?

J'étais sur elle, lui rendais ses baisers, bruit des chaussures tombant sur le plancher de la chambre.

– Je veux seulement pouvoir dormir et me réveiller comme tout le monde.

Elle s'assit, quitta son gilet à rayures jaunes, vertes et marron. Je tentai de m'appuyer sur ma main droite, tirai, de la gauche, sur les boutons en forme de fleur de son chemisier.

– Autrefois c'était très important pour moi, tu sais, que personne ne l'oublie, jamais, que personne ne parle d'elle comme si elle était morte ou appartenait au passé.

Ma main gauche descendait la fermeture à glissière de sa jupe, sa main sur ma braguette.

– On n'était pas heureux, tu sais, Geoff et moi. Mais, après la naissance de Jeanette, c'était comme si ça n'avait pas été pour rien.

J'eus un goût d'eau salée dans la bouche, ses larmes et ses mots une pluie violente et incessante.

– Même à l'époque, même quand elle était bébé, je ne dormais pas la nuit et je me demandais ce que je ferais s'il lui arrivait quelque chose, la voyais morte ; la nuit sans dormir, à la voir morte.

Elle serrait ma queue trop fort, ma main dans sa culotte.

– En général renversée par une voiture ou un camion, allongée sur la chaussée dans son petit manteau rouge.

J'embrassais ses seins, descendais sur son estomac, vers sa chatte pour fuir ses mots et ses baisers.

– Et, parfois, je la voyais étranglée, violée, assassinée, et je courais dans sa chambre, je la réveillais, je la serrais dans mes bras, la serrais.

Elle passait les doigts dans mes cheveux, arrachait les croûtes, mon sang sous ses ongles.

– Et le jour où elle n'est pas rentrée, tout ce que j'avais imaginé, toutes ces choses horribles, tout était devenu vrai.

Ma main brûlante, sa voix un bruit indistinct.

– Tout était devenu vrai.

Moi, queue dure et rapide dans sa chambre morte.

Ses cris et ses murmures dans le noir.

– Nous enterrons nos morts vivants, hein ?

Je tirai sur la pointe d'un sein.

– Sous les pierres, sous l'herbe.

Mordis le lobe de son oreille.

– Nous les entendons tous les jours.

Suçai sa lèvre inférieure.

– Ils nous parlent.

Serrai ses hanches.

– Ils nous demandent pourquoi, pourquoi, pourquoi ?

Moi, de plus en plus vite.

– J'entends Jeanette tous les jours.

Plus vite.

– Demander pourquoi ?

Plus vite.

– Pourquoi ?

Peau sèche et irritée sur peau sèche et irritée.

– Pourquoi ?

Je pensais à Mary Goldthorpe, à ses culottes et ses bas de soie.

– Elle frappe à la porte et elle veut savoir pourquoi ?

Plus vite.

– Elle veut savoir pourquoi ?

Bords secs contre bords secs.

– Je l'entends dire : pourquoi, maman ?

Je pensais à Mandy Wymer, à sa jupe qui remontait.

– Pourquoi ?

Vite.

Sec.

Pensais à la mauvaise Garland.

– Je ne peux pas être à nouveau seule.

Ma queue sèche et douloureuse, je l'écoutais parler dans le noir.

– Ils me l'ont prise. Puis Geoff, il...

Les yeux ouverts, pensant à des fusils de chasse, à Geoff Garland et Graham Goldthorpe, aux similitudes.

– Il était lâche.

Les phares d'une voiture firent passer des ombres sur le plafond et je me demandai si Geoff s'était fait sauter la cervelle dans cette maison, dans cette pièce, ou ailleurs.

Elle disait :

– De toute façon, l'alliance a toujours été trop grande.

J'étais dans le lit d'une veuve et d'une mère, pensais à Kathryn Taylor, fermais très fort les yeux pour que ça soit comme si je n'étais pas là.

– Et maintenant, Johnny.

Je n'avais vu que deux chambres et une salle de bains. Je me demandais où dormait le frère de Paula Garland, si Johnny couchait dans la chambre de Jeanette.

– Je ne peux plus vivre comme ça.

Je caressais doucement mon bras droit, ses confidences sur l'oreiller m'entraînant jusqu'aux frontières du sommeil.

C'était la nuit d'avant Noël. Il y avait une maison en rondins, neuve, au cœur d'une forêt ténébreuse, lumière jaune des bougies derrière les fenêtres. Je marchais dans la forêt, mince couche de neige sous mes pieds, rentrais chez moi. Sur le perron de la maison de rondins, je tapai des pieds pour débarrasser mes bottes de la neige, ouvris la lourde porte en bois.

Il y avait du feu dans la cheminée et la pièce sentait la bonne cuisine. Sous un sapin de Noël parfait, il y avait des cadeaux joliment emballés. Je gagnai la chambre et la vis. Elle était allongée sous un couvre-pieds qu'elle avait fait elle-même, ses cheveux d'or déployés sur les oreillers en coton, les yeux fermés. Je m'assis au bord du lit, déboutonnai mes vêtements. Je me glissai silencieusement sous le couvre-pieds, me serrai contre elle. Elle était froide et elle était mouillée. Je cherchai ses bras et ses jambes. Je m'assis, tirai les couvertures, rien que du rouge. Seulement sa tête et sa poitrine, ouverte, bras et jambes disparus. Je cherchai parmi les couvertures, son cœur tombant par terre avec un bruit sourd. Je le ramassai d'une main bandée, poussière et plumes prises dans le sang. Je pressai le cœur sale sur sa poitrine, caressai ses boucles d'or. Les cheveux me restèrent dans la main, glissèrent sur son crâne, si bien que je me retrouvai seul dans un lit couvert de plumes et de sang, la nuit d'avant Noël, alors que quelqu'un frappait à la porte.

– Qu'est-ce que c'est ?

J'étais complètement réveillé.

Paula Garland se levait.

– Le téléphone.

Elle prit son gilet jaune, vert et marron, l'enfila en descendant l'escalier, le derrière à l'air ; les couleurs n'arrangaient rien.

Je restai allongé, écoutai les cavalcades de souris ou d'oiseaux sur le toit.

Deux ou trois minutes plus tard, je me levai, m'habillai et descendis.

Paula Garland se balançait d'avant en arrière sur le fauteuil blanc cassé, la photographie de Jeanette entre les mains.

– Qu'est-ce qu'il y a ? Qu'est-ce qui s'est passé ?

– C'était Paul...

– Quoi ? Qu'est-ce qui ne va pas ?

Je pensais : merde, merde, merde ; visions de voitures accidentées, de pare-brise ensanglantés.

– La police...

J'étais à genoux, la secouais.

– Quoi ?

– Elle l'a arrêté.

– Qui ? Paul ?

– Un jeune de Fitzwilliam.

– Quoi ?

– Elle dit que c'est lui qui l'a fait.

– Qui a fait quoi ?

– Elle dit qu'il a tué Clare Kemplay et...

– Quoi ?

– Il dit qu'il a assassiné les autres.

Tout parut soudain rouge, rideau de sang.

Elle disait :

– Il dit qu'il a tué Jeanette.

– Jeanette ?

Sa bouche et ses yeux étaient ouverts, pas un son, pas une larme.

Je montai l'escalier quatre à quatre, la main en feu.

L'escalier en sens inverse, mes chaussures à la main.

– Où tu vas ?

– Au journal.

– Je t'en prie, n'y va pas.

– Il faut.

– Je ne peux pas rester seule.

– Il faut que j'y aille.

– Reviens.

– Bien sûr.

– Croix de bois, croix de fer ?

– Croix de bois, croix de fer.

22 heures, mercredi 18 décembre 1974.

L'autoroute, glissante, noire et mouillée.

Un bras sur le volant, pied lourd sur la pédale, pensant : Jimmy James Ashworth.

Ils croyaient que c'était lui, vous savez.

Coup d'œil dans le rétroviseur, autoroute déserte hormis les camions, les amants et Jimmy James Ashworth.

Maman, tais-toi !

Sortant à la hauteur du campement gitan, le noir sur fond noir cachant les dégâts, secouant ma main droite pour réchauffer le sang, pensant : Jimmy James Ashworth.

Pourquoi croyaient-ils que c'était toi, Jimmy ?

Sous les décorations de Noël du centre de Leeds, écrivant un article dans ma tête, pensant : Jimmy James Ashworth.

Demandez-leur.

L'immeuble du *Yorkshire Post*, dix étages de lumière jaune. Je me garai dessous, ricanant et pensant : Jimmy James Ashworth.

Tu es un garçon intelligent, Jimmy.

Grand sapin de Noël dans le hall d'entrée, Joyeux Noël et Bonne Année sur les portes vitrées à double battant. J'appuyai sur le bouton de l'ascenseur, pensant : Jimmy James Ashworth.

Parce que tu la fermes.

Les portes de l'ascenseur s'ouvrirent. J'y entrai, appuyai sur le bouton du dixième, le cœur battant, pensant : Jimmy James Ashworth.

C'est un bon garçon, monsieur Dunford. Il n'a rien fait.

Les portes de l'ascenseur s'ouvrirent au dixième étage, rédaction bourdonnante, agitation partout. L'expression de tous les visages criant : ON LE TIENT !

Je serrai le Pocket Memo Philips dans ma main gauche, pensant Jimmy James Ashworth, pensant : Jimmy James Ashworth.

Qu'est-ce que vous allez écrire sur lui?
Pensant : le scoop.

Le bureau de Hadden, sans avoir frappé.

Calme d'œil de cyclone dans la pièce.

Jack Whitehead levant la tête, barbe de deux jours et yeux aussi grands que des soucoupes.

– Edward...

Hadden, les lunettes presque sur le bout du nez.

– Je l'ai interviewé cet après-midi. Je l'ai interviewé, putain.

Hadden grimaça.

– Qui?

– Non, tu ne l'as pas interviewé, ricana Jack.

Puanteur de l'alcool dans l'air.

– J'étais dans son salon et il m'a pratiquement tout raconté.

– Vraiment?

Jack, presque railleur.

– Ouais, vraiment.

– De qui parles-tu, Scoop?

– De James Ashworth.

Jack Whitehead, souriant, se tourna vers Bill Hadden.

– Assieds-toi, dit Hadden, qui montra le fauteuil voisin de celui de Jack.

– Qu'est-ce qu'il y a?

– Edward, ils n'ont pas arrêté James Ashworth, dit-il, aussi gentiment que possible.

Jack Whitehead feignit de regarder ses notes, leva un sourcil plus haut encore, incapable de résister au désir de dire :

– Sauf s'il se fait aussi appeler Michael John Myshkin.

– Qui?

– Michael John Myshkin, répéta Hadden.

– Parents polaks. Ne parlent pas un mot d'anglais, dit Jack en riant, comme si c'était drôle.

231

– Une chance, fis-je.

– Tiens, Scoop. Lis.

Jack me lança l'édition du matin. Elle rebondit sur moi, tomba par terre. Je me penchai et la ramassai.

– Qu'est-ce que tu t'es fait à la main ? demanda Hadden.

– Je l'ai coincée dans une porte.

– Ça ne va sûrement pas affecter ton style, hein, Scoop ?

Je secouai le journal de la main gauche.

– Tu as besoin d'un coup de main ? demanda Jack.

– Non.

– Première page, dit-il, souriant.

ARRÊTÉ, hurlait le titre.

Clare : la brigade criminelle arrête un suspect, racolait le sous-titre.

PAR JACK WHITEHEAD, REPORTER CRIMINEL DE L'ANNÉE, claironnait la signature de l'article.

Je poursuivis ma lecture :

Hier en début de matinée, dans le cadre de l'enquête sur le meurtre de Clare Kemplay, dix ans, la police a arrêté un homme habitant Fitzwilliam.

Selon une source policière dont nous avons l'exclusivité, l'homme a avoué le meurtre et a été officiellement inculpé. Il sera placé en détention au tribunal de Wakefield dans la matinée.

Cette source policière a en outre dévoilé que l'homme a également avoué plusieurs autres meurtres et de nouvelles inculpations sont prévisibles dans les heures qui viennent.

Des détectives venus de tout le pays sont attendus à Wakefield, dans la journée, en vue d'interroger l'homme sur des affaires similaires non résolues.

Je laissai tomber le journal par terre.

– J'avais raison.

Jack dit :

– Tu crois ?

Je me tournai vers Hadden.

– Vous savez que j'avais raison. J'ai dit qu'ils étaient liés.

– Lesquels mentionnent-ils, Jack ? demanda Hadden.

– Ceux de Jeanette Garland et de Susan Ridyard, dis-je, les larmes aux yeux.

– Pour commencer, fit Jack.

– Je vous l'avais dit, bordel.

– Pas de gros mots, Edward, marmonna Hadden.

Je dis :

– Je suis venu dans ce bureau, je suis allé dans le bureau de Oldman, et je vous ai avertis tous les deux.

Mais je savais que c'était terminé.

J'étais assis là, à la fin de tout, en compagnie de Hadden et de Jack Whitehead, ma main gelée par la douleur. Je les regardai successivement, Jack qui souriait, Hadden qui jouait avec ses lunettes. Le bureau, l'antichambre et les rues, dehors, tout était silencieux. Un instant, je me demandai s'il neigeait.

Seulement un instant, puis ça recommença.

– Avez-vous une adresse ? demandai-je à Hadden.

– Jack ?

– 54, Newstead View.

– Newstead View ! C'est la même putain de rue.

– Quoi ?

Hadden, à bout de patience.

– James Ashworth, le jeune homme qui a trouvé le corps, habite dans la même putain de rue que ce type.

– Et alors ? fit Jack, souriant.

– Va te faire foutre, Jack !

– S'il te plaît, pas de gros mots dans mon bureau.

Jack Whitehead avait levé les bras en une parodie de capitulation.

Je voyais du rouge, du rouge, seulement du rouge et la douleur palpitait dans ma tête.

– Ils habitent la même rue, dans la même ville, à quinze kilomètres de l'endroit où on a trouvé le corps.

– Coïncidence, fit Jack.

– Tu crois ?

– Je crois.

Je m'appuyai contre le dossier du fauteuil, la main droite lourde de sang immobile, sentant que la même lourdeur s'insinuait partout, comme s'il neigeait ici, dans cette pièce, comme s'il neigeait ici, dans mon cerveau.

Jack Whitehead dit :

– Il s'est mis à table. Qu'est-ce que tu veux de plus ?

– La putain de vérité.

Jack rit, rit vraiment, de grands éclats de rire venus du ventre.

Nous poussions Hadden trop loin.

D'une voix étouffée, je dis :

– Pour quel motif l'ont-ils arrêté ?

Hadden soupira.

– Défaut de feux stop.

– Vous blaguez ?

Jack ne riait plus.

– Il a refusé de s'arrêter. La voiture pie l'a poursuivi. Ils l'ont emmené au poste et, comme ça, il a tout avoué.

– Qu'est-ce que c'était comme voiture ?

– Un Transit, répondit Jack, évitant mon regard.

– De quelle couleur ?

– Blanc, répondit Jack qui, souriant, m'offrit une cigarette.

Je pris la cigarette, pensant à Mme Ridyard et à ses affiches, dans son salon bien rangé qui n'avait plus de vue.

– Quel âge a-t-il ?

Jack alluma sa cigarette et dit :

– Vingt-deux ans.

– Vingt-deux ans ? Donc il n'avait que seize ou dix-sept ans en 69.

– Et alors ?

– Enfin, Jack !

– Qu'est-ce qu'il fait ? demanda Hadden à Jack, mais les yeux fixés sur moi.

– Il travaille dans un labo photo. Il développe les clichés.

Ma tête à la dérive, grouillant de photos de petites filles.

Jack dit :

– Ça n'a pas l'air de coller, pas vrai, Scoop ?

– Non, soufflai-je.

– Tu ne veux pas que ce soit lui, je sais.

– Non.

Jack se pencha.

– J'ai eu la même impression. Tout ce travail, toutes ces intuitions, et ça semble bancal.

– Oui, marmonnai-je, à la dérive dans un Transit blanc, que couvraient les photos des petites mortes, souriantes et blondes.

– La pilule est amère, mais ils le tiennent.

– Ouais.

– On s'habitue, fit Jack, qui m'adressa un clin d'œil et se leva, instable sur ses jambes. À demain, ajouta-t-il.

Hadden dit :

– Ouais, merci Jack.

– Grande journée, hein ? dit Jack avant de fermer la porte derrière lui.

– Ouais, fis-je, machinalement.

La pièce était silencieuse et sentait toujours l'alcool de l'haleine de Jack.

Au bout de quelques secondes, je dis :

– Et maintenant ?

– Je veux que tu fasses un papier sur ce Myshkin. Cela relève théoriquement du secret de l'instruction, mais il a avoué et il est inculpé, donc on ne risque rien.

– Quand allez-vous publier son nom ?

– Demain.

– Qui couvre l'audience d'inculpation ?

– Jack, et il s'occupera aussi de la conférence de presse.

– Il fera les deux ?

– Tu peux y aller, mais avec les obsèques et tout, j'ai pensé...

– Les obsèques ? Quelles obsèques ?

Hadden me dévisagea par-dessus ses lunettes.

– Demain, ce sont les obsèques de Barry.

Je fixais une des cartes de Noël posées sur son bureau, qui représentait une petite maison chaude et lumineuse dans une forêt enneigée.

– Merde, j'avais oublié, soufflai-je.

– Je crois qu'il vaut mieux que Jack reste sur l'affaire demain.

– À quelle heure est la cérémonie ?

– À onze heures au crématorium de Dewsbury.

Je me levai, tous les membres affaiblis par le poids du sang mort. Je m'engageai sur le fond de la mer, en direction de la porte.

Hadden leva la tête derrière sa forêt de cartes de Noël et dit, d'une voix étouffée :

– Pourquoi étais-tu si sûr que c'était James Ashworth ?

– Je ne l'étais pas, dis-je, puis je fermai la porte derrière moi.

Paul Kelly était assis sur le bord de mon bureau.

– Paula t'a appelé.

– Ouais ?

– Qu'est-ce qui se passe, Eddie ?

– Rien.

– Rien ?

– Elle m'a téléphoné. Elle a dit que tu lui avais raconté que j'étais allé chez cette Mandy Wymer.

– Laisse-la tranquille, Eddie.

Deux heures de travail merdique, transformées en quatre parce que je tapais d'une main. Je transcrivis mes notes sur les Ridyard pour le grand papier de Jack Whitehead, arrangeai mes rencontres avec Paula Garland :

Jack – Mme Garland ne tient pas à parler de la disparition de sa fille. Son cousin est Paul Kelly, employé de notre journal, qui a demandé que nous respections son désir de ne pas être importunée.

Je décrochai et composai le numéro.

À la deuxième sonnerie :

– Allô, Edward ?

– Ouais.

– Où es-tu ?

– Au journal.

– Quand reviens-tu ?

– On m'a une nouvelle fois conseillé de ne pas t'approcher.

– Qui ?

– Paul.

– Je suis désolée. Il n'a pas de mauvaises intentions.

– Je sais, mais il a raison.

– Edward, je...

– Je t'appellerai demain.

– Tu iras au tribunal ?

Seul dans la rédaction, je dis :

– Ouais.

– C'est lui, n'est-ce pas ?

– Ouais, apparemment.

237

– S'il te plaît, viens.

– Je ne peux pas.

– S'il te plaît ?

– Je t'appellerai demain, promis. Il faut que j'y aille.

Elle raccrocha et mon estomac se noua.

Je pris ma tête entre ma bonne et ma mauvaise main, l'odeur de l'hôpital, et la sienne, sur les deux.

Allongé dans le noir sur le plancher de la chambre 27, je pensais aux femmes.

Les camions allaient et venaient sur le parking, leurs phares faisant danser les ombres comme des squelettes d'un bout à l'autre de la pièce.

À plat ventre, le dos au mur, les yeux fermés, les mains sur les oreilles, pensant aux petites filles.

Dehors, dans la nuit, une portière de voiture claqua.

Je me levai d'un bond, terrifié, en hurlant.

7

Jeudi 19 décembre 1974, six heures du matin.

Assise dans son rocking-chair, dans la pièce de derrière, ma mère regardait tomber la neige fondue grise du matin.

Je lui donnai une tasse de thé et je dis :

– Je suis venu chercher mon costume noir.

– Il y a une chemise propre sur ton lit, dit-elle sans quitter la fenêtre des yeux, sans toucher au thé.

– Merci, fis-je.

– Qu'est-ce que tu as à la main ? demanda Gilman du *Manchester Evening News*.

– Elle s'est fait prendre dans le sac, blaguai-je, m'asseyant au premier rang.

– Il n'y a pas qu'elle, hein ? fit Tom, de Bradford, avec un clin d'œil.

Quartier général de la Police métropolitaine du West Yorkshire, Wood Street, Wakefield.

– Et comment va le petit oiseau ? blagua Gilman.

– La ferme, soufflai-je, rouge, jetant un coup d'œil sur la montre de mon père : 8 h 30.

– Quelqu'un est mort ? demanda Nouvelle Tête, qui s'assit derrière trois costumes noirs.

– Ouais, dis-je sans me retourner.

– Merde, désolé, marmonna-t-il.

– Branleur du Sud, grogna Gilman.

Je regardai les projecteurs de la télé.

– Merde, il fait chaud.

– Par où es-tu entré? demanda Tom, de Bradford.

Nouvelle Tête répondit :

– Par la grande porte.

– Beaucoup de monde?

– Merde, des centaines de personnes.

– Putain.

– Tu as un nom? souffla Gilman.

– Ouais, fis-je, souriant.

– Une adresse? dit Gilman, fier et sûr de lui.

Tout le monde répondit en chœur :

– Ouais.

– Merde.

– Bonjour, mesdames, dit Jack Whitehead, qui s'assit exactement derrière moi et me serra les épaules, fort.

– Salut, Jack, dit Tom, de Bradford.

– Tu mets la main à la pâte, Scoop? blagua-t-il.

– Seulement au cas où quelque chose t'échapperait, Jack.

– Allons, allons, les filles, fit Gilman avec un clin d'œil.

La porte latérale s'ouvrit.

Trois larges sourires en complet-veston.

Le directeur de la police, Ronald Angus, le superintendant en chef George Oldman et le superintendant Peter Noble.

Trois gros chats repus.

Claquement et sifflement quand les micros furent allumés.

Angus, directeur de la police, prit une feuille A4 blanche et eut un large sourire.

– Messieurs, bonjour. Un homme a été interpellé, hier en début de matinée, dans Doncaster Road, à

Wakefield, au terme d'une brève poursuite. Le sergent Bob Craven et l'agent Bob Douglas avaient demandé au chauffeur d'un Ford Transit de s'arrêter en raison d'un défaut de feux stop. Le chauffeur n'ayant pas obtempéré, les policiers ont poursuivi le véhicule et l'ont finalement contraint à quitter la chaussée.

Angus, directeur de la police, cheveux ondulés comme de la crème chantilly grise, s'interrompit, toujours souriant, comme s'il attendait des applaudissements.

– L'homme a été conduit ici, à Wood Street, où il a été interrogé. Au cours d'un entretien préliminaire, l'homme a indiqué qu'il avait des informations sur des questions plus graves. Le superintendant Noble a donc interrogé l'homme au sujet de l'enlèvement et du meurtre de Clare Kemplay. À vingt heures hier, l'homme a avoué. Il a été ensuite officiellement inculpé et sera présenté au tribunal de Wakefield dans la matinée.

Angus s'assit et son expression était celle d'un homme qui s'est bourré de pudding à Noël.

Une tempête de questions et de noms a balayé la salle.

Les trois hommes se sont mordu la langue et leurs sourires se sont élargis.

Je fixais les yeux noirs d'Oldman.

Vous croyez que vous êtes le seul petit con à faire ce rapprochement ?

Les yeux d'Oldman rivés aux miens.

Ma mère, qui est sénile, en serait capable.

Le superintendant en chef se tourna vers le directeur de la police, puis ils échangèrent un hochement de tête et un clin d'œil.

Oldman leva les mains.

– Messieurs, messieurs. Oui, l'homme placé en détention est également interrogé sur d'autres crimes similaires. Cependant, pour le moment, c'est la seule information que je sois en mesure de vous communiquer. Mais, au nom de Monsieur le directeur, du superintendant Noble et de tous ceux qui ont participé à cette enquête, je voudrais féliciter publiquement le sergent Craven et l'agent Douglas. Ce sont des policiers exceptionnels, que nous remercions du fond du cœur.

Une nouvelle fois, des rafales de noms, de dates et de questions balayèrent la salle.

Jeanette, en 69, et Susan, en 74, restèrent sans réponse.

Les trois hommes et leurs sourires se levèrent.

— Merci, messieurs, cria Noble, qui tenait la porte latérale ouverte à l'intention de ses supérieurs.

— Je t'emmerde ! criai-je dans mon costume noir, ma chemise blanche et mon pansement gris.

PENDEZ CE SALAUD,
PENDEZ CE SALAUD,
PENDEZ CE SALAUD MAINTENANT !
Wood Street, la trinité du pouvoir à Wakefield.
Le commissariat, le tribunal, la mairie.
Neuf heures et la foule.
LÂCHE, LÂCHE, MYSHKIN EST UN LÂCHE !
Deux mille femmes au foyer et leurs fils chômeurs.
Gilman, Tom et moi, en plein dedans.
Deux mille gorges irritées et leurs fils.
Un crétin avec sa maman, le *Daily Mirror* et une corde bricolée.
Assez de preuves.
LÂCHE, LÂCHE, MYSHKIN EST UN LÂCHE !
Mains laides qui nous empoignent, nous tirent, nous poussent.
D'un côté et de l'autre, de l'autre et de l'un.
Soudain immobilisé, mon col saisi par le long bras de la loi.

Le sergent Fraser à la rescousse.

PENDEZ-LE !

PENDEZ-LE !

PENDEZ CE SALAUD !

Derrière les murs en marbre et les épaisses portes en chêne du tribunal de Wakefield régnait une sorte de calme provisoire, mais pas pour moi.

– Il faut que je vous parle, soufflai-je, pivotant sur moi-même et redressant ma cravate.

– Putain, ça, vous pouvez le dire ! cracha Fraser. Mais pas ici et pas maintenant.

Les pointures 44 s'éloignèrent dans le couloir.

Je poussai la porte de la salle d'audience N° 2, bourrée et silencieuse.

Toutes les places assises prises, seulement des places debout.

Pas de familles, seulement ces messieurs de la presse.

Jack Whitehead devant, penché au-dessus d'une balustrade en bois, blaguant avec un huissier.

Je regardai les vitraux des fenêtres, leurs scènes de collines et de moutons, de moulins et de Jésus, la lumière si terne, dehors, que le verre réfléchissait seulement les néons qui bourdonnaient bruyamment au plafond.

Jack Whitehead se retourna, plissa les paupières et me salua.

Au pied du marbre et du chêne, dehors, la psalmodie étouffée de la foule semblait couler comme du sang sous nos murmures, les hurlements marquant la cadence comme sur une galère de l'Antiquité.

– Putain, c'est dingue, dehors, dit Gilman, essoufflé.

– Au moins, on est entrés, dis-je, adossé au mur.

– Oui. Putain, où sont passés Tom et Jack ?

Je montrai les premiers rangs du public.

– Jack est là-bas.

– Il doit y avoir un tunnel ou quelque chose, entre ici et le commissariat.

– Oui, et Jack a la clé.

Je me tournai soudain vers les vitraux des fenêtres, parce qu'une forme noire montait, derrière, puis descendait soudain, comme un oiseau géant.

– Qu'est-ce que c'était que cette connerie ?

– Une banderole, sûrement. Les indigènes deviennent nerveux.

– Il n'y a pas qu'eux.

Et puis il est arrivé, exactement au bon moment.

Le box plein de flics en civil, qui regardaient fixement le tribunal, l'un d'entre eux menotté à l'accusé.

Michael John Myshkin se tenait à l'avant du box, en bleu de travail sale et veste noire, foutrement gras et la tête trop grosse.

Je déglutis, fort, l'estomac retourné par la bile.

Michael John Myshkin battit des paupières et une bulle de salive gonfla entre ses lèvres.

Je pris mon stylo, la douleur se répandant de mes ongles à mon épaule, et je fus obligé de m'appuyer contre le mur.

Michael John Myshkin, qui faisait plus âgé que ses vingt-deux ans, nous adressa un sourire de petit garçon deux fois moins âgé.

Le greffier se leva, au pied du tribunal, toussa et dit :

– Êtes-vous Michael John Myshkin, demeurant 54, Newstead View, à Fitzwilliam ?

– Oui, répondit Michael John Myshkin, qui se tourna vers un des détectives.

– Vous êtes accusé d'avoir, entre le 12 et le 14 décembre, assassiné Clare Kemplay, portant de ce fait atteinte à l'ordre garanti par notre souveraine, la Reine. Vous êtes en outre accusé de conduite dangereuse, le 18 décembre, à Wakefield.

Michael John Myshkin, monstre de Frankenstein menotté, posa sa main libre sur la rambarde du box et soupira.

Le greffier adressa un signe de tête à un homme installé en face.

L'homme se leva et annonça :

– William Bamforth, procureur du comté. Il est à noter que M. Myshkin n'est pas représenté par un avocat. Au nom de la Police métropolitaine du West Yorkshire, je demande que la détention de M. Myshkin soit prolongée de huit jours, afin qu'il soit possible de poursuivre son interrogatoire relativement à des crimes de même nature que celui dont il est déjà inculpé. Je voudrais aussi rappeler au public, et plus particulièrement aux représentants de la presse, que cette affaire est couverte par le secret de l'instruction. Merci.

Le greffier se leva à nouveau.

– Monsieur Myshkin, souhaitez-vous vous opposer à la demande, présentée par le procureur, de prolongation de huit jours de votre garde à vue ?

Michael John Myshkin se leva et secoua la tête.

– Non.

– Souhaitez-vous que les restrictions liées au secret de l'instruction soit levées ?

Michael John Myshkin se tourna vers un des détectives.

Le détective secoua très discrètement la tête et Michael John Myshkin souffla :

– Non.

– Michael John Myshkin, vous serez placé en détention pendant huit jours. Les restrictions liées au secret de l'instruction restent en vigueur.

Le détective pivota sur lui-même, entraîna Myshkin derrière lui.

Le public tendit le cou.

Michael John Myshkin s'arrêta en haut de l'escalier, se tourna vers le tribunal, puis faillit tomber, si bien qu'un policier dut l'aider à reprendre son équilibre.

Puis on ne vit plus de lui qu'une grosse main qui disparaissait dans l'escalier conduisant aux entrailles du tribunal et faisait au revoir.

C'est la main qui a pris une vie, pensai-je.

Puis le sale assassin a disparu.

– Qu'est-ce que tu en penses ?

Je dis :

– Il a la tête de l'emploi.

– Oui, il fera l'affaire, dit Gilman avec un clin d'œil.

Il était presque onze heures quand la Viva, suivie par la voiture de Gilman, arriva au crématorium de Dewsbury.

Une bruine froide avait remplacé la neige fondue, mais le vent était aussi violent que la semaine précédente et ma putain de main bandée m'empêchait d'allumer une cigarette.

– Plus tard, souffla le sergent Fraser, à l'entrée.

Gilman me dévisagea mais ne dit rien.

À l'intérieur, le crématorium était bourré et silencieux.

Une famille, plus la presse.

Je pris place au fond de la chapelle, en compagnie de Gilman, redressai ma cravate, remis de l'ordre dans mes cheveux, saluai de la tête la moitié des rédactions du nord de l'Angleterre.

Ce connard de Jack Whitehead devant, penché sur son prie-Dieu, bavardait avec Hadden, sa femme et les Gannon.

Je regardai d'autres vitraux de collines et de moutons, de moulins et de Jésus, et priai pour que Barry soit mieux traité que mon père.

Jack Whitehead se retourna, plissa les paupières et m'adressa un signe de la main.

Le vent sifflait contre les murs du bâtiment, comme les hurlements de la mer et de ses mouettes, et je me demandai si les oiseaux parlaient.

– Bon sang, j'espère qu'ils vont y aller, souffla Gilman.

– Où est Jack ? demanda Tom, de Bradford.

– Devant, répondis-je, souriant.

– Nom de Dieu ! Un autre putain de tunnel ? blagua Gilman.

– Pas de gros mots, souffla Tom.

Gilman plongea le nez dans son missel.

– Merde, désolé.

Je me tournai soudain vers les vitraux de la fenêtre au moment où Kathryn Taylor, tout en noir, passait dans l'allée, devant les vitraux, au bras de la Grosse Steph et de Gaz, des sports.

Gilman me donna un bon coup de coude et m'adressa un clin d'œil.

– Heureux homme.

– Je t'emmerde, crachai-je, rouge, les yeux fixés sur les phalanges, qui passaient du rouge au blanc, de ma main valide crispée sur le prie-Dieu.

Soudain, l'organiste appuya sur toutes les saloperies de touches.

Tout le monde se leva.

Et il était là.

Je fixai le cercueil, installé du côté opposé de la salle, incapable de me souvenir si le bois de celui de mon père était plus clair ou plus foncé.

Je regardai le missel posé par terre, pensai à Kathryn.

Un homme corpulent vêtu d'un manteau en cashmere marron, debout de l'autre côté de l'allée, me fixait.

En même temps que lui, je tournai la tête et fixai le sol.

– Où es-tu allée ?

– À Manchester, répondit Kathryn Taylor.

Nous étions devant le crématorium, debout sur la pente, entre l'entrée et les voitures, le vent et la pluie plus froids que jamais. Costumes et manteaux noirs sortaient, tentaient d'allumer des cigarettes, ouvraient des parapluies, se serraient la main.

– Qu'est-ce que tu es allée faire à Manchester ? demandai-je, alors que je savais foutrement bien ce qu'elle était allée faire à Manchester.

– Je n'ai pas envie d'en parler, dit-elle, s'éloignant en direction de la voiture de la Grosse Steph.

– Je suis désolé.

Kathryn Taylor ne s'arrêta pas.

– Je peux t'appeler ce soir ?

Stephanie ouvrit la portière du passager et Kathryn se pencha, prit quelque chose sur le siège.

Elle pivota sur elle-même, me lança un livre, hurla :

– Tiens, tu as oublié ça la dernière fois que tu m'as baisée !

A Guide to the Canals of the North survola l'allée conduisant à l'entrée du crématorium, laissant échapper des photos d'écolières dans son sillage.

– Merde, crachai-je, me précipitant pour ramasser les photos.

La petite voiture blanche de la Grosse Steph sortit du parking du crématorium en marche arrière.

– Une de perdue, dix de retrouvées.

Je levai la tête. Le sergent Fraser me tendit le portrait d'une petite fille blonde.

– Allez vous faire foutre, dis-je.

– Ce n'est pas la peine.

Je lui arrachai la photo.

– Pas la peine de quoi ?

Hadden, Jack Whitehead, Gilman, Gaz et Tom traînaient devant l'entrée, nous regardaient.

Fraser dit :
– Désolé pour votre main.
– Vous êtes désolé ? Putain, c'est à cause de vous.
– Je ne vois pas ce que vous voulez dire.
– C'est ça !
– Écoutez, dit Fraser, il faut qu'on parle.
– Je n'ai rien à vous dire.

Il glissa un bout de papier dans la poche de poitrine de ma veste.
– Téléphonez-moi ce soir.

Je pris le chemin de ma voiture.
– Je suis désolé, cria Fraser, contre le vent.
– Je vous emmerde, dis-je, sortant mes clés.

Près de la Viva, deux hommes corpulents bavardaient à côté d'une Jaguar rouge foncé. Je sortis mes clés, déverrouillai ma portière, puis l'ouvris, le tout de la main gauche. Je me penchai à l'intérieur, lançai le putain de livre sur la banquette arrière puis glissai la clé dans l'antivol.
– Monsieur Dunford ? dit l'homme corpulent en manteau de cashmere marron par-dessus le toit de la Viva.
– Ouais ?
– Déjeuner, ça vous plairait ?
– Quoi ?

L'homme corpulent sourit, frotta ses mains gantées de cuir l'une contre l'autre.
– Je vais vous inviter à déjeuner.
– Pourquoi feriez-vous ça ?
– Je veux vous parler de quelque chose.
– De quoi ?
– Disons simplement que vous ne le regretterez pas.

Je regardai, en haut de la pente, l'entrée du crématorium.

Bill Hadden et Jack Whitehead bavardaient avec le sergent Fraser.

– D'accord, dis-je, pensant : merde pour la veillée funèbre du Cercle de la presse.

– Vous connaissez le Club Karachi, dans Bradford Road ?

– Non.

– C'est à côté du Club Variety, juste avant d'arriver à Batley.

– D'accord.

– Dans dix minutes ? dit l'homme corpulent.

– Je vous suivrai.

– Génial.

La ville pakistanaise, la seule couleur restante.

Briques noires et saris, adolescents à la peau brune jouant au cricket dans le froid.

La mosquée et la mine, disons : Yorkshire, 1974.

Le curry et le casque.

Ayant perdu la Jaguar au dernier feu, j'entrai sur le parking de terre battue du Club Variety de Batley et m'arrêtai près de la voiture rouge foncé.

Shirley Bassey était la vedette du spectacle de Noël, à côté, et j'entendais son orchestre répéter tout en me frayant un chemin parmi les flaques d'eau sale, pleines de mégots et de paquets de chips, aux accents de *Goldfinger*.

Le Club Karachi était un immeuble de deux étages qui avait autrefois eu un lien avec le textile.

Je montai les trois marches en pierre du restaurant, allumai le Pocket Memo Philips et ouvris la porte.

Derrière, le Club Karachi était une immense salle rouge, au papier à fleurs voyant, où régnaient les sons flûtés de l'Orient.

Un Pakistanais de haute taille, vêtu d'une tunique blanche impeccable, me conduisit à la seule table occupée.

Les deux hommes corpulents étaient assis côte à côte, face à la porte, deux paires de gants en cuir devant eux.

Le plus âgé, celui qui m'avait invité à déjeuner, se leva, tendit la main et dit :

– Derek Box.

Je lui serrai la main par-dessus la table, de la main gauche, m'assis et regardai le visage carré du plus jeune des deux.

– C'est Paul. Il m'assiste, dit Derek Box.

Paul hocha la tête, mais ne dit pas un mot.

Le serveur apporta un plateau en argent chargé de fins *papadams* et de piments.

– Nous prendrons tous le plat du jour, Sammy, dit Derek Box en cassant un papadam.

– Très bien, monsieur Box.

Box me sourit.

– J'espère que vous aimez le curry épicé.

– Je n'en ai mangé qu'une fois, dis-je.

– Dans ce cas, bon sang, vous allez vous régaler.

Je regardai la salle immense, ses nappes blanches épaisses et ses lourds couverts en argent.

– Regardez, dit Derek Box, qui versa une cuille-rée de yaourt et de piments sur un papadam. Tarti-nez généreusement.

J'obéis.

– Vous savez pourquoi j'aime cet endroit ?

– Non, répondis-je, en le regrettant aussitôt.

– Parce que c'est intime. Juste les métèques et nous.

Je pris mon papadam ramolli dans la main gauche et le fourrai dans ma bouche.

– C'est comme ça que j'aime que ça soit, ajouta Box. Intime.

Le serveur apporta trois pintes de bière.

– Et leur putain de bouffe n'est pas mauvaise, en plus, hein, Sammy ? blagua Box.

– Merci beaucoup, monsieur Box, dit le serveur.

Paul sourit.

Box leva son verre et dit :

– Santé.

On but avec lui, Paul et moi.

Je sortis mes cigarettes. Paul me donna du feu avec un gros Ronson.

– C'est bien, hein ? fit Derek Box.

Je souris.

– Très civilisé.

– Oui. Pas comme ce genre de merde, dit Box, montrant ma main pansée, grise sur la nappe blanche.

Je regardai ma main, puis à nouveau Box.

Il dit :

– J'admirais beaucoup le travail de votre collègue, monsieur Dunford.

– Vous le connaissiez bien ?

– Oh, oui. Nos relations étaient très spéciales.

– Ouais ? fis-je, prenant ma pinte.

– Mmm. Nous y trouvions tous les deux notre compte.

– De quelle façon ?

– Eh bien, je suis dans une situation qui me permet de temps en temps de transmettre des informations.

– Quelles informations ?

Derek Box posa sa pinte et me dévisagea.

– Je ne suis pas un mouchard, monsieur Dunford.

– Je sais.

– Je ne suis pas davantage un ange, mais je suis un homme d'affaires.

Je bus une grosse lampée de bière, puis je lui demandai :

– Dans quel domaine ?

Il sourit.

– L'automobile, mais j'ai des ambitions dans le secteur du bâtiment, je ne m'en cache pas.

– Quelles ambitions ?

– Des ambitions contrariées, blagua Derek Box. Pour le moment.

– Alors comment Barry et vous...

– Comme je l'ai dit, je ne suis pas un ange et je n'ai jamais prétendu le contraire. Cependant il y a des hommes, dans notre pays, dans notre comté, qui ont à mon goût une trop grosse part du gâteau.

– Du gâteau du bâtiment ?

– Oui.

– Donc vous donniez à Barry des informations sur certaines personnes et leurs activités dans le secteur du bâtiment ?

– Oui. Barry s'intéressait de très près aux activités de certaines personnes, comme vous dites.

Le serveur apporta trois assiettes de riz jaune et trois bols de sauce rouge foncé. Il posa une assiette et un bol devant chacun d'entre nous.

Paul prit le sien, en versa le contenu sur son riz et mélangea le tout.

Le serveur dit :

– Voulez-vous des *nans*, monsieur Box ?

– Oui, Sammy. Et une autre tournée.

– Très bien, monsieur Box.

Je pris la cuiller de mon bol de curry et en versai un petit peu sur mon riz.

– Attaquez, mon garçon. On ne fait pas de cérémonies, ici.

Je pris une bouchée de curry et de riz, sentis le feu dans ma bouche et vidai ma pinte.

Au bout d'une minute, je dis :

– Ouais, c'est bon, vraiment.

– Bon ? Putain, c'est délicieux, voilà ce que c'est, blagua Box, sa bouche rouge ouverte.

Paul hocha la tête et m'adressa le même sourire au curry.

Je pris une nouvelle bouchée de curry tandis que les deux hommes se penchaient davantage sur leur assiette à chaque bouchée.

Je connaissais Derek Box, du moins je savais ce que les gens racontaient sur Derek Box et ses frères.

Je pris une bouchée de riz, me tournai vers la porte de la cuisine, dans l'espoir de voir arriver la deuxième pinte.

Je me souvins qu'on racontait que les frères Box mettaient au point leur technique de vol à la tire à grande vitesse dans Field Lane, que les gamins allaient y assister le dimanche matin, que c'était toujours Derek qui conduisait, que c'était toujours Raymond et Eric qui sautaient dans les voitures lancées à grande vitesse dans Church Street.

Le serveur apporta la bière et trois nans sur un plateau en argent.

Je savais que les frères Box étaient tombés pour l'attaque du train postal d'Edimbourg, qu'ils avaient prétendu qu'on les avait piégés, qu'Eric était mort en prison quelques jours avant d'être libéré, que Raymond était allé s'installer au Canada ou en Australie, que Derek avait tenté de s'engager dans l'armée américaine pour se battre au Vietnam.

Derek et Paul déchiraient leurs nans, essuyaient leurs bols.

– Tenez, dit Derek Box, me lançant la moitié d'un nan.

Quand il eut terminé, il sourit, alluma un cigare et éloigna sa chaise de la table. Il tira longuement sur son cigare, en examina l'extrémité, souffla la fumée et dit :

– Est-ce que vous admiriez le travail de Barry ?

– Mmm, ouais.

– Quel gâchis.

– Ouais, fis-je.

La lumière faisait briller des gouttes de sueur à la racine des cheveux blonds de Derek Box.

– Il serait dommage de le laisser inachevé, que l'essentiel de ce qu'il a réalisé ne soit pas publié, vous ne trouvez pas ?

– Ouais. Enfin, je ne sais pas...

Paul m'offrit la flamme du Ronson.

Je tirai une longue bouffée, tentai de fermer la main droite. Ça fit un putain de mal de chien.

– Si vous permettez cette question, monsieur Dunford, sur quoi travaillez-vous en ce moment ?

– Sur le meurtre de Clare Kemplay.

– Consternant, soupira Derek Box. Absolument consternant. Il n'y a pas de mots. Et ?

– C'est à peu près tout.

– Vraiment ? Donc vous ne reprenez pas le flambeau de votre ami disparu ?

– Pourquoi cette question ?

– Je me suis laissé dire que vous étiez en possession des dossiers du grand homme.

– Qui vous a raconté ça ?

– Je ne suis pas un mouchard, monsieur Dunford.

– Je sais, je ne dis pas que vous en êtes un.

– J'entends dire des choses et je connais des gens qui entendent dire des choses.

Je fixai un reste de riz froid dans mon assiette.

– Qui ?

– Fréquentez-vous le Strafford Arms ?

– À Wakefield ?

– Oui, fit Box, souriant.

– Non. Je ne peux pas dire que j'y vais.

– Vous devriez peut-être. Voyez-vous, à l'étage, il y a un club privé, un peu comme votre Cercle de la presse. Un endroit où un homme d'affaires tel que moi et un représentant des forces de l'ordre peuvent se rencontrer dans un cadre moins formel. Décompresser, pour ainsi dire.

Je me vis soudain sur la banquette arrière de ma voiture, la garniture noire trempée de sang, un barbu de haute taille au volant, fredonnant en même temps que Rod Stewart.

– Ça va ? demanda Derek Box.

Je secouai la tête.

– Je ne suis pas intéressé.

– Vous allez l'être, fit Box avec un clin d'œil, petits yeux sans cils sortis tout droit de l'abîme.

– Je ne crois pas.

– Donne-la-lui, Paul.

Paul glissa la main sous la table et sortit une mince enveloppe brune qu'il lança parmi les assiettes sales et les verres vides.

– Ouvrez-la, dit Box d'un ton de défi.

Je pris l'enveloppe brune, glissai la main gauche à l'intérieur, perçus la texture familière d'agrandissements glacés.

Je dévisageai Derek Box et Paul, de l'autre côté de la nappe blanche, visions de petites filles en noir, d'ailes blanches cousues sur la peau, nageant dans la bière du déjeuner.

– Jetez un putain de coup d'œil !

Je maintins l'enveloppe en place avec mon pansement gris et sortis lentement les clichés de la main gauche. J'écartai les assiettes et les bols, disposai trois agrandissements en noir et blanc.

Deux hommes nus.

Derek Box souriait, un sourire comme une plaie.

– Il paraît que vous aimez la chatte, monsieur Dunford, donc je vous prie d'excuser la nature abjecte de ces clichés.

J'écartai successivement les clichés les uns des autres.

Barry James Anderson suçant la queue et léchant les noix d'un vieillard.

Je dis :

– Qui est-ce ?

– Comme le pouvoir est éphémère, soupira Derek Box.

– Ils ne sont pas très nets.

– Je crois que vous constaterez qu'ils seront assez nets aux yeux de William Shaw, ancien conseiller du comté et conseiller municipal, frère du célèbre Robert Shaw, si vous lui offrez quelques clichés pour son album de photos de famille.

Je crus alors reconnaître le vieillard, le ventre mou et les membres maigres, les cheveux blancs et les verrues.

– Bill Shaw?

– En personne, sourit Box.

Nom de Dieu!

William Shaw, président du Wakefield Metropolitan District Council, une entité nouvelle, et de la West Yorkshire Police Authority, ancien responsable régional du syndicat des Transports, représentant ce syndicat à la commission exécutive nationale du parti travailliste.

Je fixai les testicules gonflés, le tracé des veines noueuses de la queue, les poils pubiens gris.

William Shaw, frère du célèbre Robert.

Robert Shaw, ministre de l'Intérieur et l'homme considéré comme Le Candidat Le Plus Sérieux À La Succession.

Le conseiller Shaw, Le Candidat Le Plus Sérieux À La Déchéance.

Merde.

Le conseiller Shaw : le Troisième Homme de Barry?

Le *Dawsongate.*

Je dis :

– Barry était au courant?

– Oui. Mais il lui manquait les outils, pour ainsi dire.

– Vous voulez que je fasse chanter Shaw grâce à ces photos?

– Faire chanter n'est pas l'expression à laquelle je pensais.

– À quelle expression pensiez-vous?

– Le persuader.

– Le persuader de faire quoi ?

– Persuader le conseiller du comté de libérer son âme de ses méfaits publics, assuré qu'il serait de voir sa vie privée le rester.

– Pourquoi ?

– Le public britannique a la vérité qu'il mérite.

– Et ?

– Et nous, fit Box avec un clin d'œil, nous avons ce que nous voulons.

– Non.

– Dans ce cas, je me suis trompé sur votre compte.

Je regardai les photos en noir et blanc posées sur la nappe blanche.

– Et, selon vous, j'étais comment ? demandai-je.

– Brave.

– Vous trouvez que c'est brave, ça ? dis-je en poussant les photos de ma main droite grise.

– Au jour d'aujourd'hui, oui.

Je sortis une cigarette de mon paquet et Paul tendit le Ronson par-dessus la table.

Je dis :

– Il n'est pas marié, n'est-ce pas ?

– Pas étonnant, blagua Box.

Le serveur revint avec un plateau vide.

– Glace, monsieur Box ?

Box braqua son cigare sur moi.

– Seulement pour mon ami.

– Très bien, monsieur Box.

Le serveur empila les assiettes sales et les verres sur le plateau, ne laissa qu'un cendrier et les trois photographies.

Derek Box écrasa son cigare dans le cendrier et se pencha sur la table :

– Notre pays est en guerre, monsieur Dunford. Le gouvernement contre les syndicats, la gauche contre la droite, les riches contre les pauvres.

Ensuite, il y a les Irlandais, les métèques, les nègres, les pédés, les pervers, même les bonnes femmes ; ils veulent tous le maximum. Bientôt, il n'y aura plus rien pour l'homme blanc qui travaille.

– C'est-à-dire vous ?

Derek Box se leva.

– Au vainqueur le butin.

Le serveur revint avec une glace dans une coupe argentée.

Paul aida Derek Box à enfiler son manteau en cashmere.

– Demain à l'heure du déjeuner, au premier étage du Stafford Arms.

Il me serra l'épaule, fort, et s'éloigna.

Je fixai la glace posée devant moi, assis parmi les photos en noir et blanc.

– Dégustez votre glace ! cria Derek Box depuis la porte.

Je fixai les queues et les noix, les mains et les langues, la salive et le sperme.

J'éloignai la glace.

Un appel à une pièce, en haut de Hanging Heaton, puanteur du curry sur le combiné.

Pas de réponse.

Dehors, un pet sans ralentir le pas.

L'automobiliste manchot sur la route de Fitzwilliam, la radio en sourdine :

Michael John Myshkin en ouverture du journal de quatorze heures sur la radio locale, la trêve de Noël de l'IRA sur la radio nationale.

Je jetai un coup d'œil sur l'enveloppe posée sur le siège du passager et m'arrêtai.

Deux minutes plus tard, l'automobiliste manchot avait repris la route, les péchés sous enveloppe du conseiller Shaw cachés sous le siège du passager.

Coup d'œil dans le rétroviseur.

Presque nuit et pas encore trois heures.

Retour à Newstead View.

Retour parmi les chevaux et les chiens, la rouille et les sacs en plastique.

Je suivis lentement la rue obscure.

Lueur de la télé au 69.

Je me garai devant ce qui restait du 54.

La meute avait attaqué la maison, festoyant et brisant, laissant trois yeux au beurre noir à la place des fenêtres.

Pendez le pervers et LUFC étaient écrit à la peinture blanche, en lettres qui avaient coulé, au-dessus de la fenêtre du rez-de-chaussée.

Une porte marron gisait dans une forêt de morceaux de meubles cassés et calcinés, défoncée à coups de pied et jetée au milieu de la pelouse minuscule que parsemaient les affaires d'une famille.

Des chiens qui se poursuivaient entraient et sortaient de la maison des Myshkin.

Dans l'allée du jardin, je me frayai un chemin parmi les lampes sans abat-jour et les coussins éventrés, passai, nerveux, près d'un chien qui luttait contre un panda géant en peluche, franchis la porte au chambranle brisé.

Il y avait une odeur de fumée et un bruit d'eau.

Une poubelle métallique était posée sur une mer de verre brisé, au centre du salon dévasté. Il n'y avait ni télévision ni chaîne stéréo, seulement les endroits où elles se trouvaient, et un sapin de Noël en plastique, plié en deux. Ni cadeaux ni cartes.

J'enjambai un tas de merde humaine, sur la première marche, gravis l'escalier trempé.

Tous les robinets de la salle de bains étaient ouverts, la baignoire débordait.

On avait arraché et cassé les toilettes et le lavabo, la moquette bleue était trempée. Il y avait une traînée de diarrhée jaune sur le flanc de la baignoire et, au-dessus, on avait bombé *NF* en rouge.

Je fermai les robinets, remontai ma manche gauche avec mon pansement. Je plongeai la main gauche dans l'eau glaciale et brune, cherchai la bonde. Mes doigts touchèrent une masse dense, au fond de la baignoire.

Il y avait quelque chose dans la baignoire.

Ma main valide se figea puis, rapidement, je tirai la bonde et mon bras hors de l'eau.

Je regardai l'eau s'écouler, essuyai ma main sur mon pantalon, une masse sombre apparaissant dans l'eau marron et merdeuse.

Je cachai mes mains sous les aisselles et fermai les yeux.

Il y avait un sac de sport bleu au fond de la baignoire.

Il était fermé et posé sur le flanc.

Merde, laisse, tu n'as pas envie de savoir.

La bouche sèche, je m'accroupis et redressai le sac.

Le sac était lourd.

Le reste de l'eau disparut dans l'écoulement, ne laissant derrière qu'une boue merdeuse, une lime à ongles et le sac de sport en cuir bleu.

Merde, laisse, tu ne veux pas savoir.

J'immobilisai le sac de ma main droite pansée, entrepris d'ouvrir la fermeture éclair de la gauche.

La fermeture se coinça.

Merde.

Elle se coinça à nouveau.

Laisse.

Puanteur de la merde.

Tu ne veux pas savoir.

De la fourrure, je vis de la fourrure.

Un gros chat mort.

Gueule ouverte et échine brisée.

Un collier bleu et une médaille avec un nom, que je refusai de toucher.

Souvenirs de funérailles d'animaux, Archie et Socks, enterrés dans le jardin de Wesley Street.

Merde, laisse, mais tu l'as voulu.

Sur le palier, deux autres portes.

La grande chambre, celle de gauche où se trouvaient des lits jumeaux, empestait la pisse et la vieille fumée. On avait jeté les matelas par terre et empilé les vêtements dessus. Des flammes avaient laissé des traces noires sur les murs.

À nouveau, bombé en rouge : *Les métèques dehors, Aux chiottes les Provos.*

Je traversai le palier jusqu'à une plaque en plastique bon marché qui indiquait : *Chambre de Michael.*

La chambre de Michael John Myshkin n'était pas plus grande qu'une cellule.

On avait basculé le lit à une place sur le côté, arraché les rideaux, et l'armoire, en tombant, avait brisé la fenêtre. Les affiches arrachées, qui avaient emporté des bandes de papier beige avec elles, gisaient sur le plancher couvert de bandes dessinées américaines et anglaises, de blocs et de fusains.

Je ramassai un exemplaire de *The Hulk.* Les pages étaient mouillées et empestaient la pisse. Je le lâchai et, du bout du pied, fouillai les piles de bandes dessinées et de feuilles de papier.

Sous un livre sur le kung-fu, un bloc semblait intact. Je me penchai et l'ouvris.

Une couverture de bande dessinée, en pleine page, me rendit mon regard. Un dessin au fusain et au feutre :

L'homme-rat, prince ou fléau ?
Par Michael J. Myshkin.

Dessiné d'une main puérile, un rat géant, à mains et pieds humains, était assis sur un trône, une couronne sur la tête, entouré de centaines de rats plus petits.

L'homme-rat souriait et disait : *Les hommes ne sont pas nos juges. Nous jugeons les hommes !*

Au-dessus du logo de l'homme-rat on avait écrit, au stylo à bille :

Numéro 4, 5 pence, MJM Comics.

Je tournai la page.

En six images, le peuple-rat demandait à l'homme-rat, son prince, de gagner la surface et de sauver la Terre, que les êtres humains détruisaient.

Page deux, l'homme-rat était à la surface, poursuivi par des soldats.

Page trois, l'homme-rat s'était échappé.

Il avait des ailes.

Des putains d'ailes de cygne.

Je fourrai le bloc sous ma veste et fermai la porte de la chambre de Michael.

Je descendis l'escalier, des coups et des voix d'enfants venant de la porte d'entrée.

Un garçon de dix ans, vêtu d'un pull vert avec trois étoiles jaunes, debout sur une chaise de salle à manger en équilibre sur la première marche du perron, enfonçait un clou dans le chambranle, au-dessus de la porte.

Ses trois amis l'encourageaient, l'un d'entre eux tenant un nœud coulant en corde à linge entre ses petites mains sales.

– Qu'est-ce que vous faites ici ? demanda un des petits garçons quand j'arrivai en bas de l'escalier.

– Ouais, vous êtes qui ? dit un autre.

L'air furax et officiel, je dis :

– Qu'est-ce que vous faites ?

– Rien, dit le petit garçon au marteau, qui sauta de sa chaise.

Celui qui avait la corde demanda :

– Vous êtes de la police ?

– Non.

– Alors on peut faire ce qu'on veut, dit le petit garçon au marteau.

Je sortis des pièces de ma poche et dis :

– Où est sa famille ?

– Elle a foutu le camp, dit un des petits garçons.

– Elle reviendra pas, si elle sait où est son intérêt, dit le petit garçon au marteau.

Je secouai les pièces et dis :

– Le père est handicapé ?

– Ouais, répondirent-ils en riant, imitant une respiration asthmatique et saccadée.

– Et sa maman ?

– C'est une putain de sale sorcière, répondit le petit garçon à la corde à linge.

– Elle travaille ?

– Elle est femme de ménage à l'école.

– L'école élémentaire de Fitz, dans la rue principale.

J'écartai la chaise et gagnai l'allée, regardai les maisons silencieuses et obscures, de part et d'autre.

– Vous allez nous donner du blé ? cria le plus jeune des petits garçons, derrière moi.

– Non.

Le petit garçon au marteau remit la chaise en place, prit le nœud coulant en corde à linge que lui tendit son ami, monta sur la chaise et le suspendit au clou.

– Ça sert à quoi ? demandai-je en ouvrant la portière de la Viva.

– C'est pour les pervers, cria un des petits garçons.

– Ici, blagua le petit garçon au marteau, debout sur la chaise, vous avez intérêt à pas en être un.

– Il y a un chat mort en haut dans la baignoire, dis-je en montant en voiture.

– On sait, fit le plus jeune avec un rire étouffé.
C'est nous qu'on l'a tué, putain.

Sept, huit, neuf, dix, les enfants sages vont au
paradis.

Je garai ma voiture en face de l'école maternelle
et élémentaire de Fitzwilliam.

Il était presque cinq heures et l'école était encore
éclairée, si bien qu'on voyait, à l'intérieur, les dessins de Noël punaisés au mur.

Des enfants jouaient au football sur un terrain de
sport plongé dans l'obscurité, poursuivaient un ballon orange de mauvaise qualité, meute de pantalons
trop larges et de pulls bleus à grosses étoiles jaunes.

Assis dans la Viva, je gelais, mon pansement
glissé sous l'aisselle, pensais à la Shoah et me
demandais si Michael John Myshkin avait fréquenté
cette école.

Au bout d'une dizaine de minutes, des lumières
s'éteignirent et trois grosses femmes sortirent du
bâtiment en compagnie d'un homme maigre en bleu
de travail.

Les femmes lui firent au revoir de la main tandis
qu'il se dirigeait vers les enfants et tentait de leur
prendre leur ballon. Les femmes riaient quand elles
franchirent le portail de l'école.

Je descendis de voiture, traversai la rue à petites
foulées et rejoignis les femmes.

– Excusez-moi, mesdames ?

Les trois grosses femmes se retournèrent et
s'arrêtèrent.

– Madame Myshkin ?

– Vous blaguez ? cracha la plus corpulente.

– Journaliste, hein ? fit la plus âgée, ironique.

Je souris et dis :

– *Yorkshire Post*.

– Vous arrivez un peu tard, hein ? dit la plus cor-
pule te.

– J'ai entendu dire qu'elle travaillait ici ?

– Jusqu'à hier, oui, dit la plus âgée.

– Où est-elle ? demandai-je à la femme aux lunettes à monture métallique, qui n'avait encore rien dit.

– Ne me regardez pas. Je suis nouvelle, dit-elle.

La plus âgée dit :

– D'après Kevin, un de vos collègues les a installés dans un hôtel chic de Scarborough.

– Ce n'est pas bien, dit la nouvelle.

Debout dans la rue, je pensai : merde, merde, merde.

Il y eut des cris, sur le terrain de sport, et une charge de godillots.

– Ils vont casser cette fichue fenêtre, soupira la plus corpulente.

Je dis :

– Vous travailliez avec Mme Myshkin, hein ?

– Depuis plus de cinq ans, dit la plus âgée.

– Comment était-elle ?

– Elle n'avait pas la vie facile, c'est sûr.

– Comment ça ?

– Il était en maladie, à cause de la poussière...

– Le mari était mineur ?

– Oui. Il travaillait avec mon Pat, dit la plus corpulente.

– Et Michael ?

Les femmes se regardèrent, grimacèrent.

– Il est un peu demeuré, souffla la nouvelle.

– Comment ça ?

– Il est un peu lent, il paraît.

– Est-ce qu'il a des potes ?

– Des potes ? répétèrent deux des femmes.

– Il joue avec les petits, dans sa rue, dit la plus âgée, qui frémit. Mais ils ne sont pas potes.

– Ah, ça donne envie de vomir, hein ? dit la nouvelle.

266

– Il y a forcément quelqu'un.

– Il n'a pas vraiment de copains, du moins à ce que j'en sais.

Les deux autres femmes hochèrent la tête.

– Et ses camarades de travail ?

La grosse femme secoua la tête, dit :

– Il ne travaille pas dans le quartier. Du côté de Castleford ?

– Oui. D'après Kevin, il est chez un photographe.

– Des livres dégoûtants, il paraît, dit la nouvelle.

– Tu me fais marcher ? dit la plus corpulente.

– C'est ce que j'ai entendu dire.

L'homme en bleu de travail se tenait près du portail de l'école, un cadenas et une chaîne à la main, il enguirlandait les enfants.

– Les gamins d'aujourd'hui ! dit la plus corpulente.

– Une vraie calamité.

Je dis :

– Merci, mesdames.

– De rien, répondit la plus âgée, souriante.

– Surtout n'hésitez pas, dit la plus corpulente.

Les femmes rirent et s'éloignèrent, la nouvelle se retournant et m'adressant un signe de la main.

– Joyeux Noël, cria-t-elle.

– Joyeux Noël.

Je sortis une cigarette, fouillai dans mes poches en quête d'allumettes, trouvai le lourd Ronson de Paul.

Je soupesai le briquet dans ma main gauche, puis j'allumai ma cigarette, tentant de me souvenir quand je l'avais ramassé.

La meute d'enfants passa près de moi, sur le trottoir, donnant des coups de pied dans le ballon orange et injuriant le concierge.

Je gagnai le portail cadenassé de l'école.

Le concierge en bleu de travail s'éloignait, sur le terrain de sport, en direction du bâtiment principal.

– S'il vous plaît, criai-je, par-dessus le portail rouge.

L'homme continua son chemin.

– S'il vous plaît !

Parvenu à la porte de l'école, l'homme se retourna et me regarda droit dans les yeux.

Je plaçai les mains de part et d'autre de la bouche.

– S'il vous plaît. On peut parler cinq minutes ?

L'homme me tourna le dos, ouvrit la porte et entra dans le bâtiment obscur.

Je posai le front sur le portail.

Quelqu'un avait gravé *merde* dans la peinture rouge.

Dans la nuit, les roues qui tournaient.

Adieu, Fitzwilliam, où la nuit tombe tôt et rien ne semble à sa place, où les mômes tuent les chats, où les adultes tuent les enfants.

Je reprenais le chemin du Redbeck, tournais à gauche sur l'A655, quand un camion jaillit de la nuit, freina brutalement.

Je freinai, klaxon hurlant, dérapai puis m'arrêtai, le camion à quelques centimètres de ma portière.

Je regardai le rétroviseur, le cœur cognant dans ma poitrine, les phares vacillant.

Un colosse barbu, qui portait de hautes bottes noires, sauta de sa cabine et se dirigea vers la voiture. Il avait une putain de batte.

Je tournai la clé de contact et accélérai à fond, pensant : Barry, Barry, Barry.

Le Golden Fleece, à Sandal, juste après six heures le jeudi 19 décembre 1974, la journée la plus longue d'une semaine de longues journées.

Une pinte sur le bar, un whisky dans l'estomac, une pièce dans le téléphone.

– Gaz ? c'est Eddie.

– Où étais-tu passé, bordel ?

– Je n'avais pas envie d'aller au Cercle de la presse, tu sais.

– Tu as manqué le putain de spectacle.

– Ouais ?

– Ouais, Jack a complètement perdu les pédales, pleuré...

– Écoute, tu connais l'adresse de Donald Foster ?

– Pourquoi tu la veux ?

– C'est important, Gaz.

– Il y a un lien avec Paul Kelly et Paula ?

– Non. Écoute, je sais que c'est à Sandal...

– Ouais. Wood Lane.

– Quel numéro ?

– Il n'y a pas de putains de numéros à Wood Lane. Ça s'appelle Trinity Towers, quelque chose comme ça.

– Merci, Gaz.

– Ouais ? Parle pas de moi.

– Aucun risque, dis-je en raccrochant et en me demandant s'il sautait Kathryn.

Nouvelle pièce, nouvel appel.

– Il faut que je parle à BJ.

Une voix, au bout du fil, marmonnant depuis le bout du monde.

– Quand le verrez-vous ? C'est important.

Un soupir, de l'autre côté de la Terre.

– Dites-lui qu'Eddie a appelé et que c'est urgent.

Je regagnai le bar et pris ma pinte.

– Le sac qui est là-bas est à vous ? demanda le patron, montrant du menton le sac Hillard qui se trouvait sous le téléphone.

– Ouais, merci, dis-je, puis je vidai ma pinte.

– Ne laissez pas traîner des saloperies de sacs en plastique, pas dans un pub.

– Désolé, dis-je, regagnant le téléphone et pensant : je t'emmerde.

– Je me suis dit que ça pourrait être une bombe ou n'importe quoi.

– Ouais, désolé, marmonnai-je, prenant le bloc de Michael John Myshkin ainsi que les photos du conseiller William Shaw en compagnie de Barry James Anderson, pensant : c'est une bombe, foutu connard.

Je me garai sur le trottoir, devant Trinity View, Wood Lane, à Sandal.

Je fourrai le sac en plastique sous le siège du conducteur, avec *A Guide to the Canals of the North*, écrasai ma cigarette, pris deux analgésiques et descendis de voiture.

La rue était silencieuse et obscure.

Je pris la longue allée qui conduisait à Trinity View, mon passage alluma des projecteurs. Une Rover était garée devant la maison et il y avait de la lumière à l'étage. Je me demandais si la maison avait été dessinée par John Dawson.

J'appuyai sur la sonnette et écoutai le carillon retentir à l'intérieur.

– Oui ? Qui est-ce ? demanda une femme derrière la porte artificiellement vieillie.

– Le *Yorkshire Post*.

Il y eut un silence, puis un verrou tourna et la porte s'ouvrit.

– Que voulez-vous ?

La femme avait une quarantaine d'années, les cheveux bruns et luxueusement coiffés, elle portait un pantalon noir, un chemisier de soie assorti et une minerve.

Je levai ma main droite pansée et dis :

– Il semblerait qu'on ait tous les deux fait la guerre.

– Je vous ai demandé ce que vous vouliez.

M. Coup-d'Épée-dans-le-Noir-Fait-Mouche dit :

– C'est à propos de Johnny Kelly.

– Et alors? demanda Mme Patricia Foster, beaucoup trop vite.

– J'espérais que vous auriez des informations sur lui, vous ou votre mari.

– Pourquoi saurions-nous quelque chose? dit Mme Foster, une main sur la porte et l'autre sur sa minerve.

– Eh bien, il joue dans le club de votre mari et...

– Ce n'est pas le club de mon mari. Il en est seulement président.

– Je suis désolé. Donc vous n'avez pas de nouvelles de lui.

– Non.

– Et vous ignorez où il pourrait être?

– Oui. Écoutez, monsieur...?

– Gannon.

– Gannon? répéta Mme Patricia Foster, lentement, ses yeux noirs et son long nez comme ceux d'un aigle braqués sur moi.

J'avalai ma salive et dis :

– Serait-il possible d'entrer et de voir votre mari?

– Non. Il n'est pas ici et je n'ai rien à ajouter, dit Mme Foster en fermant la porte.

Je tentai d'empêcher la porte de me claquer au nez.

– À votre avis, madame Foster, qu'est-ce qui lui est arrivé?

– Je vais appeler la police, monsieur Gannon, puis je vais appeler M. Hadden, votre patron, qui est un ami, dit-elle derrière la porte, tandis que le verrou tournait.

– Et n'oubliez pas d'appeler votre mari! criai-je, puis je redescendis en courant l'allée illuminée, pensant : la peste soit sur tes deux maisons.

Edward Dunford, correspondant pour les affaires criminelles dans le Nord, dans une cabine téléphonique de Barnsley Road, tapant du pied par terre pour éloigner les serpents.

Allons-y, un coup pour rien :

– La mairie de Wakefield, s'il vous plaît ?

– 361234.

Coup d'œil sur la montre de mon père, me disant : 50/50.

– M. Shaw, s'il vous plaît ?

– Monsieur le conseiller est en réunion.

– C'est au sujet d'un problème familial urgent.

– Pouvez-vous me donner votre nom, s'il vous plaît ?

– Je suis un ami de la famille. C'est une urgence.

Je regardai, de l'autre côté de la rue, les salons douillets, leurs lumières jaunes et leurs sapins de Noël.

Une voix différente dit :

– M. Shaw est au conseil du comté. Le numéro est le 361236.

– Merci.

– Rien de grave, j'espère ?

Je raccrochai, décrochai, composai le numéro.

– M. Shaw, s'il vous plaît.

– Je regrette, monsieur le conseiller est en réunion.

– Je sais. C'est au sujet d'un problème familial urgent. Son secrétariat m'a donné ce numéro.

En face, derrière une fenêtre du premier étage, un enfant, dans le noir, me regardait. Au rez-de-chaussée, un homme et une femme regardaient la télévision toutes lumières éteintes.

– William Shaw à l'appareil.

– Vous ne me connaissez pas, monsieur Shaw, mais il faut absolument que nous nous rencontrions.

– Qui est à l'appareil ? fit la voix, nerveuse, furieuse.

– Il faut que nous parlions, monsieur.

– Pourquoi accepterais-je ? Qui êtes-vous ?

– Je crois que quelqu'un a l'intention de vous faire chanter.

– Qui ?

Voix suppliante, effrayée.

– Il faut que nous nous voyions, monsieur Shaw.

– Comment ?

– Vous savez comment.

– Absolument pas.

La voix tremblait.

– Vous avez une cicatrice d'appendicite et vous aimez qu'un ami que nous avons en commun, un ami aux cheveux orange, l'embrasse.

– Qu'est-ce que vous voulez ?

– Qu'est-ce que vous avez comme voiture ?

– Une Rover. Pourquoi ?

– De quelle couleur ?

– Marron, lie-de-vin.

– Soyez au parking longue durée de la gare de Westgate demain matin à neuf heures. Seul.

– Je ne peux pas.

– Vous vous libérerez.

Je raccrochai, le cœur battant à cent trente à l'heure.

Je regardai la fenêtre, mais l'enfant avait disparu.

Edward Dunford, correspondant pour les affaires criminelles dans le Nord, apportant la peste dans toutes leurs maisons, sauf une.

– Où étais-tu ?

– Partout.

– Tu l'as vu ?

– Je peux entrer ?

Paula Garland ouvrit complètement la porte rouge, serra étroitement son torse dans ses bras.

Une cigarette fumait dans un lourd cendrier en verre et *Top of the Pops* passait, en sourdine, à la télévision.

– Comment est-il?

– Ferme la porte, chérie. Il fait froid.

Paula Garland poussa la porte rouge et, immobile, me dévisagea.

À la télé, Paul Da Vinci chantait *Your Baby Ain't Your Baby Anymore*.

Une larme roula de son œil gauche sur sa joue d'une blancheur de lait.

– Donc elle est morte.

Je la rejoignis et la pris dans mes bras, cherchai sa colonne vertébrale sous le mince gilet rouge.

Je tournais le dos à la télé, mais j'entendis des applaudissements, puis l'introduction de *Father Christmas Do Not Touch Me*.

Paula leva la tête et j'embrassai le coin de son œil, sentis le goût de sel de sa peau mouillée.

Elle souriait à la télé.

Je me retournai partiellement et vis Pan's People, déguisés en pères Noël sexy, gambader autour des cadeaux, des guirlandes d'ampoules dans les cheveux.

Je soulevai Paula, plaçai ses petits pieds sur mes chaussures, puis je me mis à danser, cognant l'arrière de nos jambes contre les meubles, jusqu'au moment où elle rit, pleura et me serra fort.

Je m'éveillai en sursaut, dans son lit.

En bas, la pièce était silencieuse et sentait le tabac froid.

Je n'allumai pas, m'assis sur le canapé en caleçon et maillot de corps, pris le téléphone.

– Est-ce que BJ est là? soufflai-je. C'est Eddie.

Le tic-tac de la pendule emplit la pièce.

– Quelle chance! Il y avait trop longtemps.

– Tu connais Derek Box?

– Malheureusement, c'est un plaisir que je n'ai pas encore eu.

– Il te connaît et il connaissait Barry.

– Le monde est petit.

– Ouais, et pas joli. Il m'a donné des photos.

– C'est gentil.

– Arrête tes conneries, BJ. Ce sont des photos où tu suces la queue de William Shaw, le conseiller du comté.

Silence. Seulement *Aladdin Sane*, braillant, au bout du fil.

Je dis :

– Shaw est le Troisième Homme de Barry, pas vrai ?

– Tu as droit à un prix.

– Va te faire foutre.

La lumière s'alluma.

Paula Garland se tenait au pied de l'escalier, à peine couverte par son gilet rouge.

Je souris, mimai des excuses, le combiné mouillé dans ma main.

– Qu'est-ce que tu vas faire ? demanda BJ, au bout du fil.

– Je vais poser à Shaw les questions que Barry n'a pas pu lui poser.

BJ souffla :

– Ne te mêle pas de ça.

Je regardais Paula quand je dis :

– Ne pas m'en mêler ? J'y suis déjà mêlé. Tu es un des foutus salauds qui m'ont amené à m'en mêler.

– Tu n'es pas mêlé aux affaires de Derek Box et Barry ne l'était pas.

– Ce n'est pas ce que dit Box.

– C'est entre lui et Donald Foster. C'est leur putain de guerre, ne t'en mêle pas.

– Tu as changé de chanson. Qu'est-ce que tu dis ?

Paula Garland me regardait fixement, tirait sur le bas de son gilet rouge.

Je levai les yeux, pour m'excuser.

– Laisse tomber Derek Box. Brûle les photos ou garde-les pour toi. Tu leur trouveras peut-être un autre usage, dit BJ avec un rire étouffé.

– Va te faire foutre. C'est sérieux.

– Oui Eddie, c'est sérieux, évidemment. Qu'est-ce que tu croyais ? Barry est mort, putain, et je n'ai même pas pu aller à son enterrement, parce que j'ai trop foutrement peur.

– Tu es un sale connard de menteur, crachai-je, puis je raccrochai.

Paula Garland me regardait toujours fixement.

Moi, des cercles dans la tête.

– Eddie ?

Je me levai, le cuir du canapé picotant l'arrière de mes jambes nues.

– Qui était-ce ?

– Personne, dis-je, passant près d'elle et montant l'escalier.

– Tu ne peux pas me faire ça tout le temps ! cria-t-elle.

J'entrai dans la chambre, pris un analgésique dans la poche de ma veste.

– Tu ne peux pas me laisser tout le temps en dehors, dit-elle en montant l'escalier.

Je pris mon pantalon et l'enfilai.

Paula Garland se tenait sur le seuil de la chambre.

– C'est ma fille qui est morte, mon mari qui s'est suicidé, mon frère qui a disparu.

Je tentais de boutonner ma chemise.

– Tu as décidé de te mêler de ce putain de bordel puant, souffla-t-elle, des larmes tombant sur la moquette de la chambre.

Sans avoir boutonné ma chemise, j'enfilai ma veste.

– Personne ne t'y a obligé.

Je levai un poing couvert d'un pansement gris devant son visage et dis :

– Et ça ? Qu'est-ce que c'est, d'après toi ?

– C'est ce qui pouvait t'arriver de mieux.

– Tu n'aurais pas dû dire ça.

– Pourquoi ? Qu'est-ce que tu vas faire ?

Nous étions sur le seuil, en haut de l'escalier, dans le silence et la nuit, et nous nous regardions fixement.

– Mais tu t'en fiches, pas vrai, Eddie ?

– Je t'emmerde, jurai-je, dans l'escalier puis jusqu'à la porte.

– Tu n'en as vraiment rien à foutre, hein ?

8

La semaine de la Haine.

Vendredi 20 décembre 1974 à l'aube.

Éveillé sur le plancher de la chambre 27, sous la neige déchirée d'une centaine de pages de listes au feutre rouge.

Des listes, j'avais dressé des listes depuis que j'avais quitté Paula.

Un feutre rouge gros et gras dans la main gauche, des cercles dans la tête, griffonnant des listes illisibles au dos de feuilles de papier peint.

Listes de noms.

Listes de dates.

Listes d'endroits.

Listes de petites filles.

Listes de petits garçons.

Listes de corrompus et de corruptibles.

Listes de policiers.

Listes de témoins.

Listes de familles.

Listes de disparus.

Listes d'accusés.

Listes de morts.

Je me noyais dans les listes, je me noyais dans les informations.

Sur le point de dresser une liste de journalistes,

mais réduisant cette putain de connerie en confettis, me coupant la main gauche et paralysant la droite.

ME DIS PAS QUE JE M'EN FOUS, BORDEL.

Sur le dos, pensant à dresser des listes de femmes que j'avais sautées.

Vendredi 20 décembre 1974 à l'aube.

La semaine de la Haine.

Messager de la souffrance.

Neuf heures, parking longue durée de la gare de Westgate, à Wakefield.

Assis dans la Viva, gelé, je vis une Rover 2000 lie-de-vin foncé entrer dans le parking, une unique photographie en noir et blanc, dans une enveloppe brune, près de moi.

La Rover se gara le plus loin possible de l'entrée.

Je restai immobile, le fis attendre jusqu'à la fin des informations, jusqu'après la trêve de l'IRA, jusqu'après les efforts de Michael John Myshkin pour aider la police dans son enquête, jusqu'après la présence possible de M. John Stonehouse, membre du parlement, à Cuba, et jusqu'après l'échec du mariage de Reggie Bosanquet.

Rien ne bougea dans la Rover.

J'allumai une autre putain de cigarette, seulement pour lui montrer qui était le putain de patron, et attendis que Petula ait terminé de chanter *The Little Drummer Boy*.

Le moteur de la Rover démarra.

Je fourrai la photo dans la poche intérieure de ma veste, appuyai sur le bouton d'enregistrement du Pocket Memo Philips et ouvris la portière.

Le moteur de la Rover stoppa, tandis que j'approchais dans la lumière grise.

Je frappai à la vitre de la portière du passager, que j'ouvris.

Je jetai un coup d'œil sur la banquette arrière vide, montai, fermai la portière.

– Regardez droit devant vous, monsieur le conseiller.

La voiture était bien chauffée, luxueuse, et sentait le chien.

– Qu'est-ce que vous voulez?

William Shaw ne semblait ni furieux ni effrayé, simplement résigné.

Je regardais également droit devant moi, tentais de ne pas tourner la tête vers la maigre silhouette grise de respectabilité, dont les gants serraient mollement le volant de la voiture à l'arrêt.

– Je vous ai demandé ce que vous vouliez, dit-il, m'adressant un bref regard.

– Ne cessez pas de regarder droit devant vous, monsieur le conseiller, dis-je, sortant la photo cornée de ma poche et la posant devant lui, sur le tableau de bord.

D'une main gantée, William Shaw, conseiller du comté, prit la photo de BJ suçant sa queue.

– Je regrette, elle est un peu pliée.

Shaw lança le cliché sur le plancher, à mes pieds.

– Ça ne prouve rien.

– Qui dit que je tente de prouver quelque chose? demandai-je, me penchant et ramassant la photo.

– Ça pourrait être n'importe qui.

– Possible. Mais ce n'est pas le cas, hein?

– Qu'est-ce que vous voulez?

Je me penchai et appuyai sur l'allume-cigare qui se trouvait sous la radio.

– Cet homme, sur le cliché, combien de fois l'avez-vous rencontré?

– Pourquoi? Pourquoi voulez-vous savoir ça?

– Combien de fois? répétai-je.

Les mains gantées de Shaw se crispèrent sur le volant.

– Trois ou quatre fois.

L'allume-cigare sortit avec un claquement et Shaw sursauta.

– Dix fois. Peut-être davantage.

Je glissai une cigarette entre mes lèvres et l'allumai, remerciant à nouveau Dieu d'aimer un manchot.

– Comment l'avez-vous rencontré ?

Le conseiller ferma les yeux et dit :

– Il s'est présenté.

– Où ? Quand ?

– Dans un bar, à Londres.

– À Londres ?

– Pendant une conférence des autorités locales, en août.

On vous a piégé, monsieur le conseiller, pensais-je, putain, on vous a bien piégé.

– Ensuite, vous l'avez revu ici ?

William Shaw hocha la tête.

– Et il vous fait chanter ?

Nouveau hochement de tête.

– Combien ?

– Qui êtes-vous ?

Je regardai le parking longue durée, les annonces de la gare résonnant parmi les voitures vides.

– Combien lui avez-vous donné ?

– Dans les deux mille livres.

– Qu'est-ce qu'il a dit ?

Shaw soupira.

– Il a dit que c'était pour une opération.

J'écrasai ma cigarette.

– A-t-il mentionné quelqu'un d'autre ?

– Il a dit qu'il y avait des hommes qui me voulaient du mal et qu'il pouvait me protéger.

Je fixai le tableau de bord noir, redoutant de regarder une nouvelle fois Shaw.

– Qui ?

– Pas de noms.

– Il a dit pourquoi ils vous voulaient du mal ?

– Ce n'était pas la peine.

– Expliquez.

Le conseiller lâcha le volant, se tourna vers moi.

– D'abord, nom de Dieu, vous me dites qui vous êtes.

Je pivotai rapidement, plaquai la photo contre son visage, pressai sa joue droite contre la vitre de la portière du conducteur.

Je ne lâchai pas prise, pressai plus fort la photo contre son visage, soufflai à son oreille :

– Je suis quelqu'un qui peut vous nuire foutrement vite et, putain, tout de suite, si vous ne cessez pas de pleurnicher et ne répondez pas à mes putains de questions.

William Shaw abattit les mains sur ses cuisses en signe de capitulation.

– Maintenant expliquez-vous, putain de pédé.

Je lâchai la photo et m'appuyai contre le dossier du siège.

Shaw posa les bras sur le volant, passa ses gants sur les côtés de son visage, larmes et veines dans ses yeux.

Au bout de presque une minute, il dit :

– Qu'est-ce que vous voulez savoir ?

Au loin, à l'autre bout du parking, un train local entra lentement dans la gare de Westgate, déchargea ses voyageurs minuscules sur le quai glacial.

Je fermai les yeux et dis :

– Il faut que je sache pourquoi ils veulent vous faire chanter.

– Vous le savez, renifla Shaw, qui s'appuya contre le dossier de son siège.

Je me tournai brusquement vers lui, le giflai.

– Dites-le, bordel !

– À cause des affaires que j'ai faites. À cause des gens avec qui j'ai fait des affaires. À cause de cette saloperie d'argent.

– L'argent, ironisai-je. Toujours l'argent.

– Ils veulent leur part. Vous voulez des chiffres, des dates ?

Shaw craquait, se protégeait le visage.

– Je me fous de vos petits dessous de table merdeux, de votre putain de béton trafiqué, de vos putains d'affaires véreuses, mais je veux vous l'entendre dire.

– Dire quoi ? Qu'est-ce que vous voulez que je dise ?

– Des noms. Dites leurs putains de noms !

– Foster, Donald Richard Foster. C'est ce que vous voulez ?

– Continuez.

– John Dawson.

– C'est tout ?

– Pour ceux qui comptent.

– Et qui veut sa part ?

Très lentement et à voix très basse, Shaw dit :

– Vous êtes journaliste ?

Une intuition, une intuition venue de loin.

– Avez-vous rencontré un type qui s'appelait Barry Gannon ?

– Non ! hurla Shaw, qui posa brutalement le front sur le volant.

– Vous êtes un putain de menteur. Quand l'avez-vous vu ?

Shaw, tremblant, se laissa aller contre le volant.

Soudain, des sirènes hurlèrent dans Wakefield.

Je me figeai, estomac et couilles crispés.

Les sirènes s'éloignèrent.

– Je ne savais pas qu'il était journaliste, souffla Shaw.

J'avalai ma salive, dis :

– Quand ?

– Seulement deux fois.

– Quand ?

– Le mois dernier, et puis il y a une semaine, vendredi dernier.

– Et vous avez averti Foster ?

– J'étais obligé. Ça ne pouvait pas continuer, c'était impossible.

– Qu'est-ce qu'il a dit ?

Shaw leva la tête, le blanc des yeux rouge.

– Qui ?

– Foster.

– Il a dit qu'il s'en occuperait.

Je regardai, à l'autre extrémité du parking, le train de Londres qui arrivait, pensai aux appartements avec vue sur mer et aux filles du Sud.

– Il est mort.

– Je sais, souffla Shaw. Qu'est-ce que vous allez faire ?

Je retirai un poil de chien collé sur ma langue et ouvris la portière du passager.

Le conseiller tenait la photo, me la tendit.

– Gardez-la, c'est vous, dis-je en descendant de voiture.

– Il est si blanc, dit William Shaw, seul dans la voiture de luxe, les yeux fixés sur la photo.

– Qu'est-ce que vous dites ?

Shaw tendit le bras afin de fermer la portière.

– Rien.

Je me penchai à l'intérieur, maintenant la portière ouverte, criai :

– Répétez ce que vous venez de dire, putain !

– J'ai dit qu'il semblait différent, c'est tout, plus pâle.

Je claquai la portière et traversai le parking au pas de charge, pensant : Jimmy James Ashworth.

Cent trente à l'heure.

Une main dans la boîte à gants, un pansement sur le volant, fouillant parmi les cachets et les cartes, les chiffons et les clopes.

The Sweet à la radio.

Coups d'œil nerveux dans le rétroviseur.

Trouvant la micro-cassette, sortant brutalement le Pocket Memo Philips de la poche de ma veste, retirant la cassette, la remplaçant par une autre.

Retour rapide.

« Play » :

C'était comme si elle avait roulé, ou quelque chose comme ça.

Avance rapide.

« Play » :

Je ne pouvais pas croire que c'était elle.

Entendant :

Elle était si différente, si blanche.

« Stop. »

Fitzwilliam.

69, Newstead View, lueur de la télé.

Cent trente à l'heure dans l'allée.

Toc, toc, toc, toc.

– Qu'est-ce que vous voulez ? demanda Mme Ashworth, tentant de me claquer la porte au nez.

Un pied dans l'entrebâillement, poussant le battant.

– Vous ne pouvez pas entrer chez les gens comme ça !

– Où est-il ? dis-je, passant devant elle, heurtant un de ses nichons mous.

– Il n'est pas là. Hé, revenez !

L'escalier, ouvrant les portes à la volée.

– J'appelle la police, cria Mme Ashworth au pied de l'escalier.

– Allez-y, dis-je, regardant un lit défait et une affiche du Leeds United, respirant l'humidité hivernale et le sperme adolescent.

– Je vous avertis, cria-t-elle.

– Où est-il ? demandai-je en descendant l'escalier.

– Il est au travail, enfin.

– À Wakefield ?

– Je ne sais pas. Il ne me le dit jamais.

Coup d'œil sur la montre de mon père.

– À quelle heure est-il parti ?

– La camionnette est venue à sept heures moins le quart, comme toujours.

– Michael Myshkin est son pote, pas vrai ?

Mme Ashworth maintenait la porte ouverte, les lèvres gonflées.

– Madame Ashworth, je sais qu'ils sont amis.

– Jimmy a toujours eu pitié de lui. Il est comme ça, c'est son caractère.

– Très touchant, aucun doute, dis-je, franchissant la porte.

– Ça ne veut rien dire, cria Mme Ashworth, debout sur le perron.

En bas de l'allée, j'ouvris la barrière du jardin et regardai, un peu plus haut, le numéro 54 calciné.

– J'espère que vos voisins sont du même avis.

– Vous autres, vous voyez toujours le mal partout ! hurla-t-elle en claquant la porte.

Barnsley Road en direction de Wakefield, pied au plancher, coups d'œil dans le rétroviseur.

Radio.

Jimmy Young et l'archevêque de Canterbury débattant de *Anal Rape* et de *L'Exorciste*, en compagnie des Britanniques bloqués chez eux.

– *Il faudrait les interdire tous les deux. C'est dégoûtant, voilà.*

Sous les illuminations de Noël et les premiers crachats de la pluie, devant l'hôtel du comté et la mairie.

– *L'exorcisme tel que le pratique l'Église anglicane est un rite profondément religieux et non une chose où on peut s'engager à la légère. Ce film donne une image complètement fausse de l'exorcisme.*

Je me garai face à la laiterie Lumbs, près de la bibliothèque de Drury Lane, sous la pluie froide, grise et drue.

– *Si vous supprimez la culpabilité dans les choses du sexe, vous supprimez la culpabilité dans la société et je ne pense pas qu'une société puisse fonctionner sans culpabilité.*

Radio éteinte.

Assis dans la voiture, je fumai, regardai les camions de livraison vides rentrer.

Un peu plus de onze heures et demie.

Je longeai la prison au pas de course et gagnai le chantier, la pluie tambourinant sur la pancarte publicitaire de l'entreprise Foster.

J'écartai la toile imperméable qui fermait l'entrée d'une maison en construction ; la radio passait *Tubular Bells*.

Trois colosses qui puaient et fumaient.

– Putain, encore vous, dit un des colosses, un sandwich dans la bouche et une tasse de thé dans la main.

Je dis :

– Je cherche Jimmy Ashworth.

– Il est pas là, répondit un deuxième colosse, le dos de son bleu de travail tourné vers moi.

– Et Terry Jones ?

– Il est pas là non plus, dit le dos, tandis que les deux autres souriaient ironiquement.

– Vous savez où ils sont ?

– Non, fit l'homme au sandwich.

– Et Gaffer, il est là ?

– C'est pas votre jour de chance, hein ?

– Merci, dis-je, pensant : j'espère que tu vas t'étouffer, putain de gros connard.

– Pas de quoi, dit l'homme au sandwich, souriant, tandis que je sortais.

Je remontai le col de ma veste, fourrai mes mains et mon pansement dans mes poches. Tout au fond, en compagnie du Ronson de Paul et de quelques pièces de monnaie, je trouvai une plume.

Parmi les piles de briques bon marché et les maisons inachevées, je gagnai la Tranchée du Diable, pensant à la dernière photo de Clare, à son joli sourire un peu crispé, épinglé sur les clichés en noir et blanc, au mur de la chambre du Redbeck.

Je levai la tête, la plume entre les doigts.

Jimmy Ashworth courait en trébuchant dans le terrain vague et se dirigeait vers moi, de grosses gouttes de sang rouge tombant de son nez et de son cuir chevelu, sur sa poitrine maigre et blanche.

– Qu'est-ce qui se passe, bordel ? criai-je.

Il ralentit en arrivant près de moi, fit comme si de rien n'était.

– Qu'est-ce qui t'est arrivé ?

– M'emmerdez pas, d'accord ?

Au loin, Terry Jones sortit de la Tranchée du Diable.

Je saisis le bras de Jimmy.

– Qu'est-ce qu'il t'a dit ?

Il se dégagea, hurla :

– Foutez-moi la paix.

Je saisis l'autre manche de sa veste.

– Tu l'avais vue avant, hein ?

– Je vous emmerde !

Terry Jones s'était mis à courir, nous adressait des signes.

– Tu as parlé d'elle à Michael Myshkin, hein ?

– Je vous emmerde ! cria Jimmy, qui se débarrassa de sa veste et de sa chemise et s'enfuit en courant.

Je pivotai, le plaquai comme au rugby.

Il tomba dans la boue, sous moi.

Je l'immobilisai, criai :

– Où tu l'avais vue, bordel?

– Je vous emmerde! hurlait Jimmy Ashworth, qui regardait, au-delà de moi, le grand ciel gris qui pissait sur son visage boueux, ensanglanté.

– Dis-moi où tu l'as vue, bordel.

– Non.

Je le giflai de ma main bandée, la douleur remontant comme une flèche le long de mon bras, jusqu'à mon cœur, criai :

– Dis-le-moi!

– Lâchez-le, merde, dit Terry Jones, qui me tira par le col de la veste.

– Allez vous faire foutre, dis-je, battant des bras et tentant de frapper Terry Jones.

Jimmy Ashworth échappa à l'étreinte de mes jambes, se leva et courut, torse nu, en direction des maisons, la pluie, la boue et le sang coulant sur son dos nu.

– Jimmy! criai-je, tentant d'échapper à Terry Jones.

– Laissez tomber, bordel, cracha Jones.

Près des maisons, les trois colosses étaient sortis et se moquaient de Jimmy, qui passa en courant devant eux.

– Il l'avait déjà vue, nom de Dieu.

– Laissez tomber!

Jimmy Ashworth courait toujours.

Les trois colosses cessèrent de rire puis se dirigèrent vers Terry Jones et moi.

Il me lâcha, souffla :

– Vous avez intérêt à vous barrer.

– Putain, Jones, je vous aurai.

Terry Jones ramassa la chemise et la veste de Jimmy Ashworth.

– Dans ce cas, vous perdrez votre temps.

– Ouais?

– Ouais, fit-il avec un sourire triste.

Je lui tournai le dos et pris le chemin de la Tranchée du Diable, essuyant mes mains boueuses sur mon pantalon.

J'entendis un cri, me retournai, vis Terry Jones qui, les bras écartés, poussait les trois colosses en direction des maisons en construction.

Jimmy Ashworth avait disparu.

Je m'immobilisai au bord de la tranchée, regardai les poussettes et les bicyclettes rouillées, les cocottes-minute et les frigos, pensai que toute la vie moderne était là et Clare Kemplay, dix ans, aussi.

Les doigts noirs de boue, je sortis la petite plume blanche de ma poche.

Au bord de la Tranchée du Diable, je regardai le grand ciel noir et portai la petite plume blanche à mes lèvres rose pâle, pensant : si seulement ça n'avait pas été elle.

Le Strafford Arms, au Bullring, Wakefield.

En plein centre de Wakefield, le vendredi précédant Noël.

Le Boueux dans l'escalier, de l'autre côté de la porte.

Réservé aux membres.

– Ça va, Grace, il est avec moi, dit Box à la femme qui se tenait derrière le bar.

Derek Box et Paul au bar, whiskys et cigares à la main.

Elvis passait sur le juke-box.

Seulement Derek, Paul, Grace, Elvis et moi.

Box descendit de son tabouret, traversa la salle jusqu'à une table proche de la fenêtre.

– Vous êtes dans un sale état. Qu'est-ce qui vous est arrivé ?

Je m'assis en face de Box, tournant le dos à Paul et à la porte, regardant Wakefield sous la pluie.

– Je suis allé à la Tranchée du Diable.

– Je croyais qu'ils avaient un coupable, dans cette affaire ?

– Moi aussi.

– Il y a des choses qu'il vaut mieux laisser tomber, dit Derek Box, examinant l'extrémité de son cigare.

– Comme William Shaw ?

Box ralluma son cigare.

– Vous l'avez vu ?

– Ouais.

Paul posa un whisky et une pinte devant moi.

Je versai le whisky dans ma pinte.

– Et ?

– Et il est probablement en train de tout raconter à Donald Foster.

– Bien.

– Bien ? Foster a fait tuer Barry, bordel.

– Probablement.

– Probablement ?

– Barry devenait ambitieux.

– Qu'est-ce que vous racontez ?

– Vous le savez très bien. Barry avait son ordre du jour personnel.

– Et alors ? Foster doit être cinglé. On ne peut pas laisser passer. Il faut faire quelque chose.

– Il n'est pas cinglé, dit Box. Seulement motivé.

– Vous le connaissez bien, c'est ça ?

– On était ensemble au Kenya.

– Les affaires ?

– Les affaires de Sa Majesté. On a fait notre putain de service national sur les hauts plateaux. On protégeait des gros connards comme celui que je suis devenu, on combattait ces putains de Mau Mau.

– Merde.

– Ouais. Ils descendaient des montagnes comme une foutue tribu d'Indiens, violaient les femmes, coupaient la queue des hommes, les empalaient sur des piquets de clôture.

– Vous blaguez.

– Est-ce que j'ai l'air de blaguer ?

– Non.

– On n'était pas des anges, monsieur Dunford. J'étais avec Don Foster le jour où on a tendu une embuscade à un putain de détachement. On leur a tiré des balles de .303 dans les genoux, pour s'amuser un peu.

– Merde.

– Foster a pris son temps. Il a enregistré les hurlements, les aboiements des chiens, il disait que ça l'aidait à s'endormir.

Je pris le briquet de Paul, posé sur la table, et allumai une cigarette.

Paul apporta deux nouveaux whiskys.

– C'était la guerre, monsieur Dunford. Exactement comme maintenant.

Je pris mon verre.

Les yeux rivés sur les ténèbres, Box suait en buvant.

– Il y a un an, ils voulaient remettre le rationnement en vigueur. Maintenant, on a vingt-cinq pour cent d'inflation.

Je bus une gorgée de whisky, saoul, effrayé et indifférent à ce qu'il disait.

– Quel est le rapport avec Don Foster ou Barry ?

Box alluma un nouveau cigare, soupira.

– Le problème des gens de votre génération, c'est que vous ne savez rien. Pourquoi, à votre avis, en 70, l'homme au bateau a-t-il battu l'homme à la pipe ?

– Wilson se reposait sur ses lauriers.

– Mon cul, dit Box, éclatant de rire.

– Allez-y, alors, expliquez.

– Parce que les types comme Cecil King, Norman Collins, Lord Renwick, Shawcross, Paul Chambers d'ICI, Lockwood d'EMI, McFadden de Shell et d'autres se sont réunis et ont dit : il y en a marre.

– Et alors ?

– Alors ces hommes ont le pouvoir ; le pouvoir de faire ou de briser les destins.

– Quel est le rapport avec Foster ?

– Vous ne m'écoutez pas, bordel ! Je vais expliquer dans votre jargon.

– S'il vous plaît.

– Le pouvoir est comme la colle. Il lie les hommes tels que nous, maintient tout en place.

– Vous et Foster, vous êtes...

– On est des petits pois dans la même gousse, lui et moi. On aime baiser et gagner du blé, et on n'est pas regardants sur la façon d'y parvenir. Mais il est devenu si gros qu'il ne se sent plus, qu'il veut m'éliminer et que ça me fout en rogne.

– Alors vous vous servez de Barry et de moi pour faire chanter ses potes.

– On avait un accord, moi, Foster et un autre homme. Cet autre homme est mort. Ils ont attendu qu'il revienne d'Australie et l'ont enlevé au moment où il sortait de chez sa mère, à Blackpool. Ils lui ont lié les mains dans le dos avec un torchon, puis l'ont ligoté, des épaules aux hanches, avec six mètres de papier collant. Ensuite, ils l'ont fourré dans le coffre de sa voiture et l'ont conduit dans les Moors. À l'aube, trois hommes l'ont maintenu debout et le quatrième lui a donné cinq coups de poignard dans le cœur.

Je fixais mon verre de whisky et la pièce tournait légèrement.

– C'est mon frère qu'ils ont tué. Putain, ça faisait une journée qu'il était rentré.

– Je suis désolé.

– À l'enterrement, il y avait une carte. Pas de nom, seulement : *Trois hommes peuvent garder un secret, si deux d'entre eux sont morts.*

– Je ne veux pas être mêlé à ça, soufflai-je.

Box adressa un signe de tête à Paul, qui était assis au bar, et dit d'une voix forte :

– Il semble qu'on vous ait surestimé, monsieur Dunford.

– Je ne suis qu'un journaliste.

Paul vint se placer derrière moi, main lourde sur mon épaule.

– Dans ce cas, vous allez faire ce qu'on vous dira, monsieur Dunford, et vous aurez votre sujet d'article. Laissez-nous le reste.

Je répétai :

– Je ne veux pas être mêlé à ça.

Box fit craquer ses phalanges et sourit.

– Pas de chance. Vous y êtes mêlé.

Paul me saisit par le col.

– Maintenant barrez-vous.

Le Boueux en fuite.

À nouveau dans Westgate.

Merde, merde, merde.

Barry et Clare.

La petite Clare Kemplay, qui est morte, a embrassé ce petit garçon et l'a fait pleurer.

Clare et Barry.

Ce salaud de Barry, quand il était bon, il était très, très bon, quand il était mauvais, il était très, très mauvais.

Un policier se tenait sur le seuil, à l'abri. Moi, l'envie de me jeter à genoux à ses pieds, priant pour que ce soit un type bien, et de lui raconter toute cette putain de triste histoire, de me mettre à l'abri, moi aussi.

Mais lui raconter quoi ?

Lui raconter que j'étais dedans jusqu'au cou, couvert de boue et complètement bourré.

Le Boueux, retour à Leeds, la boue sèche se craquelant tandis que je conduisais.

Un visage propre et une main propre, un costume sale et un pansement noir, assis à mon bureau, quinze heures, le vendredi 20 décembre 1974.

– Joli costume, Eddie, mon gars.

– Va te faire foutre, George.

– Joyeux Noël à toi aussi.

Bureau couvert de messages et de cartes ; deux appels du sergent Fraser dans la matinée, Bill Hadden voulait me voir dès que je pourrais.

Je m'appuyai contre le dossier de ma chaise, George Graves pétant et suscitant les applaudissements de ceux qui étaient rentrés de déjeuner.

Je souris et pris les cartes ; trois en provenance du Sud, plus une où mon nom et celui de mon journal étaient imprimés à la Dymo sur une bande de plastique collée sur l'enveloppe.

À l'extrémité opposée de la rédaction, Gaz prenait des paris sur le match Newcastle-Leeds.

J'ouvris l'enveloppe, sortis la carte avec mes dents et ma main gauche.

– Tu veux en être, Eddie ? cria Gaz.

Sur la carte, une maison en rondins dans une forêt enneigée.

– Cinquante pence sur Lorimer, dis-je, ouvrant la carte.

– Jack l'a déjà joué.

À l'intérieur de la carte, sur le message de Noël, deux autres bandes de plastique étaient collées.

D'une voix étouffée, je dis :

– Yorath, dans ce cas.

La bande supérieure indiquait : FRAPPE À LA PORTE DE...

– Quoi ?

La bande de plastique inférieure poursuivait : L'APPARTEMENT 405, CITY HEIGHTS.

– Yorath, dis-je, les yeux rivés sur la carte.

– C'est quelqu'un que je connais ?

Je levai la tête.

Jack Whitehead dit :

– J'espère sincèrement que c'est une femme.

– Qu'est-ce que tu veux dire ?

– Il paraît que tu traînes avec de jeunes garçons, fit Jack, souriant.

Je glissai la carte dans la poche de ma veste.

– Ouais ?

– Ouais. Aux cheveux orange.

– Qui t'a raconté ça, Jack ?

– Mon petit doigt.

– Tu empestes l'alcool.

– Toi aussi.

– C'est Noël.

– Plus pour longtemps, ricana Jack. Le patron veut te voir.

– Je sais, répondis-je, sans bouger.

– Il m'a demandé de venir te trouver, de m'assurer que tu ne disparaîtrais pas à nouveau.

– Tu vas me prendre par la main ?

– Tu n'es pas mon type.

– Conneries.

– Merde, Jack. Écoute.

J'appuyai à nouveau sur « play » :

Je ne pouvais pas croire que c'était elle. Elle était si différente, si blanche.

– Conneries, répéta Jack. Il parle des photos dans les journaux, à la télé.

– Je ne crois pas.

– On a vu son visage partout.

– Ashworth sait plus que ça.

– Myshkin a avoué, nom de Dieu !

– Ça ne veut rien dire, putain, et tu le sais.

Assis derrière son bureau, les lunettes au milieu du nez, Hadden se caressait la barbe et ne disait rien.

– Il faudrait que tu voies toutes les saloperies qu'ils ont trouvées dans la chambre de ce petit pervers.

– Quoi, par exemple ?

– Des photos de petites filles, des boîtes entières.

Je me tournai vers Hadden et dis :

– Myshkin n'est pas coupable.

Il dit, songeur :

– Mais qu'est-ce qui fait de lui un bouc émissaire ?

– Qu'est-ce que vous croyez ? La tradition.

– Trente ans, dit Jack. Trente ans, et je sais que les pompiers ne mentent pas et que les flics mentent souvent. Mais pas cette fois.

– Ils savent que ce n'est pas lui et tu sais que ce n'est pas lui.

– C'est lui. Il s'est mis à table.

– Et alors ?

– Tu as déjà entendu parler de la police scientifique ?

– C'est de la connerie. Ils n'ont rien.

– Messieurs, messieurs, intervint Hadden, qui se pencha sur son bureau. J'ai l'impression que nous avons déjà eu cette conversation.

– Exactement, marmonna Jack.

– Non, j'ai cru à la culpabilité de Myshkin, mais...

Hadden leva les mains.

– Edward, s'il te plaît.

– Désolé, dis-je, fixant les cartes posées sur son bureau.

Il dit :

– Quand va-t-on l'inculper à nouveau ?

– Lundi matin, répondit Jack.

– De nouvelles charges ?

– Il a avoué le meurtre de Jeanette Garland et celui de cette gamine de Rochdale...

– Susan Ridyard, dis-je.

– Mais il paraît que d'autres aveux vont suivre.
Je demandai :

– Il a dit où se trouvent les corps ?

– Dans ton jardin, Scoop.

– Très bien, dit Hadden, paternel. Edward, il me faut ton papier sur Myshkin lundi. Jack, tu fais l'audience.

– D'accord, patron, dit Jack, qui se leva.

– Bon papier sur ces deux flics, approuva Hadden, père fier de sa progéniture, comme toujours.

– Merci. Des types bien, je les connais depuis un bout de temps, dit Jack, sur le seuil.

Hadden dit :

– À demain soir, Jack.

– Oui. Salut, Scoop, fit Jack, souriant, avant de s'en aller.

– Au revoir.

J'étais debout, les yeux toujours rivés sur les cartes posées sur le bureau de Hadden.

– Assieds-toi, d'accord ? J'ai à te parler, dit Hadden, qui se leva.

Je m'assis.

– Edward, je veux que tu prennes des vacances jusqu'à la fin du mois.

– Quoi ?

Hadden me tournait le dos, fixait le ciel noir.

– Je ne comprends pas, dis-je, alors que je comprenais parfaitement, concentré sur une petite carte glissée parmi les autres.

– Je ne veux pas que tu viennes au journal dans cet état.

– Dans quel état ?

– Dans l'état où tu es, dit-il, pivotant sur lui-même et me montrant du doigt.

– Je suis allé sur un chantier, ce matin, pour l'article.

– Quel article ?

– Sur Clare Kemplay.

– C'est terminé.

Je fixai le bureau, cette carte, une autre maison en rondins dans une autre forêt enneigée.

– Prends des vacances jusqu'à la fin du mois. Fais soigner ta main, dit Hadden, qui reprit place derrière son bureau.

Je me levai.

– Vous voulez toujours le papier sur Myshkin ?

– Ouais, évidemment. Tape-le et donne-le à Jack.

J'ouvris la porte, dernière tranchée, pensant : je les emmerde tous.

– Vous connaissez les Foster ?

Hadden, penché sur son bureau, ne leva pas la tête.

– William Shaw, le conseiller du comté ?

Il leva la tête.

– Je regrette, Edward. Vraiment.

– Pas la peine. Vous avez raison, dis-je. J'ai besoin d'aide.

À mon bureau pour la dernière fois, pensant : donne ça aux quotidiens nationaux. Je poussai toutes les saloperies qui étaient sur ma table dans un sac en plastique crasseux du Co-op, m'en foutant si quelqu'un pensait que j'étais devenu dingue.

Ce con de Jack Whitehead posa l'*Evening News* sur mon bureau, un large sourire aux lèvres :

– Une bonne raison de se souvenir de nous.

Je levai la tête, comptant à l'envers.

Silence dans la rédaction, tous les yeux sur moi.

Jack Whitehead me dévisageant, sans ciller.

Je regardai le journal plié, la manchette.

NOUS VOUS SALUONS.

– Retourne-le.

Un téléphone sonnait, à l'autre bout de la rédaction, et personne ne décrochait.

Je regardai la moitié inférieure du journal, découvris une photo de deux flics en uniforme serrant la main d'Angus, le directeur de la police.

Deux flics en uniforme, nus :

Un grand avec la barbe, un petit sans.

Je fixais le journal, la photo, les mots imprimés dessous :

Monsieur Angus, directeur de la police, félicite le sergent Bob Craven et l'agent Bob Douglas, qui ont été à la hauteur de leur tâche.

Ce sont des policiers exceptionnels que nous remercions du fond du cœur.

Je pris le journal, le pliai en deux, le fourrai dans le sac en plastique, adressai un clin d'œil à Jack :

– Merci.

Jack Whitehead garda le silence.

Je pris le sac en plastique et traversai la rédaction silencieuse.

George Greaves regardait par la fenêtre, Gaz, des sports, fixait l'extrémité de son crayon.

Le téléphone de mon bureau sonna.

Jack Whitehead décrocha.

Sur le seuil, la Grosse Steph, les bras chargés de dossiers, sourit et dit :

– Je suis désolée.

– C'est le sergent Fraser, cria Jack, depuis mon bureau.

– Dis-lui d'aller se faire foutre. Que je suis viré.

– Il est viré, dit Jack, puis il raccrocha.

Un, deux, trois, quatre, l'escalier puis la porte.

Le Cercle de la presse, réservé aux membres, un peu avant dix-sept heures.

Au bar, un membre en sursis, un scotch dans une main, le téléphone dans l'autre.

– Allô. Est-ce que Kathryn est là, s'il vous plaît ?
Yesterday Once More sur le juke-box, mon argent.
– Savez-vous quand elle rentrera ?
Rien à foutre de The Carpenters, ma fumée dans les yeux.
– Pouvez-vous lui dire qu'Edward Dunford a appelé ?
Je raccrochai, bus le scotch, allumai une nouvelle cigarette.
– La même chose, ma jolie.
– Et un pour moi, Bet.
Je tournai la tête.
Ce con de Jack Whitehead prenant le tabouret voisin.
– Je te plais, c'est ça ?
– Non.
– Alors qu'est-ce que tu veux ?
– Il faudrait qu'on parle.
La barmaid posa deux scotchs devant nous.
– Quelqu'un te manipule.
– Ouais ? Grande nouvelle, Jack.
Il m'offrit une cigarette.
– Alors, Scoop, qui est-ce ?
– Si on commençait par tes potes, les deux Bobby ?
Jack alluma une cigarette et souffla :
– Comment ça ?
J'approchai ma main droite, agitai le pansement sous son nez, me penchai et hurlai :
– Comment ça ? D'après toi, bordel, qui m'a fait ça ?
Jack s'écarta, saisit mon pansement.
– Ils t'ont fait ça ? dit-il, me forçant à m'asseoir sur mon tabouret, les yeux sur le paquet noir que j'avais au bout du bras.
– Oui, quand ils ne brûlaient pas des campements gitans, ne volaient pas des photos d'autopsie, ne tabassaient pas un débile pour le faire avouer.

– De quoi tu parles ?

– Seulement du quotidien de la Police métropolitaine du West Yorkshire, soutenue par ce bon vieux
Yorkshire Post, l'ami des flics.

– Tu perds les pédales.

Je bus mon scotch.

– C'est ce que tout le monde dit.

– Écoute ce qu'on te dit.

– Va te faire foutre, Jack.

– Eddie ?

– Quoi ?

– Pense à ta mère.

– Qu'est-ce que c'est que cette connerie ?

– Est-ce qu'elle n'a pas assez souffert ? Il y a à
peine une semaine que tu as enterré ton père.

Je me penchai, posai brutalement deux doigts sur
sa poitrine maigre.

– Mêle pas ma famille à ça, bordel, jamais.

Je me levai, pris les clés de ma voiture.

– Tu n'es pas en état de conduire.

– Tu n'es pas en état d'écrire, mais tu le fais.

Il était debout, me tenait les bras.

– On te manipule, exactement comme Barry.

– Lâche-moi.

– Il n'y a pas pire que Derek Box.

– Lâche-moi.

Il s'assit.

– Tu ne diras pas que tu n'as pas été averti.

– Va te faire foutre, crachai-je, montant l'escalier,
haïssant ce sale menteur et le monde puant qu'il
habitait.

La M1 en direction du sud, encombrements de
sept heures, pluie se muant en neige fondue dans la
lumière de mes phares.

Always On My Mind à la radio.

Sur la voie rapide, coups d'œil dans le rétroviseur,
coups d'œil à gauche, camp des Gitans disparu.

Passant d'une station à l'autre, évitant les informations.

Soudain, la sortie de Castleford jaillit du noir comme un camion, pleins phares.

Je coupai trois voies, engueulades de klaxons, visages prisonniers de fantômes furieux dans les voitures, m'injuriant.

À quelques centimètres de la mort, pensant : qu'elle vienne.

Qu'elle vienne.

Qu'elle vienne.

Coups à la porte de...

– Tu es saoul.

– Je veux seulement parler, dis-je, sur le perron du numéro 11, convaincu que cette lourde porte rouge allait me claquer au nez.

– Il vaudrait mieux que tu entres.

La grosse voisine écossaise, assise sur le canapé devant *Opportunity Knocks* me dévisagea.

– Il a bu, dit Paula en fermant la porte.

– Il n'y a rien de mal à ça, dit l'Écossaise.

– Je suis désolé, dis-je, puis je m'assis près d'elle sur le canapé.

Paula dit :

– Je vais faire du thé.

– Merci.

– Tu en veux, Clare ?

– Non, je vais m'en aller, dit-elle, suivant Paula dans la cuisine.

Assis sur le canapé, devant la télé, j'écoutai les chuchotements dans la pièce voisine, regardai une petite fille faire un numéro de claquettes et gagner le cœur de millions de téléspectateurs. Juste au-dessus d'elle, sur le poste, Jeanette m'adressait son sourire de petite fille handicapée.

– Salut, Eddie, dit Scotch Clare, devant la porte.

J'eus envie de me lever, mais restai immobile et marmonnai :

– Ouais, bonsoir.

– Sois gentil, dit-elle avant de fermer la lourde porte rouge derrière elle.

Il y eut des applaudissements sur l'écran.

Paula me donna une tasse de thé.

– Voilà.

Je dis :

– Je suis désolé. Et aussi pour hier soir.

Elle s'assit près de moi, sur le canapé.

– Laisse tomber.

– Toujours débarquer comme ça, et puis toutes les conneries que j'ai dites hier soir, je n'en pensais pas un mot.

– Ce n'est rien, laisse tomber. Tu n'es pas obligé de dire quoi que ce soit.

À la télé, des robots extraterrestres mangeaient de la purée de pommes de terre en flocons.

– Je ne suis pas indifférent.

– Je sais.

J'eus envie de l'interroger sur Johnny, mais je posai mon thé, me penchai et, de la main gauche, approchai son visage du mien.

– Comment va ta main ? souffla-t-elle.

– Ça va, dis-je, l'embrassant sur les lèvres, le menton, les joues.

– Rien ne t'oblige à ça, dit-elle.

– J'en ai envie.

– Pourquoi ?

À la télé, un singe coiffé d'une casquette plate buvait une tasse de thé.

– Parce que je t'aime.

– Je t'en prie, ne le dis pas si tu ne le penses pas.

– Je le pense.

– Alors redis-le.

– Je t'aime.

Paula m'écarta et prit ma main, éteignit la télé et m'entraîna dans l'escalier raide, très raide.

La Chambre de Papa et Maman, la pièce si froide que je voyais mon haleine.

Paula s'assit sur le lit et déboutonna son chemisier, chair de poule sur sa peau nue.

Je la renversai sur le couvre-pieds, quittai mes chaussures qui tombèrent avec deux bruits sourds.

Elle se tortilla, sous moi, tentant d'enlever son pantalon.

Je remontai son chemisier et son soutien-gorge noir, suçai les pointes marron clair de ses seins, les mordant très légèrement.

Elle m'ôtait ma veste, baissait mon pantalon.

– Tu es sale, pouffa-t-elle.

– Merci, dis-je, percevant le rire dans son ventre.

– Je t'aime, dit-elle, passant les mains dans mes cheveux, poussant doucement ma tête.

J'allai là où elle voulait, baissai la fermeture de son pantalon, entraînai sa culotte en coton bleu pâle avec lui.

Paula Garland pressa ma tête contre sa chatte, posa les jambes sur mon dos.

Mon menton fut mouillé, picota en séchant.

Elle me pressa à nouveau contre elle.

J'y allai.

– Je t'aime, dit-elle.

– Je t'aime, marmonnai-je, la bouche pleine de chatte.

Elle me fit remonter jusqu'à ses seins.

Je l'embrassai en remontant, déposai sa propre odeur sur ses lèvres.

Sa langue contre la mienne, le goût de la chatte sur nos deux langues.

Je me redressai, douleur dans le bras, la retournai.

Paula était allongée sur l'édredon, le visage contre l'oreiller, seulement vêtue de son soutien-gorge.

Je regardai ma queue.

Paula leva légèrement le cul, puis le baissa.

Je remontai ses cheveux, embrassai sa nuque et l'arrière de ses oreilles, me frayant un chemin entre ses jambes.

Elle leva à nouveau le cul, mouillé par les sucs et la sueur.

Je m'éloignai légèrement, frottai ma queue sur les lèvres de sa chatte, le pansement dans ses cheveux, ma paume gauche sur ses reins.

Elle leva le cul plus haut, poussant sa chatte contre ma queue.

Ma queue toucha son cul.

Elle saisit ma queue, l'éloigna de son cul, la guida dans sa chatte.

Dedans et dehors, dedans et dehors.

Paula, à plat ventre, les poings serrés.

Je sortis, violemment.

Paula, les mains ouvertes, soupira.

Ma queue toucha son cul.

Paula tenta de se retourner.

Une main pansée sur sa nuque.

Paula, une main cherchant à saisir ma queue.

Ma queue sur son trou du cul.

Paula : un cri étouffé par l'oreiller.

Dedans.

Paula hurlait, hurlait, le visage pressé contre l'oreiller.

Une main bandée immobilisant sa tête, l'autre sur son ventre.

Paula Garland, tentant d'échapper à ma queue.

Moi, l'enculant sans ménagement.

Paula molle et secouée de sanglots.

Dedans et dehors, dedans et dehors.

Paula, du sang sur le cul.

Dedans et dehors, dedans et dehors, du sang sur ma queue.

Paula Garland, en larmes.
Jouissant, jouissant et jouissant encore.
Paula, appelant Jeanette.
Moi, jouissant encore.

Chiens morts, monstres et rats avec de petites ailes.

Quelqu'un marchait dans ma tête, une lampe-torche à la main et de grosses chaussures aux pieds.

Elle était dans la rue, serrait le gilet rouge autour d'elle, et me souriait.

Soudain, un gros oiseau noir jaillit du ciel et s'attaqua à ses cheveux, la poursuivit dans la rue, arracha d'énormes mèches de cheveux blonds, aux racines sanglantes.

Elle gisait sur la chaussée, sa culotte en coton bleu pâle visible comme le cadavre d'un chien écrasé par un camion.

Je me réveillai et me rendormis, pensant : tu es en sécurité, tu es en sécurité, rendors-toi.

Chiens morts, monstres et rats avec de petites ailes.

Quelqu'un marchait dans ma tête, une lampe-torche à la main et de grosses chaussures aux pieds.

J'étais assis dans une maison en rondins, les yeux fixés sur un sapin de Noël, une bonne odeur de cuisine dans la pièce.

Je pris une grosse boîte, enveloppée dans du papier journal, sous le sapin, et dénouai le ruban rouge.

Soigneusement, je retirai le journal afin de pouvoir le lire plus tard.

Je regardais fixement la boîte en bois posée sur mes genoux, sur le journal et le ruban rouge.

Je fermai les yeux et ouvris la boîte, le martèlement sourd de mon cœur emplissant la maison.

– Qu'est-ce que c'est ? dit-elle, derrière moi, une main sur mon épaule.

307

Je posai ma main pansée sur la boîte, cachai la tête dans les plis du coton rouge.

Elle prit la boîte et regarda à l'intérieur.

La boîte tomba sur le plancher, bonne odeur de cuisine dans la maison, martèlements de mon cœur, et ses hurlements.

Je regardai la chose sortir de la boîte et ramper sur le plancher, traçant des messages arachnéens avec son cordon ensanglanté.

– Débarrasse-t'en, hurla-t-elle. Débarrasse-t'en tout de suite !

La chose se mit sur le dos et me sourit.

Je me réveillai et me rendormis, pensant : tu ne risques plus rien, tu ne risques plus rien, rendors-toi.

Chiens morts, monstres et rats avec de petites ailes.

Quelqu'un marchait dans ma tête, une lampe-torche à la main et de grosses chaussures aux pieds.

J'étais réveillé, allongé sous terre, sur une porte, gelé.

Au-dessus de moi, le son étouffé d'une télévision, *Opportunity Knocks*.

Je fixais le noir, de petits points lumineux qui approchaient.

Au-dessus de moi, étouffés, la sonnerie d'un téléphone et des battements d'ailes.

Je vis, dans le noir, des rats avec de petites ailes qui, avec leurs visages velus et leurs mots tendres, ressemblaient à des écureuils.

Au-dessus de moi, le son étouffé d'un disque, *The Little Drummer Boy*.

Les rats étaient près de mon oreille, soufflant des mots durs, m'injuriant, me cassant les os plus sûrement que des bâtons ou des pierres.

Près de moi, étouffés, des pleurs d'enfants.

Je me levai d'un bond pour allumer la lumière, mais elle l'était déjà.

J'étais réveillé, allongé sur la moquette, gelé.

9

– Qu'est-ce que c'est que cette connerie ?

Un journal, en plein sur mon visage, me réveilla.

Samedi 21 décembre 1974.

– Tu me dis que tu m'aimes, tu me dis que tu n'es pas indifférent, et puis tu m'encules et tu écris cette merde !

Je m'assis sur le lit, me frottai la joue de ma main bandée.

Ouais, samedi 21 décembre 1974.

Paula Garland, en blue-jean pattes d'éléphant et pull rouge, se tenait près du lit.

Sur le couvre-pieds, la manchette du *Yorkshire Post* me fixait :

IRA : TRÊVE DE NOËL DE 11 JOURS.

– Quoi ?

– Ne joue pas à ce jeu, sale fumier de menteur.

– Je ne sais pas de quoi tu parles.

Elle prit le journal, l'ouvrit et se mit à lire.

– *L'appel d'une mère, par Edward Dunford.*

C'est avec des sanglots dans la voix que Mme Paula Garland, sœur de Johnny Kelly, vedette de la Ligue de rugby, raconte sa vie depuis la disparition de sa fille, Jeanette, il y a plus de cinq ans.

« *J'ai tout perdu, depuis ce jour, dit Mme Garland, faisant allusion au suicide de son mari, Geoff, en 1971, après l'échec de l'enquête sur la disparition de leur fille.*

« *Je veux seulement que ça cesse, sanglote Mme Garland. Et, maintenant, c'est peut-être possible.* »

Paula interrompit sa lecture.

– Tu veux que je continue ?

J'étais assis au bord du lit, le drap sur les couilles, fixant une tache de soleil très lumineuse sur la mince moquette à fleurs.

– Je n'ai pas écrit ça.

– Par Edward Dunford.

– Je ne l'ai pas écrit.

– *L'arrestation d'un habitant de Fitzwilliam, en liaison avec la disparition et le meurtre de Clare Kemplay, a suscité des espoirs tragiques chez Mme Garland.*

« *Je croyais que je ne dirais jamais cela mais, après tout ce temps, je veux seulement savoir ce qui est arrivé, dit Mme Garland en pleurant. Et si cela implique d'apprendre le pire, il faudra simplement que je m'efforce de vivre avec cette certitude.* »

– Je n'ai pas écrit ça.

– Par Edward Dunford, répéta-t-elle.

– Je n'ai pas écrit ça.

– Menteur ! hurla Paula Garland, qui me prit par les cheveux et me tira hors du lit.

Je tombai, nu, sur la mince moquette à fleurs, répétai :

– Je n'ai pas écrit ça.

– Dehors !

– Je t'en prie, Paula, dis-je, tendant la main vers mon pantalon.

Elle me poussa, alors que je tentais de me lever, hurlant et hurlant :

– Dehors ! Dehors !

– Arrête tes conneries, Paula, et écoute-moi.

– Non ! hurla-t-elle à nouveau, m'arrachant un lambeau de peau sur l'oreille avec ses ongles.

– Va te faire foutre ! criai-je, la repoussant et ramassant mes vêtements.

Elle se laissa tomber dans un coin, près de l'armoire, se mit en boule, sanglota :

– Putain, je te hais.

Je mis mon pantalon et ma chemise, des gouttes de sang tombant de mon oreille, et je pris ma veste.

– Je ne veux plus jamais te revoir, souffla-t-elle.

– Ne t'en fais pas, rien ne t'y obligera, crachai-je.

L'escalier, puis la porte.

Salope.

Presque neuf heures à la pendule de la voiture, lumière d'hiver blanche et vive, presque aveuglante.

Putain de salope.

L'A655 dégagée, comme tous les matins, champs plats et marron à perte de vue.

Foutue putain de salope.

Radio allumée, *The Little Drummer Boy* par Lulu, la banquette arrière couverte de sacs en plastique.

Foutue putain de salope stupide.

Les bips de l'heure, l'oreille toujours douloureuse, voilà les informations :

– *La police du West Yorkshire a ouvert une enquête pour meurtre après la découverte du corps d'une femme, hier, dans un appartement du quartier St. Johns.*

Sang mort dans mes bras, froid.

– *Il s'agit de Mandy Denizili, trente-six ans.*

Chair étranglant l'os, hors de la chaussée et sur l'accotement.

– *Mme Denizili exerçait la profession de médium sous son nom de jeune fille, Wymer, et avait acquis une réputation nationale après avoir assisté la police dans de nombreuses enquêtes. Tout récemment, Mme Denizili prétendait avoir conduit la police jusqu'au corps de Clare Kemplay, l'écolière assassinée. Cette affirmation est vigoureusement contestée par le superintendant Peter Noble, qui dirige cette enquête.*

Le front sur le volant, les mains sur la bouche.

– La police ne révèle pour le moment que peu de détails sur le meurtre lui-même, mais il est vraisemblable qu'il ait été exceptionnellement brutal.

Luttant contre la portière et le pansement, bile sur l'accoudoir puis sur l'herbe.

– La police demande à toutes les personnes qui connaissaient Mme Denizili de prendre rapidement contact avec elle.

Foutue putain de salope cinglée.

Hors de la voiture et à genoux, la bile coulant sur mon menton, puis sur la poussière.

Foutue putain de salope.

Crachant de la bile et de la morve, son hurlement dans les oreilles tandis qu'elle glissait sur le cul dans le couloir, bras et jambes écartés, la jupe remontée.

Putain de salope.

Des graviers dans mes paumes, de la terre sur le front, fixant l'herbe qui poussait dans les fissures de la chaussée.

Salope.

Sortie tout droit des pages de *Yorkshire Life*.

Une demi-heure plus tard, le visage noir de terre et les mains tachées d'herbe, j'étais dans le hall d'entrée du Redbeck, pansement autour du combiné.

– Le sergent Fraser, s'il vous plaît.

Les jaunes, les bruns, la puanteur de la fumée – j'étais à ma place, ou presque.

– Sergent Fraser à l'appareil.

Pensant aux corbeaux perchés sur les fils du téléphone, j'avalai ma salive et je dis :

– C'est Edward Dunford.

Silence, seulement le bourdonnement de la ligne en attente de mots.

Cliquetis des boules de billard derrière les portes vitrées, et je me demandai quel jour c'était, me demandai s'il y avait école, pensai aux corbeaux sur les fils du téléphone et me demandai ce que pensait Fraser.

– Vous êtes foutu, Dunford, dit Fraser.

– Il faut que je vous voie.

– Allez vous faire foutre. Il faut vous rendre.

– Quoi ?

– Vous avez compris. Vous êtes recherché pour interrogatoire.

– À quel sujet ?

– Au sujet du meurtre de Mandy Wymer.

– Je vous emmerde.

– Où êtes-vous ?

– Écoutez...

– Non, bordel, vous écoutez. Il y a deux putains de jours que j'essaie de vous joindre...

– Écoutez, s'il vous plaît...

Silence à nouveau, seulement la ligne en attente de ses mots ou des miens.

Cliquetis des boules de billard derrière les portes vitrées, et je me demandai si c'était toujours la même partie, me demandai s'ils prenaient même la peine de compter les points, pensai à nouveau aux corbeaux sur les fils et me demandai si Fraser localisait l'appel.

– Continuez, dit Fraser.

– Je vais vous donner des noms et des dates, toutes les informations que j'ai sur Barry Gannon et sur les trucs qu'il a découverts.

– Continuez.

– Mais il faut que je sache tout ce que vous avez entendu dire sur les interrogatoires de Michael Myshkin, sur ce qu'il dit à propos de Jeanette Garland et de Susan Ridyard. Et je veux ses aveux.

– Continuez.

– Je vous retrouverai à midi. Je vous donnerai tout ce que j'ai, vous me donnerez ce que vous avez. Et je veux votre parole que vous n'essaierez pas de me coffrer.

– Continuez.

– Si vous m'arrêtez, je vous mettrai dans le bain.

– Continuez.

– Donnez-moi jusqu'à minuit, ensuite je me livrerai.

Silence, seulement le bourdonnement en attente de mots.

Cliquetis des boules de billard derrière les portes vitrées, et je me demandai où était la vieille femme qui pétait, me demandai si elle était morte dans sa chambre et si personne ne s'en était aperçu, pensai au corbeaux sur les fils et me demandai si Fraser m'avait tendu un piège à la clinique Hatley.

– Où ? souffla le sergent Fraser.

– Il y a une station-service désaffectée, au carrefour de l'A655 et de la B6134 en direction de Featherstone.

– Midi ?

– Midi.

Tonalité, bourdonnement disparu, l'impression d'être dans le même état.

Cliquetis des boules de billard derrière les portes vitrées.

Sur le plancher de la chambre 27, je vidai mes poches et les sacs en plastique, regardai fixement les cassettes minuscules sur lesquelles étaient indiqués BOX et SHAW, appuyai sur « play » :

314

– *Je ne suis pas davantage un ange, mais je suis un homme d'affaires.*

Transcrivant leurs mots et les miens de ma main blessée.

– *Persuader le conseiller du comté de libérer son âme de ses méfaits publics.*

Plaçant une photo à côté de moi.

– *Demain, à l'heure du déjeuner, au premier étage du Stafford Arms.*

Changeant de cassette, appuyant sur « play » :

– *À cause de cette saleté d'argent.*

Écrivant en capitales.

– *Foster, Donald Richard Foster. C'est ce que vous voulez ?*

Écoutant des mensonges.

– *Je ne savais pas qu'il était journaliste.*

Retournant la cassette.

– *Toutes les autres sous ces jolies moquettes neuves.*

Retour rapide.

– *Ne me touchez pas !*

Appuyant sur « record » pour effacer.

Vous sentez si fort les mauvais souvenirs.

Sur le plancher de la chambre 27, je fourrai les informations de Barry et ce qu'il avait découvert dans une enveloppe brune, la léchai pour la fermer, griffonnai le nom de Fraser dessus.

Vous n'avez rien vu venir ?

Devant la porte de ma chambre, au Redbeck, avalant un cachet et allumant une cigarette, une enveloppe à la main et une carte de Noël dans la poche.

Je suis médium, monsieur Dunford, pas diseuse de bonne aventure.

Plus qu'une porte.

Midi.
Samedi 21 décembre 1974.

315

Entre un camion et un bus, je passai devant la station-service Shell désaffectée, à l'intersection de l'A655 et de la B6134.

Une Maxi jaune moutarde sur la piste, le sergent Fraser appuyé contre le capot.

Je parcourus cent mètres et m'arrêtai, baissai la vitre, fis demi-tour, appuyai sur le bouton d'enregistrement du Pocket Memo Philips et repartis en sens inverse.

M'arrêtant près de la Maxi, je dis :

– Montez.

Le sergent Fraser, un imperméable par-dessus son uniforme, contourna l'arrière de la Viva et monta.

Je quittai la piste et pris la B6134 en direction de Featherstone.

Les bras croisés, le sergent Fraser regardait droit devant lui.

Pendant quelques instants, j'eus l'impression d'être dans un monde alternatif sorti tout droit des élucubrations de ce con de Dr Who, où j'étais flic et pas Fraser, où j'étais bon et lui pas.

– Où on va ? dit Fraser.

– On est arrivés.

Je me garai sur un petit parking, juste après une caravane rouge qui vendait du thé et des tartes.

Je coupai le moteur, dis :

– Vous voulez quelque chose ?

– Non, pas de problème.

– Vraiment ? Vous connaissez le sergent Craven et son pote ?

– Ouais. Tout le monde les connaît.

– Vous les connaissez bien ?

– De réputation.

Je regardai, par la vitre tachée de boue, les haies basses et brunes qui séparaient les champs plats et bruns, où se dressaient des arbres solitaires et bruns.

– Pourquoi ? dit Fraser.

Je sortis une photographie de Clare Kemplay de ma poche, une de celles où elle gisait sur une table d'autopsie, une aile de cygne cousue sur le dos.

Je donnai la photo à Fraser.

– Je crois que Craven ou son collègue me l'ont donnée.

– Merde. Pourquoi ?

– Ils me tendent un piège.

– Pourquoi ?

Je montrai le sac en plastique qui se trouvait aux pieds de Fraser.

– Tout est là-dedans.

– Ouais ?

– Ouais. Les transcriptions, les documents, les photos. Tout ce dont vous avez besoin.

– Les transcriptions ?

– J'ai les bandes originales et je vous les donnerai quand vous déciderez que vous en avez besoin. Ne vous inquiétez pas, tout est là.

– Il y a intérêt, dit Fraser, qui regarda dans le sac.

Je sortis deux bouts de papier de la poche intérieure de ma veste et en donnai un à Fraser.

– Frappez à cette porte.

– Appartement 5, 3 Spencer Mount, Chapeltown, lut Fraser.

Je remis l'autre papier dans ma poche.

– Ouais.

– Qui habite à cette adresse ?

– Barry James Anderson ; c'est une relation de Barry Gannon et la vedette de quelques-unes des photos et des bandes que vous trouverez dans le sac.

– Pourquoi me donnez-vous ce type ?

Je fixai, à l'extrémité des champs bruns et plats, le ciel bleu qui virait au blanc.

– Je n'ai plus rien d'autre à donner.

Fraser mit le papier dans sa poche, sortit son carnet.

– Qu'est-ce que vous avez ?

– Pas grand-chose, dit Fraser, qui ouvrit le carnet.

– Ses aveux ?

– Pas mot à mot.

– Des détails ?

– Il n'y en a pas.

– Qu'est-ce qu'il a dit sur Jeanette Garland ?

– Il a avoué. C'est tout.

– Susan Ridyard ?

– Même chose.

– Merde.

– Ouais, fit le sergent Fraser.

– Vous croyez qu'il les a tuées ?

– C'est lui qui avoue.

– Il dit où il a fait tout ça ?

– Dans son « Royaume souterrain ».

– Il n'a pas toute sa tête.

– Qui l'a ? soupira Fraser.

Dans la voiture verte, près du champ brun, sous le ciel blanc, je dis :

– C'est tout ?

Le sergent Fraser regarda son bloc et ses mains, dit :

– Mandy Wymer.

– Merde.

– Un voisin l'a découverte hier vers neuf heures. Elle avait été violée, scalpée et pendue à un lustre avec du fil électrique.

– Scalpée ?

– Comme font les Indiens.

– Merde.

– Cette information n'a pas été divulguée à vos collègues, dit Fraser, souriant.

– Scalpée, soufflai-je.

– Les chats s'étaient servis. Un vrai truc de film d'horreur.

– Merde.

– Votre ex-patron vous a donné, dit Fraser, qui referma son carnet.

– On croit que je l'ai tuée ?

– Non.

– Pourquoi pas ?

– Vous êtes journaliste.

– Et alors ?

– Alors ils croient que vous pourriez savoir qui c'est.

– Pourquoi moi ?

– Parce que vous êtes sûrement une des dernières personnes à l'avoir vue vivante, voilà pourquoi.

– Merde.

– Elle a mentionné son mari ?

– Elle n'a rien dit.

Le sergent Fraser ouvrit à nouveau son calepin.

– D'après les voisins, il y a eu une dispute, chez Miss Wymer, mardi après-midi. Selon votre ancien employeur, elle a eu lieu juste avant ou juste après votre visite chez elle.

– Je ne suis pas au courant de ça.

Le sergent Fraser me regarda dans les yeux et ferma à nouveau son carnet.

Il dit :

– Je crois que vous mentez.

– Quel intérêt ?

– Je ne sais pas. L'habitude ?

Je tournai la tête et regardai, par-dessus la haie brune et morte, le champ brun et mort où se dressaient des arbres bruns et morts.

– Qu'est-ce qu'elle a dit sur Clare Kemplay ? demanda Fraser d'une voix étouffée.

– Pas grand-chose.

– Mais encore ?

– Vous croyez qu'il y a un lien ?

– De toute évidence.

– Lequel ? dis-je, tandis que ma bouche sèche se lézardait, que mon cœur moite cognait.

319

– À votre avis, bordel ? Elle travaillait sur les affaires.

– Noble et sa bande démentent.

– Et alors ? On sait tous qu'elle le faisait.

– Et ?

– Et il y a toujours vous.

– Moi ? Qu'est-ce que je viens faire là-dedans ?

– Le chaînon manquant.

– Et ça fait que tout est lié ?

– C'est vous qui allez me le dire.

Je dis :

– Vous devriez être journaliste.

– Vous aussi, cracha Fraser.

– Je vous emmerde, dis-je avant de lancer le moteur.

– Tout est lié, dit le sergent Fraser.

Je regardai deux fois dans le rétroviseur et démarrai.

À l'intersection de la B6134 et de l'A655, Fraser dit :

– Minuit ?

J'acquiesçai et m'arrêtai près de la Maxi, sur la piste de la station-service vide.

– Disons à Morley, fit le sergent Fraser, qui prit le sac en plastique.

– Ouais. Pourquoi pas ?

Encore une carte à jouer, coup d'œil dans le rétroviseur avant de partir.

City Heights, Leeds.

Je fermai la voiture à clé sous des cieux blancs qui viraient au gris, gros d'une menace de pluie, jamais de neige, pensant : ça doit être bien ici, en été.

Hauts immeubles des années soixante : motif jaune et bleu ciel à la peinture écaillée, balustrades qui commençaient à rouiller.

Je gravis l'escalier jusqu'au troisième étage, claquements d'un ballon contre un mur, cris aigus d'enfants, et je pensais aux Beatles et aux pochettes de leurs albums, à la propreté, à la sainteté et aux enfants.

Au troisième étage, je pris la galerie, passai devant des fenêtres de cuisine embuées et des radios en sourdine, puis arrivai devant une porte jaune sur laquelle était indiqué : 405.

Je frappai à la porte de l'appartement 405, à City Heights, Leeds, et j'attendis.

Au bout d'un moment, j'appuyai aussi sur la sonnette.

Rien.

Je me penchai, soulevai le volet métallique de la boîte à lettres.

La chaleur me piqua les yeux et j'entendis les courses à la télé.

– Excusez-moi ! criai-je dans la boîte à lettres.

Le bruit des courses cessa.

– Excusez-moi !

L'œil dans la boîte à lettres ; je repérai une paire de chaussettes blanches avançant dans ma direction.

– Je sais que vous êtes là, dis-je en me redressant.

– Qu'est-ce que vous voulez ? demanda une voix d'homme.

– Juste un mot.

– Sur quoi ?

Je jouai la dernière carte de la dernière donne et dis à la porte :

– Votre sœur.

Une clé tourna et la porte jaune s'ouvrit.

– Qu'est-ce qui lui arrive ? demanda Johnny Kelly.

– Surprise ! dis-je, levant ma main droite pansée.

Johnny Kelly, blue-jean et pull, poignet cassé et visage irlandais tuméfié, répéta :

– Qu'est-ce qui lui arrive ?

– Vous devriez lui donner des nouvelles. Elle se fait du souci pour vous.

– Et vous êtes qui ?

– Edward Dunford.

– Je vous connais ?

– Non.

– Comment avez-vous appris que j'étais ici ?

Je sortis la carte de Noël de ma poche et la lui donnai.

– Joyeux Noël.

– Connasse, dit Kelly, qui l'ouvrit et regarda les deux bandes de plastique.

– Puis-je entrer ?

Johnny Kelly rentra à l'intérieur de l'appartement et je le suivis dans un couloir étroit, passant devant une salle de bains et une chambre, jusqu'à la salle de séjour.

Kelly s'assit sur un fauteuil en vinyle, son poignet dans sa main indemne.

Je m'installai sur le canapé assorti, face à une télé en couleur grouillante de chevaux qui franchissaient silencieusement des haies, tournant le dos à un après-midi d'hiver comme les autres à Leeds.

Au-dessus du poêle à gaz, une Polynésienne souriait dans des nuances variées d'orange et de marron, une fleur dans les cheveux, et je pensais aux jeunes Gitanes brunes et aux roses qui étaient là où elles n'auraient jamais dû être.

Les scores à la mi-temps apparurent sous les chevaux : Leeds perdait à Newcastle.

– Ça va, Paula ?

– À votre avis ? dis-je, montrant d'un signe de tête le journal ouvert sur la table basse en formica.

Johnny Kelly se pencha, scruta les lettres imprimées.

– Vous travaillez pour ces putains de journaux, c'est ça ?

– Je connais Paul, votre cousin.

– C'est vous qui avez écrit cette merde, hein ? dit Kelly, qui s'appuya contre le dossier de son fauteuil.

– Je n'ai jamais écrit ça.

– Mais vous appartenez à cette saloperie de *Post*.

– Non, plus maintenant.

– Merde, dit Kelly, qui secoua la tête.

– Écoutez, je ne dirai rien.

– Bien, fit Kelly, souriant.

– Racontez-moi simplement ce qui est arrivé et je vous promets que je ne dirai rien.

Johnny Kelly se leva.

– Vous êtes un putain de journaliste.

– Plus maintenant.

– Je ne vous crois pas, dit Kelly.

– D'accord, dites que j'en suis un. De toute façon, je pourrais simplement écrire n'importe quelle connerie.

– C'est ce que vous faites en général.

– D'accord, alors expliquez-vous.

Johnny Kelly, derrière moi, regardait l'immense ville froide par l'immense fenêtre froide.

– Si vous n'êtes plus journaliste, qu'est-ce que vous faites ici ?

– Je veux essayer d'aider Paula.

Johnny Kelly reprit place dans le fauteuil en vinyle, frotta son poignet et sourit.

– Encore un.

La pièce devenait plus sombre, le poêle à gaz plus lumineux.

Je dis :

– Qu'est-ce qui vous est arrivé ?

– Un accident de voiture.

– Ouais ?

– Ouais, fit Kelly.

– Vous étiez au volant ?

– Elle y était.

– Qui ?

– À votre avis ?

– Mme Patricia Foster ?

– Gagné.

– Qu'est-ce qui s'est passé ?

– On était sortis et on rentrait...

– Quand était-ce ?

– Dans la soirée de vendredi dernier.

– Continuez, dis-je, pensant aux stylos et au papier, aux cassettes et aux bandes.

– On avait bu quelques verres sur le chemin du retour, et elle a dit qu'il valait mieux qu'elle conduise, parce que j'avais bu davantage qu'elle. On descendait Dewsbury Road et, je ne sais pas, on déconnait je suppose, et, tout d'un coup, un type s'engage sur la chaussée et, bang, on l'a heurté.

– Où ?

– Aux jambes, à la poitrine, je ne sais pas.

– Non, non. À quel endroit de Dewsbury Road ?

– À l'entrée de Wakey, près de Prison Street.

– Près des maisons neuves que Foster construit ?

– Ouais. Je suppose, fit Johnny Kelly, souriant.

Pensant : tout est lié, pensant : il n'y a pas de hasard, il y a un plan, donc il y a un Dieu, j'avalai ma salive et dis :

– Vous savez qu'on a retrouvé le cadavre de Clare Kemplay dans ce coin ?

– Ouais ?

– Ouais.

Kelly regardait au-delà de moi.

– Je ne le savais pas.

– Que s'est-il passé ensuite ?

– Je crois qu'on ne l'a pas heurté de plein fouet, mais il y avait du verglas, si bien que la voiture est partie en tête-à-queue et que Patricia a perdu le contrôle.

Assis dans mes vêtements en polyester sur un canapé en vinyle, les yeux fixés sur une table basse au plateau en formica, dans un appartement en béton, je pensais au caoutchouc et au métal, au cuir et au verre.

Au sang.

– On a dû heurter le bord du trottoir, puis un lampadaire ou quelque chose.

– Et l'homme que vous avez renversé?

– Je ne sais pas. Je vous l'ai dit, je suppose qu'on l'a seulement touché.

– Êtes-vous allé voir? demandai-je en lui offrant une cigarette.

– Et est-ce qu'on a baisé? dit Kelly, qui accepta du feu.

– Et ensuite?

– J'ai fait descendre Patricia, j'ai vérifié qu'elle n'avait rien. Elle avait mal au cou, mais il n'y avait rien de cassé. Sa tête avait seulement basculé brutalement en arrière. On est remontés en voiture et je l'ai ramenée chez elle.

– Donc la voiture n'avait rien?

– Si, mais elle roulait.

– Qu'est-ce que Foster a dit?

– Je ne suis pas resté. Je n'avais pas envie de le savoir.

– Et vous êtes venu ici?

– Il fallait que je me mette un peu au vert. Que je me fasse oublier.

– Il sait que vous êtes ici?

– Évidemment, dit Kelly, qui toucha son visage.

Il prit un bristol blanc sur la table en formica et me le lança.

– Ce salaud m'a même envoyé une invite à sa putain de réception de Noël.

– Comment vous a-t-il retrouvé? dis-je, les paupières plissées afin de pouvoir lire le carton dans l'obscurité.

– C'est un de ses appartements.

– Alors pourquoi y rester?

– Parce que, au bout du compte, putain, il ne peut quand même pas dire grand-chose, hein?

J'eus l'impression que je venais d'oublier une chose foutrement désagréable.

– Je ne vous suis pas.

– Il saute ma putain de sœur tous les dimanches depuis l'époque où j'avais dix-sept ans.

Pensant : ce n'est pas ça.

– Ce n'est pas que je m'en plaigne.

Je levai la tête.

Johnny Kelly baissa la tête.

Je me souvenais de cette chose foutrement désagréable.

La pièce était obscure, le poêle à gaz lumineux.

– Soyez pas si choqué, mon vieux. Vous n'êtes pas le premier à tenter de l'aider, et vous ne serez pas le dernier.

Je me levai ; dans mes jambes, le sang était froid et mouillé.

– Vous allez à la réception, hein ? ricana Kelly, montrant d'un signe de tête l'invitation que je tenais à la main.

Je pivotai sur moi-même et suivis le couloir étroit, pensant : je les emmerde tous.

– N'oubliez pas de leur souhaiter un putain de joyeux Noël de la part de Johnny Kelly, hein ?

Pensant : j'emmerde Paula.

Salut, mon amour.

Cash and carry.

Dix secondes plus tard, garé devant un magasin pakistanais, le reste de mon blé converti en bouteilles et sacs sur le plancher de la voiture, la radio secouée par une bombe chez Harrods, une cigarette dans le cendrier, une autre dans ma main, sortant des cachets de la boîte à gants.

Conduite. En état d'ivresse.

Cent trente à l'heure, j'embrasse des Écossais dans le cou, je m'excite sur les calmants, je me

326

calme sur les excitants, j'éparpille les filles du Sud et les appartements avec vue sur mer, je me fraye un chemin parmi les Kathryn, les Karen et toutes celles qui ont précédé, poursuivant les feux rouges et les petites filles, écrasant l'amour sous mes roues, le retournant sous mes pneus.

Führer d'un bunker conçu par mes soins, hurlant : JE N'AI JAMAIS RIEN FAIT DE MAL.

M1, pied au plancher et le prenant mal, aspirant la nuit, ses bombes et ses obus par les prises d'air de ma voiture, entre les dents de ma bouche, espérant, suppliant, me sacrifiant pour un baiser de plus, pour sa façon de marcher et sa façon de parler, offrant des prières sans chantage, l'amour sans arrière-pensées, la suppliant de revivre, de revivre, ICI, POUR MOI, MAINTENANT.

Larmes flasques et queue dure, traversant à toute vitesse six voies de merde, JE N'AI JAMAIS RIEN FAIT DE BIEN.

Radio 2 soudain silencieuse, lignes blanches de l'autoroute devenues dorées, hommes en haillons, hommes couronnés, quelques-uns ailés et d'autres pas, debout sur le frein pour pouvoir contourner un berceau de bois et de paille.

Sur le bas-côté, feux de détresse allumés.

Au revoir, mon amour.

Le 11 Brunt Street dans le noir.

Coup de frein à réveiller les morts, hors de la Viva verte, et volée de coups de pied dans la porte rouge.

Le 11 Brunt Street par-derrière.

Contourner les maisons, franchir le mur, un couvercle de poubelle dans la fenêtre de la cuisine, retirer les éclats de verre avec ma veste en entrant.

Chérie, je suis revenu.

Le 11 Brunt Street, silence de mort.

À l'intérieur, pensant : quand je te rejoindrai à la maison, je te montrerai de quoi je suis capable. Prenant un couteau dans le tiroir de la cuisine (où j'étais sûr de le trouver).

C'est ce que tu voulais ?

L'escalier raide, raide, la Chambre de Papa et Maman, faisant valser le couvre-pieds, arrachant les tiroirs, déversant les trucs ici et là, maquillage et culottes bon marché, tampons et fausses perles, voyant Geoff le canon de son fusil dans la bouche, pensant : PAS ÉTONNANT, PUTAIN, ta fille morte, ta femme une pute qui se fait baiser par le patron de son frère et d'autres, projetant une chaise dans la glace, PARCE QU'IL NE PEUT PAS Y AVOIR PIRE MALHEUR QUE CE MALHEUR.

Te donnant tout ce que tu as toujours voulu.

Je traversai le palier, ouvris la porte de la chambre de Jeanette.

Silencieuse et froide, la pièce évoquait une église. Je m'assis sur le petit couvre-lit rose, près de la congrégation d'ours en peluche et de poupées, me pris la tête entre les mains, laissai tomber le couteau par terre, le sang qui couvrait mes mains et les larmes qui couvraient mes joues gelées avant de pouvoir rejoindre le couteau.

Pour la première fois, mes prières ne furent pas pour moi, mais pour tous les autres, et je priai pour que toutes les choses qui étaient dans tous mes carnets, sur toutes ces bandes, dans toutes les enveloppes et les sacs qui se trouvaient dans ma chambre, pour que rien de tout ça ne soit vrai, pour que les morts soient vivants et les disparus retrouvés, et pour que toutes ces vies puissent être revécues. Puis je priai pour ma mère et ma sœur, pour mes oncles et mes tantes, pour les amis que j'avais eus, les bons et les mauvais, et enfin pour mon père, où qu'il soit, amen.

Je restai quelques instants assis, la tête baissée, les mains serrées l'une dans l'autre, écoutai les bruits de la maison et de mon cœur, les distinguai.

Au bout d'un moment, je me levai, fermai la porte de la chambre de Jeanette, regagnai la Chambre de Papa et Maman et les dégâts. Je ramassai le couvre-pieds et remis les tiroirs en place, ramassai le maquillage et les sous-vêtements, les tampons et les bijoux, balayai les éclats de verre avec ma chaussure, redressai la chaise.

Je redescendis l'escalier et entrai dans la cuisine, ramassai le couvercle de poubelle, fermai les placards et les portes, remerciai Dieu que personne n'ait appelé les flics. Je mis de l'eau à bouillir dans la bouilloire, préparai une tasse de thé avec beaucoup de lait et cinq cuillerées de sucre débordantes. J'emportai le thé dans la salle de séjour, allumai la télé, regardai les ambulances blanches foncer dans la nuit noire et humide, transporter les victimes de la bombe et de l'explosion ici et là, tandis qu'un père Noël ensanglanté et un responsable de la police se demandaient quel monstre avait bien pu faire ça, si près de Noël.

J'allumai une cigarette, regardai les résultats de football et maudis Leeds United, me demandai quelle rencontre *Match of the Day* choisirait, qui seraient les invités de *Parkinson*.

On frappa à la fenêtre, puis à la porte, et je me figeai soudain, me rappelai où j'étais et ce que j'avais fait.

— Qui est-ce ? dis-je, debout au milieu de la pièce.

— C'est Clare. Qui est là ?

— Clare ?

J'ouvris la serrure et tirai la porte, le cœur battant à cent trente à l'heure.

— Ah, c'est vous, Eddie.

Un cœur qui s'arrête net.

– Ouais.

Scotch Clare dit :

– Paula est là ?

– Non.

– Ah, bon. J'ai vu la lumière et j'ai cru qu'elle était rentrée. Désolée, fit Scotch Clare, souriante, les paupières plissées à cause de la lumière.

– Non, elle n'est pas rentrée, désolé.

– Ça ne fait rien. Je la verrai demain.

– Ouais. Je le lui dirai.

– Ça va, mon chou ?

– Bien.

– Très bien, salut.

– Bonsoir, dis-je, le souffle rapide et court quand je refermai la porte.

Scotch Clare dit quelque chose que je ne saisis pas, puis ses pas s'éloignèrent dans la rue.

Je m'assis sur le canapé et regardai fixement les photos de Jeanette posées sur la télé. Il y avait deux cartes près d'elles, la première représentant une forêt enneigée, l'autre blanc uni.

Je sortis de ma poche l'invitation envoyée par Donald Foster à Johnny Kelly et m'approchai de la télévision.

J'éteignis Max Wall et Emerson Fittipaldi et sortis à nouveau dans la nuit silencieuse.

Surprise.

Retour parmi les grosses villas.

Woodlane, Sandal, Wakefield.

La rue était bordée de voitures en stationnement. Je me frayai un chemin parmi les Jag, les Rover, les Mercedes et les BM.

Trinity View, dans la lumière des projecteurs, décorée pour la réception.

Un sapin de Noël énorme se dressait sur la pelouse, couvert de guirlandes lumineuses et de décorations.

Je montai l'allée en direction de la réception, suivant les accents concurrents de Johnny Mathis et de Rod Stewart.

La porte était ouverte, cette fois, et je restai un moment sur le seuil, regardai des femmes en robe longue aller d'une pièce à l'autre, des assiettes en carton pleines de nourriture entre les mains, faire la queue dans l'escalier pour accéder aux toilettes, tandis que les hommes en smoking de velours étaient immobiles, avec des verres de scotch et de gros cigares.

Par la porte de gauche, je vis Mme Patricia Foster, sans sa minerve, remplir les verres de colosses rougeauds.

J'entrai dans la pièce et dis :

– Je cherche Paula.

Silence de mort.

Mme Foster ouvrit la bouche mais ne dit rien, ses yeux d'aigle scrutant la pièce.

– Voulez-vous faire un tour dehors, mon garçon ? dit une voix, derrière moi.

Je pivotai sur moi-même et me trouvai face au visage souriant de Don Foster.

– Je cherche Paula.

– J'ai compris. Allons parler de ça dehors.

Deux colosses moustachus se tenaient derrière Foster, tous les trois en smoking et nœud papillon, chemise à jabot.

– Je suis venu voir Paula.

– Vous n'êtes pas invité. Sortons.

– Putain de joyeux Noël de la part de Johnny Kelly, dis-je, fourrant l'invitation de Kelly sous le nez de Foster.

Foster adressa un bref regard à sa femme, puis se tourna légèrement vers un des deux hommes et marmonna :

– Dehors.

Un des hommes se dirigea vers moi. Je levai les mains en signe de capitulation et pris la direction de la porte.

Sur le seuil, pivotant sur moi-même, je dis :

– Merci pour la carte de Noël, Pat.

La femme avala sa salive et fixa la moquette.

Un des hommes me poussa sans brutalité dans le hall d'entrée.

– Tout va bien, Don ? demanda un homme aux cheveux gris et bouclés, le poing plein de scotch.

– Ouais. Ce monsieur partait, dit Foster.

L'homme inclina la tête dans ma direction.

– Je vous connais ?

– Probablement, dis-je. Je travaillais pour ce type qui est là-bas, le barbu.

Ronald Angus, directeur de la police, se retourna et regarda l'intérieur de l'autre pièce, où Bill Hadden, debout, bavardait, le dos à la porte.

– Vraiment ? Très intéressant, dit Angus, qui but une nouvelle gorgée de whisky et rejoignit la réception.

Donald Foster tenait la porte ouverte à mon intention et on me donna une nouvelle poussée, sans brutalité, dans le dos.

Il y eut un éclat de rire, à l'étage ; un rire de femme.

Je sortis de la maison, encadré par les deux hommes, Foster derrière moi. J'envisageai de traverser la pelouse au sprint, de foncer au Golden Fleece, me demandai s'ils tenteraient de m'arrêter devant les invités, compris qu'ils le feraient.

– Où on va ?

– Contentez-vous de marcher, dit un des hommes, celui qui portait une chemise bordeaux.

Nous étions en haut de l'allée et je vis un homme franchir le portail et se diriger vers nous, courant par intermittence.

– Merde, dit Don Foster.

Tout le monde s'arrêta.

Les deux hommes regardèrent Foster, attendant un ordre.

– La loi des séries, marmonna Foster.

Shaw, hors d'haleine, cria :

– Don !

Foster fit quelques pas dans sa direction, les bras écartés, paumes vers le ciel.

– Bill, quel plaisir de te voir.

– Tu as tué mon chien ! Bon sang, tu as tué mon chien.

Shaw secouait la tête, pleurait, tentait de repousser Foster.

Foster le serra dans ses bras, le fit taire.

– Tu as tué mon chien ! hurla Shaw en se dégageant.

Foster le prit à nouveau dans ses bras, fourra sa tête sous la veste de son smoking.

Derrière nous, sur le perron, Mme Foster et quelques invités, debout, frissonnaient.

– Que se passe-t-il, chéri ? demanda-t-elle ; ses dents s'entrechoquaient comme les glaçons dans son verre.

– Rien. Rentrez et amusez-vous.

Ils restèrent sur le perron, figés.

– Allez. C'est Noël, bon sang ! cria Foster, ce putain de père Noël en personne.

– Qui veut danser avec moi ? dit Pat Foster qui, souriante, secoua ses nichons maigres et poussa tout le monde à l'intérieur.

Dancing Machine palpitait dans la maison ; les distractions et les jeux reprirent.

Shaw, debout, sanglotait sous la veste de velours noir de Foster.

Foster soufflait :

– Ce n'est pas le moment, Bill.

– Et lui ? demanda l'homme à la chemise bordeaux.

– Faites-le sortir d'ici.

L'autre homme, qui portait une chemise rouge, me prit par le coude et m'entraîna dans l'allée.

Foster ne releva pas la tête, souffla à l'oreille de Shaw :

– C'est spécial, c'est pour John.

Je passai près d'eux, encadré par les deux hommes.

– Tu es venu en voiture ?

– Ouais.

– Passe-nous tes clés, dit Bordeaux.

J'obéis.

– C'est la tienne ? dit Rouge, qui montra la Viva garée sur le trottoir.

– Ouais.

Les hommes se sourirent.

Bordeaux ouvrit la portière du passager et fit basculer le siège.

– Monte derrière.

Je montai derrière avec Rouge.

Bordeaux se mit au volant et lança le moteur.

– Où on va ?

– Au chantier.

Assis à l'arrière, je me demandai pourquoi je n'avais même pas pris la peine de tenter de fuir, pensai que ça ne serait pas si terrible, que ça ne pouvait pas être pire que le passage à tabac que j'avais subi à la clinique, quand Rouge me balança un tel putain de coup que ma tête fendit le plastique de la vitre latérale.

– Ferme ta gueule, dit-il en riant, puis il me prit par les cheveux et poussa ma tête entre mes genoux.

– S'il était de la jaquette, il t'obligerait à sucer sa queue, cria Bordeaux, devant.

– Mets-nous de la musique, bordel, dit Rouge, sans lâcher ma tête.

Rebel Rebel emplit la voiture.

– Monte le son ! cria Rouge, qui, me tirant par les cheveux, me releva la tête. Sale pédé !

– Il saigne ? cria Bordeaux, par-dessus la musique.

– Pas assez.

Il me poussa contre la vitre, me saisit à la gorge de la main gauche, s'écarta légèrement et me donna des manchettes sur l'arête du nez, faisant jaillir du sang brûlant dans la voiture.

– C'est mieux, dit-il, puis il appuya doucement ma tête contre le plastique fendu.

Je voyais le centre de Wakefield, le samedi précédant Noël, en 1974, le sang chaud coulant de mon nez sur mes lèvres et sur mon menton, pensant : c'est calme pour un samedi soir.

– Il est K.O. ? demanda Bordeaux.

– Oui.

Bowie céda la place à Lulu, Petula, Sandy ou Cilla, *The Little Drummer Boy* se déversa sur moi, tandis que les lumières de la prison remplaçaient les lumières de Noël et que la voiture cahotait sur le terrain vague du chantier de Foster.

– Ici ?

– Pourquoi pas ?

La voiture s'arrêta – *The Little Drummer Boy* disparut.

Bordeaux descendit et fit basculer le siège du conducteur tandis que Rouge me poussait dehors.

– Merde, Mick, il est complètement dans le cirage.

– Ouais, bon, désolé.

J'étais à plat ventre entre eux et je faisais le mort.

– Qu'est-ce qu'on doit faire ? Le laisser là ?

– Foutre non.

– Quoi, alors ?

– S'amuser un peu.

– Pas ce soir, Mick, ça me fait chier.

– Juste un peu, hein ?

Ils me prirent par les bras et me traînèrent sur le sol, si bien que mon pantalon descendit jusqu'à mes genoux.

– Là-dedans ?

– Oui.

Ils me tirèrent de l'autre côté de la bâche, sur le sol d'une maison inachevée, les genoux déchirés par les échardes et les clous.

Ils m'assirent sur une chaise, m'attachèrent les mains dans le dos, baissèrent mon pantalon jusqu'à mes chevilles.

– Approche la voiture et allume les phares.

– Quelqu'un va nous voir.

– Qui ?

L'un d'entre eux sortit et l'autre vint tout près de moi. Il glissa la main sous mon caleçon.

– Il paraît que tu aimes baiser, dit Bordeaux, qui me serra les couilles.

J'entendis le moteur de la voiture, puis de la lumière et *Kung-Fu Fighting* emplirent soudain la pièce.

– Finissons-en, dit Bordeaux.

– Joe Bugner, dit un coup de poing dans le ventre.

– Coon Conteh ! dit un deuxième.

– Cet enfoiré de George Foreman, dit un coup à la mâchoire.

– Ali le Traîne-savate.

Un silence, moi dans l'attente, puis un à gauche et un à droite.

– Ce con de Bruce Lee !

Je basculai violemment en arrière, sur la chaise, la poitrine explosée.

– Sale pédé, dit Bordeaux, qui se pencha et me cracha au visage.

– On devrait enterrer ce putain de connard.

Bordeaux riait :

– Vaut mieux pas toucher aux fondations de George.

– Je hais ces putains de fumiers d'intellectuels.

– Laisse-le. Partons.

– C'est tout ?

– Rien à foutre, rentrons.

– On prend sa voiture ?

– On trouvera un taxi à Westgate.

– Bordel de Dieu !

Un coup de pied dans la nuque.

Un pied sur ma main droite.

Extinction des feux.

Le froid me fit reprendre connaissance.

Tout était d'un noir d'encre et bordé de violet.

J'éloignai la chaise d'un coup de pied et libérai mes mains liées.

Je m'assis, en caleçon, sur le plancher, la tête molle, le corps à vif.

Je tendis la main, tirai mon pantalon jusqu'à moi. Il était mouillé et sentait la pisse de quelqu'un d'autre.

Je l'enfilai sans quitter mes chaussures.

Lentement, je me levai.

Je retombai une fois, puis sortis de la maison inachevée.

La voiture était dans le noir, portières fermées.

Je tentai d'ouvrir les deux portières.

Fermées à clé.

Je ramassai un morceau de brique, m'approchai de la vitre du passager, la cassai avec la brique.

Je glissai la main à l'intérieur et déverrouillai.

J'ouvris la portière, pris la brique, cassai la serrure de la boîte à gants.

J'en sortis des cartes, des chiffons humides et une clé de rechange.

Je gagnai la portière du conducteur, l'ouvris et montai.

Assis dans la voiture, les yeux fixés sur les maisons noires et vides, je me souvins du meilleur match auquel j'avais assisté avec mon père.

Huddersfield contre Everton. Huddersfield obtint un coup franc à la limite de la surface d'Everton. Vic Metcalfe le tire, le ballon contourne le mur, Jimmy Glazzard, de la tête, le met au fond. But. L'arbitre le refuse, j'oublie pourquoi, dit qu'il faut recommencer. Metcalfe tire à nouveau, la balle contourne le mur, Glazzard la met au fond, de la tête. But. Tout le public plié de rire.

8 à 2, putain.

– La presse va s'en donner à cœur joie. Elle va les enterrer, bon sang, dit mon père en riant.

Je lançai le moteur et regagnai Ossett.

Dans l'allée de Wesley Street, je jetai un coup d'œil sur la montre de mon père.

Elle avait disparu.

Il devait être aux environs de trois heures du matin.

Merde, pensai-je en ouvrant la porte du jardin. Il y avait de la lumière dans la pièce de derrière.

Merde, il faudrait au moins que je dise bonsoir. M'en débarrasser.

Elle était dans le rocking-chair, habillée, et dormait.

Je fermai la porte et gravis l'escalier, marche après marche.

Allongé sur le lit, dans mes vêtements qui puaient la pisse, je regardai le poster de Peter Lorimer dans le noir, pensai que ça aurait brisé le cœur de mon père.

À cent trente à l'heure.

TROISIÈME PARTIE

Nous sommes les morts

10

Dimanche 22 décembre 1974.

À cinq heures du matin, dix policiers, sous les ordres du superintendant Noble, défoncèrent la porte de la maison de ma mère à coups de masse, la giflèrent quand elle sortit dans le couloir et la repoussèrent dans la pièce, se précipitèrent dans l'escalier le fusil à la main, me tirèrent hors du lit, m'arrachèrent des poignées de cheveux, me donnèrent des coups de pied qui me firent rouler dans l'escalier, me rouèrent de coups de poing quand j'arrivai en bas, me traînèrent dehors, sur le goudron puis à l'arrière d'une camionnette noire.

Ils claquèrent les portières et démarrèrent.

À l'arrière de la camionnette, ils me tabassèrent jusqu'à ce que je perde connaissance, puis me giflèrent et urinèrent sur moi jusqu'au moment où je repris conscience.

Quand la camionnette s'arrêta, le superintendant Noble ouvrit la porte arrière, me prit par les cheveux pour me faire descendre, me traîna sur toute la longueur du parking situé derrière le commissariat de Wakefield, dans Wood Street.

Deux agents en uniforme me tirèrent par les pieds sur les marches, puis à l'intérieur du commissariat, où les couloirs étaient bordés de corps noirs qui donnaient des coups de poing, donnaient des coups de pied et crachaient, tandis qu'on me traînait interminablement, par les talons, d'un bout à l'autre des couloirs jaunes.

Ils firent des photos, me déshabillèrent, coupèrent le pansement de ma main droite, firent de nouvelles photos puis prirent mes empreintes digitales.

Un médecin pakistanais me braqua une torche dans les yeux, passa une spatule dans ma bouche, gratta sous mes ongles.

On me conduisit, nu, dans une salle d'interrogatoire de trois mètres sur deux, éclairée au néon et sans fenêtre ; on me fit asseoir derrière une table et on me menotta les mains dans le dos.

Puis on me laissa seul.

Un peu plus tard, on ouvrit la porte et on me lança un seau de pisse et de merde au visage.

Puis on me laissa à nouveau seul.

Un peu plus tard, on ouvrit à nouveau la porte et on braqua un jet d'eau glacée sur moi, jusqu'au moment où, sur la chaise, je basculai en arrière.

Puis on me laissa seul, allongé sur le sol, menotté à la chaise.

J'entendais des hurlements dans une pièce voisine.

Les hurlements continuèrent pendant ce qui me sembla être une heure, puis cessèrent.

Silence.

Allongé par terre, j'écoutai le bourdonnement des néons.

Un peu plus tard, la porte s'ouvrit et deux colosses en costume bien coupé, apportant des chaises, entrèrent.

Ils ouvrirent mes menottes et redressèrent ma chaise.

Le premier portait des rouflaquettes et la moustache, avait une quarantaine d'années. Le deuxième avait de fins cheveux blond cendré et son souffle sentait le vomi.

Blond Cendré dit :

– Assieds-toi et pose les mains à plat sur la table.

Je m'assis et obéis.

Blond Cendré lança les menottes à Moustache et s'assit face à moi.

Moustache alla faire les cent pas derrière moi, jouant avec les menottes.

Je regardai ma main droite, à plat sur la table, quatre doigts n'en formant qu'un, des centaines de nuances de jaune et de rouge.

Moustache s'assit et me dévisagea, les menottes glissées sur sa main comme un coup-de-poing américain.

Soudain, il se leva d'un bond et abattit le poing qui serrait les menottes sur ma main droite.

Je hurlai.

– Remets tes mains.

Je les posai sur la table.

– À plat.

Je tentai de les mettre à plat.

– Moche.

– Tu devrais faire examiner ça.

Moustache, assis face à moi, souriait.

Blond Cendré se leva et sortit de la pièce.

Moustache resta silencieux, se contenta de sourire.

Du sang et du pus s'écoulaient de ma main.

Blond Cendré revint avec une couverture qu'il posa sur mes épaules.

Il s'assit, sortit un paquet de JPS, en offrit une à Moustache.

Moustache sortit un briquet et ils allumèrent leurs cigarettes.

Ils s'appuyèrent contre le dossier de leurs chaises et soufflèrent leur fumée sur moi.

Mes mains se mirent à trembler.

Moustache se pencha, plaça la cigarette au-dessus de ma main droite, la fit rouler entre deux doigts.

Je reculai légèrement ma main. Soudain il se pencha, saisit mon poignet droit dans une main et, de l'autre, écrasa la cigarette sur le dos de ma main.

Je hurlai.

Il lâcha mon poignet et s'appuya contre le dossier de sa chaise.

– Remets tes mains en place.

Je les posai à nouveau sur la table.

Ma peau brûlée empestait.

– Une autre ? fit Blond Cendré.

– Ça ne t'ennuie pas ? dit-il, prenant une nouvelle JPS.

Il alluma la cigarette et me dévisagea.

Il se pencha et fit aller et venir la cigarette au-dessus de ma main.

Je me levai.

– Qu'est-ce que vous voulez ?

– Assis.

– Dites-moi ce que vous voulez !

– Assis.

Je m'assis.

Ils se levèrent.

– Debout.

Je me levai.

– Regarde devant toi.

J'entendis des aboiements.

Je me tassai sur moi-même.

– Immobile.

Ils placèrent les chaises et la table contre le mur puis sortirent.

Je restai debout au centre de la pièce, fixant le mur blanc, immobile.

J'entendais des hurlements et des aboiements dans une autre pièce.

Les hurlements et les aboiements continuèrent pendant ce qui me parut être une heure, puis cessèrent.

Silence.

Debout au centre de la pièce, j'avais envie de pisser et j'écoutais le bourdonnement des néons.

Un peu plus tard, la porte s'ouvrit et deux colosses en costume de bonne qualité entrèrent.

Le premier avait une cinquantaine d'années, les cheveux gris, gominés et coiffés en arrière. Le deuxième était plus jeune, avait les cheveux châtains et une cravate orange.

Ils sentaient l'alcool.

Gris et Châtain tournèrent autour de moi en silence.

Puis Gris et Châtain remirent les chaises et la table au centre de la pièce.

Gris plaça une chaise derrière moi.

– Assieds-toi.

Je m'assis.

Gris ramassa la couverture qui était tombée par terre et la posa sur mes épaules.

– Pose les mains à plat sur la table, dit Châtain, qui alluma une cigarette.

– S'il vous plaît, dites-moi ce que vous voulez.

– Pose les mains à plat.

J'obéis.

Châtain s'assit face à moi, tandis que Gris faisait les cent pas dans la pièce.

Châtain posa un pistolet sur la table, entre nous, et sourit.

Gris s'arrêta derrière moi.

– Regarde devant toi.

Soudain, Châtain se leva d'un bond et immobilisa mes poignets, tandis que Gris saisissait la couverture et l'enroulait autour de ma tête.

Je glissai sur le sol, toussant et hoquetant, dans l'incapacité de respirer.

345

Ils ne lâchèrent pas mes poignets, laissèrent la couverture autour de ma tête.

J'étais à genoux par terre, toussais et hoquetais, incapable de respirer.

Soudain, Châtain libéra mes poignets et je pivotai, toujours sous la couverture, heurtai le mur.

Crac.

Gris retira la couverture, me prit par les cheveux, me fit lever, face au mur.

– Retourne-toi et regarde droit devant toi.

Je me retournai.

Châtain avait le pistolet dans la main droite et Gris avait des cartouches qu'il lançait et rattrapait.

– Le patron dit qu'on peut le buter.

Châtain, les bras tendus, tenant le pistolet à deux mains, le braqua sur ma tête.

Je fermai les yeux.

Il y eut un clic, rien de plus.

– Merde.

Châtain tourna le dos, tripota le pistolet.

De la pisse coulait le long de ma jambe.

– C'est réparé. Ça va marcher, cette fois.

Châtain braqua une nouvelle fois le pistolet.

Je fermai les yeux.

Il y eut une détonation.

Je crus que j'étais mort.

J'ouvris les yeux et vis le pistolet.

Des lambeaux de tissu noir sortaient du canon, voletaient jusqu'au sol.

Châtain et Gris riaient.

– Qu'est-ce que vous voulez ?

Gris avança et me balança un coup de pied dans les couilles.

Je tombai.

– Qu'est-ce que vous voulez ?

– Debout.

Je me levai.

– Sur la pointe des pieds.

– Je vous en prie, dites-le-moi.

Gris avança à nouveau et me balança un coup de pied dans les couilles. Je tombai.

Châtain approcha, me donna un coup de pied dans la poitrine, puis me menotta les mains dans le dos, pressa mon visage contre le plancher.

– Tu n'aimes pas les chiens, hein, Eddie ?

J'avalai ma salive.

– Qu'est-ce que vous voulez ?

La porte s'ouvrit et un agent en uniforme entra, un berger allemand en laisse.

Gris me prit par les cheveux et me fit lever la tête.

Le chien me dévisageait, le souffle court, la langue pendante.

– Attaque, attaque.

Le chien se mit à gronder, aboyer, tirer sur la laisse.

Gris poussa ma tête dans sa direction.

– Il est affamé.

– Il n'y a pas que lui.

– Attention.

Le chien approchait.

Je me débattis, criai, tentai de me dégager.

Gris me poussa plus près.

Je voyais ses gencives, je voyais ses dents, je sentais l'odeur de son souffle, je sentais son souffle.

Le chien grondait, aboyait, tirait sur sa laisse.

De la merde sortit de mon trou du cul.

De la salive de chien m'éclaboussa le visage.

Tout devint noir.

– Dites-moi ce que j'ai fait.

– Répète.

Le chien était à quelques centimètres.

Je fermai les yeux.

– Dites-moi ce que j'ai fait.

– Répète.

– Dites-moi ce que j'ai fait.
– Brave petit.
Tout était noir et le chien était parti.

J'ouvris les yeux.
Le superintendant Noble était assis de l'autre côté de la table qui se trouvait face à moi.
J'étais nu, tremblant de froid, assis dans ma merde.
Le superintendant Noble alluma une cigarette.
Je me tassai sur moi-même.
– Pourquoi?
Mes yeux s'emplirent de larmes.
– Pourquoi as-tu fait ça?
– Je regrette.
– C'est bien.
Le superintendant Noble me donna sa cigarette.
Je la pris.
Il en alluma une autre.
– Dis-moi simplement pourquoi?
– Je ne sais pas.
– Faut-il que je t'aide?
– Oui.
– Oui qui?
– Oui, monsieur le superintendant.
– Elle te plaisait, exact?
– Oui, monsieur le superintendant.
– Elle te plaisait vachement, hein?
– Oui, monsieur le superintendant.
– Mais elle ne voulait rien savoir, hein?
– Non, monsieur le superintendant.
– Qu'est-ce qu'elle voulait?
– Elle ne voulait rien savoir.
– Elle n'en avait pas la moindre envie, hein?
– Non, monsieur le superintendant.
– Mais tu as tout de même pris ce que tu voulais, hein?

– Oui, monsieur le superintendant.
– Qu'est-ce que tu as pris ?
– J'ai pris ce que je voulais.
– Tu as pris sa chatte, hein ?
– Oui, monsieur le superintendant.
– Tu as pris sa bouche, hein ?
– Oui, monsieur le superintendant.
– Tu as pris son cul, hein ?
– Oui, monsieur le superintendant.
– Qu'est-ce que tu as fait ?
– J'ai pris sa chatte.
– Et ?
– J'ai pris sa bouche.
– Et ?
– J'ai pris son cul.
– Tu ne pensais qu'à toi, hein ?
– Oui, monsieur le superintendant.
– Mais elle refusait de la fermer, hein ?
– Oui, monsieur le superintendant.
– Et ensuite ?
– Elle refusait de la fermer.
– Elle a dit qu'elle allait avertir la police, hein ?
– Oui, monsieur le superintendant.
– Qu'est-ce qu'elle a dit ?
– Elle a dit qu'elle allait avertir la police.
– Ce n'était pas acceptable, hein ?
– Non, monsieur le superintendant.
– Donc, il a fallu que tu la fasses taire, hein ?
– Oui, monsieur le superintendant.
– Tu l'as étranglée, hein ?
– Oui, monsieur le superintendant.
– Qu'est-ce que tu as fait ?
– Je l'ai étranglée.
– Mais elle te regardait toujours, hein ?
– Oui, monsieur le superintendant.
– Donc tu lui as coupé les cheveux, hein ?
– Oui, monsieur le superintendant.

– Qu'est-ce que tu as fait ?
– Je lui ai coupé les cheveux.
– Pourquoi ?
– Je lui ai coupé les cheveux.
Le superintendant Noble me prit la cigarette.
– Parce qu'elle te regardait toujours, hein ?
– Oui, monsieur le superintendant.
– Alors, qu'est-ce que tu as fait ?
– Je lui ai coupé les cheveux.
– Pourquoi ?
– Parce qu'elle me regardait toujours.
– Brave petit.
Le superintendant Noble écrasa la cigarette sur le plancher.
Il alluma une nouvelle cigarette et me la donna. Je la pris.
– Elle te plaisait, exact ?
– Oui, monsieur le superintendant.
– Mais elle ne voulait rien savoir, hein ?
– Non, monsieur le superintendant.
– Qu'est-ce que tu as fait ?
– J'ai pris ce que je voulais.
– Qu'est-ce que tu as fait ?
– J'ai pris sa chatte.
– Et ?
– J'ai pris sa bouche.
– Et ?
– J'ai pris son cul.
– Et ensuite ?
– Elle refusait de la fermer.
– Qu'est-ce qu'elle disait ?
– Elle disait qu'elle allait avertir la police.
– Qu'est-ce que tu as fait ?
– Je l'ai étranglée.
– Ensuite, qu'est-ce que tu as fait ?
– Je lui ai coupé les cheveux.
– Pourquoi ?

– Elle me regardait toujours.

– Exactement comme l'autre ?

– Oui, monsieur le superintendant.

– Comme quoi ?

– Comme l'autre.

– Tu veux avouer, n'est-ce pas ?

– Oui, monsieur le superintendant.

– Qu'est-ce que tu veux faire ?

– Je veux avouer.

– Brave petit.

Le superintendant Noble se leva.

Puis il me laissa seul.

Un peu plus tard, un agent ouvrit la porte puis me conduisit, dans le couloir jaune, jusqu'à une pièce où il y avait une douche et des toilettes.

L'agent me donna une savonnette et ouvrit l'eau chaude de la douche.

Debout sous la douche chaude, je me lavai des pieds à la tête.

La merde se remit à couler le long de mes jambes.

L'agent ne dit pas un mot.

Il me donna une deuxième savonnette et rouvrit l'eau chaude.

Debout sous la douche, je me lavai une nouvelle fois des pieds à la tête.

L'agent me donna une serviette.

Je m'essuyai.

Puis l'agent me donna une combinaison bleue.

Je la mis.

Ensuite l'agent me conduisit, dans le couloir jaune, jusqu'à une salle d'interrogatoire de deux mètres sur trois, où il y avait quatre chaises et une table.

– Assieds-toi.

J'obéis.

Puis l'agent me laissa seul.

Un peu plus tard, la porte s'ouvrit et trois colosses en costumes bien coupés entrèrent : le superintendant en chef Oldman, le superintendant Noble et l'homme aux cheveux blond cendré.

Ils s'assirent face à moi.

Le superintendant en chef Oldman s'appuya contre le dossier de sa chaise, les bras croisés.

Le superintendant Noble posa deux chemises cartonnées sur la table, feuilleta des documents et de grandes photos en noir et blanc.

Blond Cendré avait un bloc de format A4 sur les genoux.

– Tu veux passer aux aveux, n'est-ce pas ? dit le superintendant en chef Oldman.

– Oui, monsieur le superintendant.

– Vas-y.

Silence.

Assis sur la chaise, j'écoutais le bourdonnement des néons.

– Elle te plaisait, exact ? dit le superintendant Noble, qui donna une photo à son patron.

– Oui, monsieur le superintendant.

– Quoi ?

– Elle me plaisait.

Blond Cendré se mit à écrire.

Le superintendant en chef Oldman regardait la photo et souriait.

– Continue, dit-il.

– Elle ne voulait rien savoir.

Le superintendant en chef Oldman leva la tête et me regarda.

– Et alors ? dit le superintendant Noble.

– J'ai fait ce que je voulais.

– Qu'est-ce que tu as fait ? demanda Oldman.

– J'ai pris sa chatte.

– Et ? dit Noble, qui donna une deuxième photo à Oldman.

– J'ai pris sa bouche.

– Et ?

– J'ai pris son cul.

– Qu'est-ce qui s'est passé ensuite ?

– Elle ne voulait pas la fermer.

– Qu'est-ce qu'elle disait ?

– Elle disait qu'elle allait avertir la police.

– Qu'est-ce que tu as fait ?

Noble donna une troisième photo à Oldman.

– Je l'ai étranglée.

– Qu'est-ce que tu as fait ensuite ?

– Je lui ai coupé les cheveux.

Le superintendant en chef Oldman, qui regardait la photo, leva la tête.

– Pourquoi ?

– Elle ne voulait pas cesser de me regarder.

– Comme l'autre ? dit le superintendant Noble, qui ouvrit la deuxième chemise cartonnée et donna d'autres photos à Oldman.

– Exactement comme l'autre, dis-je.

Le superintendant Oldman examina rapidement les photos, puis les rendit à Noble.

Oldman s'appuya contre le dossier de sa chaise, les bras croisés, et adressa un signe de tête à Blond Cendré.

Les yeux fixés sur le bloc, Blond Cendré se mit à lire : « Elle me plaisait mais elle ne voulait rien savoir, donc j'ai fait ce que je voulais. J'ai pris sa chatte, sa bouche et son cul. Elle ne voulait pas la fermer. Elle disait qu'elle allait avertir la police, donc je l'ai étranglée. Ensuite, je lui ai coupé les cheveux, parce qu'elle ne voulait pas cesser de me regarder. Exactement comme l'autre. »

Le superintendant en chef Oldman se leva et dit :

– Edward Leslie Dunford, tu es accusé première-ment d'avoir violé puis tué Mme Mandy Denizili, aux environs du 17 décembre 1974, dans l'appartement 5 du 28, Blenheim Road, Wakefield. Deuxièmement, tu es accusé d'avoir violé puis tué

Mme Paula Garland, du 11 Brunt Street, Castleford, aux environs du 21 décembre 1974.

Silence.

Le superintendant Noble et Blond Cendré se levèrent.

Les trois hommes sortirent et je crois que je me mis à pleurer.

Un peu plus tard, un agent ouvrit la porte et m'entraîna dans le couloir jaune.

Par une porte ouverte je vis, dans une autre pièce, Scotch Clare, la voisine. Elle me dévisagea, la bouche ouverte.

L'agent m'entraîna dans un autre couloir jaune, jusqu'à une cellule aux murs en pierre.

Au-dessus de la porte, il y avait une corde.

– Entre.

J'obéis.

Sur le plancher de la cellule, il y avait un gobelet de thé et un quart de tourte au porc sur une assiette en carton.

Il ferma la porte.

Tout était noir.

Je m'assis par terre, renversai involontairement le thé d'un coup de pied.

Je finis par trouver la tourte au porc et en grignotai un peu.

Je fermai les yeux.

Un peu plus tard, deux agents ouvrirent la porte puis lancèrent un ballot de vêtements et des chaussures dans la cellule.

– Mets ça.

J'obéis.

C'étaient mes vêtements et mes chaussures, puant la pisse et couverts de boue.

– Les mains dans le dos.

J'obéis.

Un agent entra dans la cellule et me passa les menottes.

– Cagoule-le.

L'agent posa une couverture sur ma tête.

– Avance.

L'agent me poussa.

Je fis un pas.

Ils me saisirent soudain sous les aisselles et m'entraînèrent. Sous la couverture, je ne voyais que du jaune.

– Laissez-le-moi un peu. Putain, je n'ai pas encore pu le toucher.

– Emmenez-le.

Puis ma tête heurta plusieurs portes et je fus dehors.

Je tombai.

Ils me redressèrent.

J'eus l'impression que j'étais dans une camionnette.

Des portières claquèrent et un moteur démarra.

J'étais toujours sous la couverture, mais à l'arrière d'une camionnette, en compagnie de deux ou trois hommes.

– Putain de salaud.

– Faudrait pas qu'il s'endorme, là-dessous.

Je reçus un coup à la tête.

– T'en fais pas, je vais y veiller.

– Putain de salaud.

Nouveau coup.

– Lève ta putain de tête.

– Putain de salaud.

Je sentis de la fumée de cigarette.

– Il s'est mis à table, putain j'en reviens pas.

– Je sais, putain de salaud.

Je reçus un coup de pied sur le tibia.

– Faudrait lui arracher ses putains de couilles.

– Putain de salaud de violeur.

Je me figeai.

– Lui faire ce qu'on a fait à l'autre.

– Oui, putains de salauds, ces deux-là.

L'arrière de ma tête heurta la paroi de la camionnette.

– Putain de salaud !

– Pourquoi pas ici ?

On frappa contre la carrosserie.

– Retire la cagoule de ce putain de salaud.

– Ici ?

Il fit soudain plus froid dans la camionnette.

Ils retirèrent la couverture.

J'étais seul avec Moustache, Gris et Châtain.

Les portières arrière de la camionnette étaient ouvertes.

Je vis que le jour se levait.

– Retire les menottes de ce putain de salaud.

Moustache me prit par les cheveux, me fit pencher en avant et ouvrit les menottes.

Les champs plats et bruns défilaient à toute vitesse.

Châtain s'accroupit face à moi.

– C'est parti.

Il sortit un revolver.

– Ouvre la bouche.

Je vis Paula nue, à plat ventre sur son lit, la chatte et le cul en sang, sans cheveux.

– Ouvre la bouche !

J'ouvris la bouche.

Il fourra le canon dans ma bouche.

– Je vais te faire sauter ta putain de tête.

Je fermai les yeux.

Il y eut un déclic.

J'ouvris les yeux.

Il retira l'arme de ma bouche.

– Ce putain de truc déconne, dit-il en riant.

– Ce putain de salaud a de la chance, dit Moustache.

– Faut en finir, dit Gris.

– Je vais réessayer.

Je sentais l'air, le froid, les champs derrière moi.

– Ouvre la bouche.

Je vis Paula nue, à plat ventre sur son lit, la chatte et le cul en sang, sans cheveux.

J'ouvris la bouche.

Châtain me fourra une nouvelle fois le canon dans la bouche.

Je fermai les yeux.

Il y eut un déclic.

– Ce putain de salaud doit avoir un ange gardien.

J'ouvris les yeux.

Il retira l'arme de ma bouche.

– Jamais deux sans trois, hein ?

– Donne-moi ça, dit Moustache, qui s'empara du revolver et écarta Châtain.

Il tenait l'arme par le canon, la brandissait au-dessus de ma tête.

Je vis Paula nue, à plat ventre sur son lit, la chatte et le cul en sang, sans cheveux.

Il abattit l'arme sur ma tête.

– C'EST LE NORD. ON FAIT CE QU'ON VEUT !

Je basculai en arrière, je vis Paula nue, à plat ventre sur son lit, la chatte et le cul en sang, sans cheveux.

11

Nous sautions dans une rivière, main dans la main.

L'eau était froide.

Je lâchai sa main.

J'ouvris les yeux.

C'était comme un matin.

J'étais allongé au bord d'une route, sous la pluie, et Paula était morte.

Je m'assis, la tête en feu, le corps insensible.

Un homme descendait de voiture, un peu plus loin.

Je regardai les champs bruns et vides, tentai de me lever.

L'homme courut jusqu'à moi.

– J'ai failli vous tuer, bon sang !

– Où suis-je ?

– Qu'est-ce qui vous est arrivé ?

Une femme, debout près de la portière côté passager de la voiture, nous regardait.

– J'ai eu un accident. Où suis-je ?

– Dans Doncaster Road. Vous voulez qu'on appelle une ambulance ?

– Non.

– La police ?

– Non.

– Vous avez l'air plutôt amoché.

– Pouvez-vous me conduire quelque part ?

L'homme se tourna vers la femme debout près de la voiture.

– Où ?

– Connaissez-vous le Redbeck, à l'entrée de Wakefield ?

– Ouais, dit-il, se tournant à nouveau vers moi. D'accord.

– Merci.

Je le suivis, lentement, jusqu'à la voiture.

Je montai à l'arrière.

La femme, devant, regardait droit devant elle. Ses cheveux étaient blonds, à peu près de la même teinte que ceux de Paula, mais plus longs.

– Il a eu un accident. On va le déposer, dit l'homme à la femme en lançant le moteur.

La pendule du tableau de bord indiquait six heures.

– Excusez-moi, dis-je, quel jour sommes-nous ?

– Lundi, répondit la femme sans se retourner.

Je regardai les champs bruns et vides.

Lundi 23 décembre 1974.

– Donc, demain, c'est le jour du réveillon ?

– Oui, dit-elle.

L'homme me regardait dans le rétroviseur.

Je me tournai à nouveau vers les champs bruns et vides.

– C'est bon ? demanda l'homme en s'arrêtant devant le Redbeck.

– Ouais. Merci.

– Vous êtes sûr que vous ne voulez pas voir un médecin ?

– Absolument sûr, merci, dis-je en descendant de voiture.

– Eh bien, au revoir, fit l'homme.

– Au revoir et merci beaucoup, dis-je avant de claquer la portière.

La femme regardait toujours droit devant elle quand ils démarrèrent.

Je traversai le parking, parmi les trous plein d'eau de pluie boueuse et d'huile de camion, contournai l'arrière, gagnai les chambres.

La porte de la 27 était légèrement entrouverte.

Je m'immobilisai près du battant, écoutai.

Silence.

Je poussai la porte.

Le sergent Fraser, en uniforme, dormait sur un matelas de documents, de chemises, de cassettes et de photos.

Je fermai la porte.

Il ouvrit les yeux, leva la tête puis se redressa.

– Merde, dit-il, jetant un coup d'œil sur sa montre.

– Ouais.

Il me dévisagea.

– Merde.

– Ouais.

Il alla au lavabo et tira de l'eau.

– Vous devriez vous asseoir, dit-il, s'éloignant du lavabo et tirant le sommier.

Marchant sur les documents et les dossiers, les photos et les cartes, j'allai m'asseoir sur le sommier.

– Qu'est-ce que vous faites ici ?

– Je vais être suspendu.

– Qu'est-ce que vous avez fait ?

– Je vous connais.

– Et alors ?

– Je ne veux pas être suspendu.

J'entendais la pluie tomber, drue, dehors, les camions passer la marche arrière et se garer, les chauffeurs courir à l'abri.

– Comment avez-vous trouvé cet endroit ?

– Je suis policier.

– Vraiment ? fis-je, la tête entre les mains.

– Ouais, vraiment, dit le sergent Fraser, qui quitta sa veste et remonta ses manches.

– Êtes-vous déjà venu ici ?

– Non. Pourquoi ?

– Simple curiosité, dis-je.

Fraser trempa l'unique serviette dans le lavabo, la tordit et me la lança.

Je la posai sur mon visage, la passai dans mes cheveux.

Elle prit la couleur de la rouille.

– Ce n'est pas moi qui les ai tuées.

– Je n'ai pas posé la question.

Fraser ramassa un drap gris, en déchira des bandes.

– Pourquoi m'ont-ils laissé partir ?

– Je ne sais pas.

La pièce devenait noire, la chemise de Fraser grise.

Je me levai.

– Asseyez-vous.

– C'est Foster, hein ?

– Asseyez-vous.

– C'est Don Foster, putain, je le sais.

– Eddie...

– Et ils le savent aussi, hein ?

– Pourquoi Foster ?

Je pris une poignée de paperasses.

– Parce que, dans tout ce merdier, c'est lui le lien.

– Vous croyez que Foster a tué Clare Kemplay ?

– Ouais.

– Pourquoi ?

– Pourquoi pas ?

– Connerie. Et Jeanette Garland et Susan Ridyard ?

– Ouais.

– Mandy Wymer et Paula Garland ?

– Ouais.

– Dans ce cas, pourquoi s'arrêter là? Pourquoi pas Sandra Rivett? Ce n'était peut-être pas Lucan, finalement, c'était peut-être Don Foster. Et la bombe de Birmingham?

– Vous m'emmerdez. Elle est morte. Elles sont toutes mortes.

– Non, mais pourquoi? Pourquoi Don Foster? Vous ne m'avez pas donné une putain de bonne raison.

Je m'assis à nouveau sur le sommier, la tête entre les mains, chambre dans le noir et tout dépourvu de sens.

Fraser me donna deux bandes de drap gris.

Je les enroulai autour de ma main droite et serrai.

– Ils étaient amants.

– Et alors?

– Il faut que je le voie, dis-je.

– Vous allez l'accuser?

– Il y a des choses que je dois lui demander. Des choses qu'il est seul à savoir.

Fraser prit sa veste.

– Je vous conduis.

– Vous serez suspendu.

– Je vous l'ai dit : je serai suspendu de toute façon.

– Donnez-moi seulement les clés.

– Pourquoi le ferais-je?

– Parce que je n'ai que vous.

– Dans ce cas, vous êtes foutu.

– Ouais. Donc laissez-moi faire.

J'eus l'impression qu'il allait dégueuler, mais il me lança ses clés.

– Merci.

– Pas de quoi.

Je gagnai le lavabo, lavai mon visage couvert de sang séché.

– Vous avez vu BJ?

– Non.

– Vous n'êtes pas allé à l'adresse que je vous ai donnée ?

– Je suis allé à l'adresse que vous m'avez donnée.

– Et ?

– Et soit il a mis les voiles, soit il s'est fait coffrer. L'un ou l'autre, bordel.

J'entendis des chiens aboyer et des hommes hurler.

– Il faudrait que je téléphone à ma mère, dis-je.

Le sergent Fraser leva la tête.

– Quoi ?

J'étais debout près de la porte, ses clés à la main.

– Laquelle est-ce ?

– La Maxi jaune, dit-il.

J'ouvris la porte.

– Au revoir.

– Au revoir.

– Merci, dis-je, comme si je devais ne jamais le revoir.

Je fermai la porte de la chambre 27, traversai le parking jusqu'à une Maxi jaune et sale, garée entre deux camions Findus.

Je sortis du parking du Redbeck et allumai la radio : l'IRA avait posé une bombe chez Harrods, la bombe avait manqué M. Heath à quelques minutes près, Aston Martin était en faillite, on avait aperçu Lucan en Rhodésie et un nouveau Mastermind était sorti.

Il était presque huit heures quand je me garai près des hauts murs de Trinity View.

Je descendis de voiture et m'avançai vers le portail.

Il était ouvert, les ampoules blanches du sapin toujours allumées.

Je regardai l'allée, l'autre côté de la pelouse.

– Merde ! criai-je, remontant l'allée en courant.

À mi-chemin, une Rover avait heurté l'arrière d'une Jaguar.

Je m'engageai sur le gazon, glissant sur la rosée froide.

Mme Foster, en manteau de fourrure, était penchée sur quelque chose qui se trouvait sur la pelouse, près de la porte.

Elle hurlait.

Je me saisis d'elle, passai les bras autour d'elle.

Elle tenta de me frapper d'une façon désordonnée, de tous les membres disponibles, tandis que je m'efforçais de l'entraîner vers la maison, loin de ce qu'il y avait sur la pelouse.

Et puis je le vis, je le vis clairement :

Gras et blanc, ligoté avec du fil électrique noir qui passait autour de son cou et liait ses mains dans le dos, vêtu d'un caleçon blanc souillé, plus un cheveu, le crâne rouge et à vif.

– Non, non, non ! hurlait Mme Foster.

Les yeux de son mari était grands ouverts.

Mme Foster, traînées noires laissées par la pluie sur son manteau de fourrure, tenta une nouvelle fois de se précipiter vers le cadavre.

Je l'en empêchai brutalement, les yeux toujours fixés sur Donald Foster, sur les jambes blanches et flasques couvertes de boue, les genoux barbouillés de sang, les brûlures triangulaires dans son dos, le crâne rouge.

– Entrez, criai-je, la serrant fort, la poussant à l'intérieur.

– Non, couvrez-le.

– Madame Foster, je vous en prie...

– S'il vous plaît, couvrez-le ! cria-t-elle, se débarrassant de son manteau.

Nous étions à l'intérieur, au pied de l'escalier.

Je la fis asseoir sur la première marche.

– Ne bougez pas.

Je pris le manteau de fourrure et retournai dehors.

Je posai le manteau mouillé sur Donald Foster.

Je regagnai l'intérieur.

Mme Foster était toujours sur la première marche.

Dans la salle de séjour, je trouvai une carafe en cristal et servis deux scotchs.

– Où étiez-vous ?

Je lui donnai un verre bien tassé.

– Avec Johnny.

– Où est Johnny ?

– Je ne sais pas.

– Qui a fait ça ?

Elle leva la tête.

– Je ne sais pas.

– Johnny ?

– Mon Dieu, non.

– Qui, alors ?

– Je vous l'ai dit : je ne sais pas.

– Qui avez-vous renversé, l'autre soir, dans Dewsbury Road ?

– Quoi ?

– Qui avez-vous renversé dans Dewsbury Road ?

– Pourquoi ?

– Répondez.

– Dites-moi pourquoi, pourquoi ça a de l'importance maintenant.

Tombant, tâtonnant, me cramponnant. Comme si les morts étaient vivants et les vivants morts, disant :

– Parce que la personne que vous avez renversée, je crois qu'elle a tué Clare Kemplay, et que, si elle a tué Clare, elle a tué Susan Ridyard et que, quelle qu'elle soit, elle a tué Jeanette Garland.

– Jeanette Garland ?

– Ouais.

Ses yeux d'aigle s'étaient soudain envolés et je fixais de grands yeux noirs de panda, pleins de larmes et de secrets, de secrets qu'elle ne pouvait garder.

Je montrai l'extérieur.

– Est-ce que c'était lui ?

– Non, mon Dieu, non.

– Alors qui était-ce ?

– Je ne sais pas.

Ses lèvres et ses mains tremblaient.

– Vous le savez.

Le verre glissait entre ses mains, répandait du whisky sur sa robe et sur l'escalier.

– Je ne sais pas.

– Si, vous savez, crachai-je, puis je regardai une nouvelle fois le corps, dans l'encadrement de la porte, en compagnie de cet énorme putain de sapin de Noël.

Je fermai le poing autant que possible, levai le bras.

– Répondez !

– La touchez pas, bordel !

Johnny Kelly était en haut de l'escalier, couvert de sang et de boue, un marteau dans sa main valide.

Patricia Foster, complètement repliée sur elle-même, ne leva même pas la tête.

Je reculai jusqu'à la porte.

– Vous l'avez tué ?

– Il a tué Paula et Jeanie.

J'aurais voulu qu'il ait raison, savais qu'il avait tort, dis :

– Non.

– Qu'est-ce que vous en savez ?

Kelly s'engagea dans l'escalier.

– Est-ce que vous l'avez tué ?

Il descendait l'escalier, me regardait fixement, des larmes dans les yeux et sur les joues, le marteau à la main.

366

Je reculai à nouveau d'un pas, voyant foutrement trop de ces larmes.

– Je sais que vous ne l'avez pas fait.

Il continua de descendre et ses larmes de couler.

– Johnny, je sais que vous avez mal agi, que vous avez fait des choses terribles, mais vous n'avez pas fait ça.

Il s'arrêta en bas de l'escalier, le marteau à deux centimètres de la chevelure de Mme Foster.

Je me dirigeai vers lui.

Il lâcha le marteau.

J'allai le ramasser, l'essuyai avec un mouchoir sale et gris, comme les voyous et les flics pourris de *Kojak*.

Kelly fixait les cheveux de Mme Foster.

Je lâchai le marteau.

Il se mit à caresser ses cheveux, de plus en plus rudement, du sang qui n'était pas le sien emmêlant et nouant les boucles.

Elle ne broncha pas.

J'éloignai Kelly.

Je n'avais pas envie d'en savoir plus ; j'avais envie d'acheter de la drogue, d'acheter à boire et de foutre le camp.

Il me regarda dans les yeux et dit :

– Vous devriez partir.

Mais c'était impossible.

– Vous aussi, dis-je.

– Ils vous tueront.

– Johnny, dis-je, le prenant par l'épaule, qui avez-vous renversé dans Dewsbury Road ?

– Ils vous tueront. Vous serez le prochain.

– Qui était-ce ?

Je le poussai contre le mur.

Il ne répondit pas.

– Vous connaissez le coupable, hein ? Vous savez qui a tué Jeanette et les deux autres ?

Il montra l'extérieur.

– C'est lui.

Je frappai Kelly, fort. Vague de douleur pure, étoiles filantes dans les yeux.

La vedette de la Ligue de rugby s'effondra sur la moquette.

– Allez vous faire foutre.

– Vous-même !

J'étais penché sur lui, prêt à lui ouvrir le crâne pour en sortir tous les sales putains de petits secrets.

Il était par terre aux pieds de Mme Foster, regardant de bas en haut comme lorsqu'il avait dix ans, et elle, elle se balançait d'avant en arrière comme si tout ça passait à la télé.

– Dites-le-moi !

– C'est lui, gémit-il.

– Vous êtes un putain de menteur.

Je tendis la main derrière moi, saisis le marteau. Kelly échappa à l'étreinte de mes jambes, rampa sur une tache de whisky, en direction de la porte.

– Vous voulez que ce soit lui.

– Non.

Je le saisis par le col, tournai son visage vers le mien.

– Vous voulez que ce soit lui. Vous voulez que ça soit aussi facile que ça.

– C'est lui, c'est lui.

– Ce n'est pas lui et vous le savez.

– Non.

– Vous voulez votre putain de vengeance, alors dites-moi qui c'était, ce soir-là.

– Non, non, non.

– Vous ne ferez rien, donc dites-le-moi, bordel, ou je vous défonce le crâne.

Il repoussait mon visage de ses mains.

– C'est fini.

– Vous voulez que ce soit lui pour que ce soit fini. Mais vous savez que ce n'est pas fini, dis-je, abattant le marteau sur le flanc de l'escalier.

Elle sanglotait.

Il sanglotait.

Je sanglotais.

– Ça ne sera pas fini tant que vous ne m'aurez pas dit qui vous avez renversé.

– Non !

– Ce n'est pas fini.

– Non !

– Ce n'est pas fini !

– Non !

– Ce n'est pas fini, Johnny.

Il toussait des larmes et de la bile.

– Si !

– Tu vas me le dire, sac de merde.

– Je ne peux pas.

Je vis la lune de jour, le soleil de nuit, moi la baisant, elle le baisant, le visage de Jeanette sur chacun des corps.

Je le tenais par la gorge et par les cheveux, le marteau dans ma main bandée.

– Tu sautais ta sœur.

– Non.

– C'était toi, le père de Jeanette, hein ?

– Non !

– Tu étais son père.

Ses lèvres bougèrent, des bulles de salive sanglante éclatèrent dessus.

Je me penchai sur lui.

Derrière moi, elle dit :

– George Marsh.

Je pivotai sur moi-même, tendis le bras et l'attirai près de nous.

– Répétez.

– George Marsh, souffla-t-elle.

– Et alors ?

– Dans Dewsbury Road. C'était George Marsh.

– George Marsh ?

– Un des contremaîtres de Donny.

Sous ces jolies moquettes neuves, dans les fissures et entre les pierres.

– Où est-il ?

– Je ne sais pas.

Je les lâchai et me levai, le hall d'entrée soudain plus grand et plus lumineux.

Je fermai les yeux.

J'entendis le marteau tomber, Kelly claquer des dents, puis tout redevint petit et obscur.

Je me dirigeai vers le téléphone et pris l'annuaire. Je cherchai Marsh et trouvai G. Marsh. Il y en avait un à Netherton, 16, Maple Well Drive. Le numéro de téléphone était le 3657. Je fermai l'annuaire.

Je pris le répertoire à motif floral et l'ouvris à M.

Au stylo plume : *George 3657.*

Gagné.

Je fermai le répertoire.

Johnny Kelly se tenait la tête entre les mains.

Mme Foster me regardait.

Sous ces jolies maisons neuves, dans les fissures et entre les pierres.

– Depuis combien de temps saviez-vous ?

Les yeux d'aigle étaient de retour.

– Je ne savais pas, dit-elle.

– Menteuse.

Mme Patricia Foster avala sa salive.

– Et nous ?

– Comment ça, vous ?

– Qu'est-ce que vous allez faire ?

– Prier Dieu pour qu'il vous pardonne, bande de salauds.

Je me dirigeai vers la porte et le cadavre de Donald Foster.

– Où allez-vous ?

– Terminer le travail.

Johnny Kelly leva la tête, empreintes digitales de sang sur le visage.

– Il est trop tard.

Je laissai la porte ouverte.

Sous ces jolies moquettes neuves, dans les fissures et entre les pierres.

Au volant de la Maxi de Fraser, je retournai à Wakefield, puis continuai en direction de Hobrury, la pluie se muant en neige fondue.

Je chantais en même temps que les chants de Noël que diffusait Radio 2, passai sur Radio 3 afin d'échapper aux informations de dix heures, écoutai la défaite de l'Angleterre face à l'Australie, criai mes informations de dix heures :

Don Foster mort.

Deux putains d'assassins, peut-être trois.

Moi le suivant ?

Comptant les assassins.

Goût du métal de revolver, odeur de ma merde.

Aboiements de chiens, hurlements d'hommes.

Paula morte.

Il y avait des choses que je devais faire, des choses qu'il fallait terminer.

Sous ces jolies moquettes neuves, dans les fissures et entre les pierres.

Je me renseignai à la poste de Netherton et une vieille femme qui n'y travaillait pas m'indiqua le chemin de Maple Well Drive.

Le numéro 16 était un pavillon de plain-pied, comme toutes les autres maisons de la rue, qui ressemblait beaucoup à celui d'Enid Sheard, à celui de Goldthorpe. Un petit jardin bien entretenu, avec une haie basse et une tablette pour les oiseaux.

Si George Marsh avait fait quelque chose, ce n'était pas ici.

J'ouvris la petite barrière métallique noire et pris l'allée. Je voyais les images de la télévision à travers les rideaux.

Je frappai à la porte vitrée, l'air me faisait mal.

Une femme grassouillette, aux cheveux gris permanentés, une serviette de table à la main, ouvrit.

– Mme Marsh ?

– Oui ?

– Mme George Marsh ?

– Oui ?

Je lui poussai violemment la porte au visage.

– Qu'est-ce que c'est que ce bordel ?

Elle tomba sur le cul à l'intérieur.

Je me précipitai dans le couloir, enjambai les bottes en caoutchouc et les chaussures de jardinage.

– Où est-il ?

Elle avait la serviette de table sur le visage.

– Où est-il ?

– Je ne sais pas.

Elle tenta de se lever.

Je la giflai violemment.

Elle retomba.

– Où est-il ?

– Je ne sais pas.

La salope au visage dur avait les yeux dilatés, envisageait des larmes.

Je levai à nouveau la main.

– Où ?

– Qu'est-ce qu'il a fait ?

Il y avait une entaille, au-dessus de son œil, et sa lèvre inférieure enflait.

– Vous le savez.

Elle sourit, un putain de sourire pincé.

– Dites-moi où ?

Elle était allongée sur les chaussures et les parapluies, me regardait en face, sa sale bouche entrouverte en un demi-sourire, comme si elle pensait à se faire sauter.

– Où ?

– Dans la cabane des jardins ouvriers.

Je compris alors ce que je trouverais.

– Où est-ce ?

Elle souriait toujours. Elle savait ce que je trouverais.

– Où ?

Elle leva la serviette de table.

– Je ne peux pas...

– Conduisez-moi, dis-je, la prenant pas le bras.

– Non !

Je la forçai à se lever.

– Non !

J'ouvris la porte.

– Non !

Je la tirai dans l'allée, son crâne rouge et irrité sous la permanente grise.

– Non !

– De quel côté ? demandai-je près de la barrière.

– Non, non, non.

– De quel putain de côté ?

J'accentuai mon étreinte.

Elle pivota sur elle-même, regarda au-delà du pavillon.

Je lui fis franchir la barrière, la poussai jusqu'à l'arrière des maisons de Maple Well Drive.

Il y avait un champ brun désert, derrière les pavillons, en pente abrupte jusqu'au ciel d'un blanc sale. Il y avait une porte dans un mur, un chemin de terre et, à l'endroit où le champ et le ciel se rencontraient, une rangée de cabanes noires.

– Non !

Je la tirai sur le bas-côté, la poussai contre les pierres sèches du mur.

– Non, non, non.

– Fermez votre sale gueule, putain de salope.

Je saisis sa bouche de la main gauche, transformai son visage en tête de poisson.

Elle tremblait, mais il n'y avait pas de larmes.

– Il est là-haut ?

Elle me regarda droit dans les yeux, puis hocha une fois la tête.

– S'il n'y est pas, ou s'il nous entend arriver, je te buterai, putain, tu comprends ?

Elle me regardait droit dans les yeux ; à nouveau, elle hocha une fois la tête.

Je lâchai sa bouche, du maquillage et du rouge à lèvres sur les doigts.

Elle resta appuyée contre le mur, immobile.

Je la pris par le bras et lui fis franchir la porte.

Elle regarda la rangée de cabanes noires.

– Avance, dis-je en la poussant.

Elle prit le chemin de terre, moi derrière elle, les ornières pleines d'eau noire, l'air chargé d'une odeur de merde animale.

Elle trébucha, tomba, se releva.

Je regardai Netherton : comme Ossett, comme partout.

Je vis les pavillons et les cités ouvrières, les boutiques et le garage.

Elle trébucha, tomba, se releva.

Je vis tout.

Je vis une camionnette blanche cahotant dans la montée, faisant rouler sur elle-même la petite cargaison qui se trouvait à l'arrière.

Je vis une camionnette blanche cahotant dans la descente, sa petite cargaison immobile et silencieuse.

Je vis Mme Marsh devant l'évier de sa cuisine, cette putain de serviette de table à la main, regardant la camionnette aller et venir.

Elle trébucha, tomba, se releva.

Nous étions presque en haut de la côte, presque aux cabanes. Elles évoquaient un village de l'âge de pierre, construit avec de la boue.

– Laquelle est-ce ?

Elle montra celle de l'extrémité, patchwork de toile goudronnée, de sacs d'engrais, de tôle ondulée et de briques.

Je me remis en marche, la traînant derrière moi.

– Celle-ci ? soufflai-je, montrant une porte noire, en bois, où un sac de ciment tenait lieu de fenêtre.

Elle acquiesça.

– Ouvrez.

Elle tira la porte.

Je la poussai à l'intérieur.

Il y avait un établi et des outils, des piles de sacs d'engrais et de ciment, des pots de fleurs et des mangeoires pour oiseaux. Des sacs en plastique vides couvraient le sol.

Ça puait la terre.

– Où est-il ?

Mme Marsh pouffait, la serviette de table sur le nez et la bouche.

Je pivotai sur moi-même et la frappai violemment à travers la serviette.

Elle glapit, hurla, tomba à genoux.

Je saisis une poignée de gris permanenté, la traînai jusqu'à l'établi, pressai sa joue sur le bois.

– Ah, ha-ha-ha. Ah, ha-ha-ha.

Elle riait, criait, son corps tout entier tremblait, une main déplaçant les sacs en plastique qui couvraient le sol, l'autre pressant sa jupe sur sa chatte.

Je saisis un ciseau à bois ou un couteau de peintre.

– Où est-il ?

– Mmm, ha-ha-ha. Mmm, ha-ha-ha.

Ses cris étaient un bourdonnement, ses glousse-ments rationnés.

– Où est-il ?

Je posai le ciseau à bois sur sa gorge flasque.

– Ah, ha-ha-ha. Ah, ha-ha-ha.

Elle se remit à s'agiter, ses genoux et ses pieds déplaçant les sacs en plastique.

Je regardai parmi les sacs et vis un morceau de grosse corde boueuse.

Je lâchai le visage de la femme, l'écartai.

Je déplaçai les sacs à coups de pied et trouvai une trappe où, comme sur un bouton géant, une corde noire et sale passait par deux trous.

J'enroulai la corde autour de ma main valide et, de ma main blessée, je tirai la trappe et la fis basculer sur le côté.

Assise sur le cul sous l'établi, Mme Marsh pouffait et tapait des talons par terre, hystérique.

Je regardai dans le trou, un étroit puits de pierre équipé d'une échelle métallique qui aboutissait à une zone faiblement éclairée, une quinzaine de mètres plus bas.

C'était le puits de drainage ou de ventilation d'une mine.

– Il est là-dedans ?

Elle battit des pieds de plus en plus vite, le nez et la bouche toujours en sang, écarta soudain les jambes, frotta la serviette de table sur le haut de son collant beige et sa culotte rouge rubis.

Je passai les bras sous l'établi et la tirai par les chevilles. Je la mis à plat ventre et m'assis sur son cul.

– Ah, ha-ha-ha. Ah, ha-ha-ha.

Je levai la main, pris un morceau de corde sur l'établi. Je le passai autour de son cou, puis l'enroulai autour de ses poignets, le nouai finalement autour d'un des pieds de l'établi.

Mme Marsh s'était pissé dessus.

Je regardai une nouvelle fois dans le puits, pivotai sur moi-même, plongeai un pied dans le noir.

Je descendis l'échelle métallique froide et mouillée, les parois en briques visqueuses contre mes flancs.

Je descendis, jusqu'à trois mètres.

Un faible bruit d'eau était perceptible, parmi les glapissements et les cris de Mme Marsh.

Je descendis, jusqu'à six mètres.

En haut, un cercle de lumière grise et de démence.

Je descendis, jusqu'à neuf mètres, le rire et les cris s'estompant.

Je percevais la présence d'eau, en bas, imaginais des galeries de mine pleines d'eau noire et de cadavres à la bouche ouverte.

Je descendis vers la lumière, sans regarder en haut, certain seulement que je descendais.

Soudain, une des parois du puits disparut et je fus dans la lumière.

Je pivotai, aperçus la bouche jaune d'un passage horizontal sur ma droite.

Je descendis encore un peu, puis me retournai, posai les coudes au bord du trou.

Je me hissai dans la lumière et rampai sur la surface plate. La lumière était vive, le tunnel étroit et long.

Dans l'impossibilité de me redresser, je rampai sur le ventre et les coudes dans le passage, sur les briques rugueuses, en direction de la source de lumière.

J'étais en sueur, fatigué et j'avais une envie folle de me redresser.

Je continuai de ramper, imaginant des mètres puis des kilomètres, ayant perdu toute notion de la distance.

Soudain le plafond s'éloigna et je me mis à genoux, progressai péniblement dans cette position, pensant aux montagnes de terre qui se trouvaient au-dessus de ma tête, jusqu'au moment où mes genoux et mes tibias à vif se révoltèrent.

Je perçus des mouvements dans la faible lumière, souris ou rats, pieds d'enfants.

Je plongeai la main dans l'argile et la boue et en sortis une chaussure ; une sandale d'enfant.

Allongé sur les briques, dans la poussière et la crasse, je refoulai mes larmes, la chaussure sur les bras, incapable de la jeter, incapable de la laisser.

Je m'accroupis et repartis, mon dos heurtant des poutrelles et des poutres, parcourus un mètre par-ci, trente centimètres par-là.

Puis l'air changea, le bruit d'eau disparut et je respirai l'odeur de la mort, j'entendis sa plainte.

Le plafond monta une nouvelle fois et il y eut de nouvelles poutres en bois contre lesquelles je pus me cogner la tête, puis je tournai, près d'un vieil éboulis ; j'étais arrivé.

Je m'immobilisai à l'entrée d'un vaste tunnel, brillamment éclairé par dix lampes à arc, le souffle court, couvert de sueur, crevant de soif et tentant d'assimiler.

La putain de grotte du père Noël.

Je lâchai la chaussure, les larmes ruisselant sur mon visage sale.

Le tunnel avait été habillé de briques quatre ou cinq mètres plus loin, les briques peintes en bleu avec des nuages blancs, le sol couvert de sacs et de plumes blanches.

Sur les deux murs latéraux, il y avait une dizaine de minces miroirs alignés.

Des anges, des fées et des étoiles de sapin de Noël, suspendus aux poutres, brillaient dans la lumière des lampes.

Il y avait des caisses et il y avait des sacs, il y avait des vêtements et il y avait des outils.

Il y avait des appareils photo et il y avait des projecteurs, il y avait des magnétophones et il y avait des bandes.

Et au pied du mur bleu, à l'extrémité de la pièce, gisant sous des sacs ensanglantés, il y avait George Marsh.

Sur un lit de roses rouges mortes.

Sur le tapis de plumes, je me dirigeai vers lui.

Il se tourna vers la lumière : ses yeux des trous, sa bouche ouverte, son visage un masque de sang rouge et noir.

Marsh ferma la bouche, des bulles de sang grossissant et éclatant, le hurlement d'un chien à l'agonie montant des profondeurs de son ventre.

Je me penchai et regardai les orifices qui avaient abrité ses yeux, l'intérieur de sa bouche, où sa langue avait formé des sons, et je crachai un petit morceau de moi.

Je me redressai et écartai les sacs.

George Marsh était nu et en train de mourir.

Son torse était violet, vert et noir, couvert de merde, de boue et de sang, brûlé.

Sa queue et ses couilles avaient disparu : lambeaux de peau et flaque de sang.

Il eut des soubresauts convulsifs et tendit les mains vers moi : il n'y avait plus que le pouce et le petit doigt.

Je me redressai, rejetai les sacs sur lui.

Il resta immobile, la tête levée, espérant la fin, la plainte grave d'un homme appelant la mort emplissant la galerie.

Je m'approchai des sacs et des caisses, les renversai, répandis des vêtements, des guirlandes de Noël, des babioles et des poignards, des couronnes en papier et des aiguilles géantes ; je cherchai des livres, je cherchai des mots.

Je trouvai des photos.

Des caisses de photos.

Des photos d'écolières, portraits de larges sourires blancs et de grands yeux bleus, de cheveux jaunes et de peau rose.

Puis je revis tout.

Clichés en noir et blanc de Jeanette et de Susan, dans des coins, genoux sales fléchis, mains minuscules sur des yeux fermés, grands éclairs blancs saturant la pièce.

Sourires adultes et yeux d'enfants, genoux sales en costume d'ange, mains minuscules sur trous sanglants, grands rires blancs saturant la pièce.

Je vis un homme, coiffé d'une couronne en papier pour tout vêtement, violer des petites filles sous la terre.

Je vis sa femme, qui cousait des costumes d'ange, les embrasser mieux encore.

Je vis un jeune Polak débile voler des photos et en développer d'autres.

Je vis des hommes qui construisaient des maisons, regardaient les petites filles jouer de l'autre côté de la rue, les photographiaient et prenaient des notes, construisaient des maisons neuves près des vieilles.

Puis je regardai à nouveau George Marsh, Gaffer, qui mourait dans des souffrances atroces sur son lit de roses rouges mortes.

George Marsh. Un homme très bien.

Mais ça ne suffisait pas.

Je vis Johnny Kelly, un marteau à la main, un travail inachevé.

Ça ne suffisait toujours pas.

Je vis un homme enroulé dans du papier et des plans, consumé par de noires visions d'anges, dessinant des maisons en forme de cygnes, suppliant qu'on garde le silence.

Et ça ne suffisait toujours pas.

Je vis le même homme accroupi dans un coin sombre, hurlant : Fais ça pour moi, George, PARCE QUE J'EN VEUX ENCORE ET TOUT DE SUITE.

Je vis John Dawson.

Et c'était trop, beaucoup trop. À quatre pattes puis à plat ventre, l'oreille aux aguets : le bruit de l'eau et le puits qui conduisait à la cabane, les hurlements de Marsh au fond des ténèbres, leurs hurlements dans ma tête :

Il y avait une belle vue, avant qu'ils construisent ces maisons neuves.

J'atteignis l'échelle et montai, m'écorchant le dos sur les parois, vers la lumière.

Et je montai, montai.

J'arrivai en haut et me hissai dans la cabane.

Elle était toujours là, ligotée à plat ventre et attachée à l'établi.

Je m'allongeai sur les sacs en plastique, le souffle court, en sueur, mû par la peur.

Elle me sourit, le menton couvert de bave, les cuisses de pisse.

Je pris un couteau sur l'établi, coupai ses liens.

Je la poussai vers le puits, saisis sa permanente et lui tirai la tête en arrière, le couteau sur sa gorge.

– Tu retournes en bas.

Je la fis pivoter, poussai ses jambes dans le vide d'un coup de pied.

– Tu peux descendre ou tomber, je m'en fous.

Elle posa un pied sur un barreau et se mit à descendre, les yeux rivés aux miens.

– Jusqu'à ce que la mort vous sépare, crachai-je.

Ses yeux luisaient dans l'obscurité, fixes.

Je me retournai, ramassai la grosse corde noire et fis basculer la trappe sur l'entrée du puits.

Je pris un sac de ciment et le posai sur la trappe, puis un autre, un autre et un autre.

Ensuite, j'empilai des sacs d'engrais sur les sacs de ciment.

Je m'assis sur les sacs, sentis que mes jambes et mes pieds devenaient glacés.

Je me levai, pris un cadenas et une clé sur l'établi.

Je me levai et sortis de la cabane. Je tirai la porte et la fermai avec le cadenas.

Je m'éloignai en courant dans le champ, jetai la clé dans la boue.

La porte du 16 était toujours entrouverte, *Crown Court* à la télé.

J'entrai et j'allai chier.

J'éteignis la télé.

Je m'assis sur leur canapé et pensai à Paula.

Puis je fouillai les pièces et les tiroirs.

Dans l'armoire, je trouvai un fusil et des boîtes de cartouches. J'enveloppai le tout dans un sac-poubelle et regagnai la voiture. Je mis le fusil et les cartouches dans le coffre de la Maxi.

Je retournai dans le pavillon, y jetai un dernier coup d'œil, puis je fermai la porte à clé et repris l'allée.

Debout près du mur, je regardai la rangée de cabanes noires, la pluie sur le visage, couvert de boue.

Je montai en voiture et démarrai.

4 LUV.

Tout pour l'amour.

Shangrila, tapie, seule, sur fond de ciel gris usé, gouttes de pluie tombant de ses gouttières.

Je me garai une fois de plus derrière une haie sale, une fois de plus dans une rue déserte, et une fois de plus je pris une allée morne.

De la neige fondue tombait et je me demandai à nouveau si ça changeait quelque chose pour les poissons orange géants du bassin, et je compris que George Marsh souffrait, que Don Foster avait dû souffrir, lui aussi, et je ne pus décider quels sentiments cela éveillait en moi.

J'eus envie d'aller voir ces gros poissons de couleur vive, mais continuai mon chemin.

Il n'y avait pas de voiture dans l'allée, seulement deux pintes de lait mouillées sur le seuil, dans un panier métallique.

J'étais écœuré et terrifié.

Je baissai la tête.

J'avais un fusil dans les bras.

J'appuyai sur la sonnette, écoutai le carillon retentir à l'intérieur de Shangrila, pensai à la queue ensanglantée de George Marsh et aux genoux ensanglantés de Don Foster.

Il n'y eut pas de réponse.

J'appuyai une nouvelle fois sur la sonnette, frappai avec la crosse du fusil.

Toujours pas de réponse.

Je tentai d'ouvrir.

La porte n'était pas fermée à clé.

J'entrai.

– Il y a quelqu'un ?

La maison était froide et presque silencieuse.

Je m'immobilisai dans l'entrée, répétai :

– Il y a quelqu'un ?

On entendait un sifflement grave suivi d'un cliquetis sourd répété.

J'entrai, sur ma gauche, dans une grande salle de séjour blanche.

Au-dessus d'une cheminée inutilisée il y avait une grande photo en noir et blanc d'un cygne s'envolant au-dessus d'un lac.

Il n'était pas seul :

Sur toutes les tables, sur toutes les étagères, sur toutes les tablettes des fenêtres, des cygnes en bois, des cygnes en verre, des cygnes en porcelaine.

Des cygnes en vol, des cygnes endormis et deux cygnes géants qui s'embrassaient, cous et becs formant un cœur.

Deux cygnes sur l'eau.

Gagné.

Jusqu'aux boîtes d'allumettes posées sur la cheminée vide.

Immobile, je regardai les cygnes, écoutai le sifflement et les cliquetis.

La pièce était glaciale.

Je m'approchai d'une grande caisse en bois, laissant des empreintes de pas boueuses sur la moquette crème. Je posai le fusil, ouvris le couvercle de la caisse, soulevai l'aiguille posée sur le disque. C'était Mahler.

Chants pour les enfants morts.

Je me retournai brusquement, regardai du côté de la pelouse, croyant avoir entendu une voiture dans l'allée.

Ce n'était que le vent.

Je gagnai la fenêtre et regardai la haie.

Il y avait quelque chose, là-bas, quelque chose dans le jardin.

Pendant quelques instants, je crus voir une petite Gitane aux cheveux châtains, assise au pied de la haie, pieds nus et des brindilles dans la chevelure.

Je fermai les yeux, les ouvris, et elle avait disparu.

J'entendis un martèlement étouffé.

Je reculai sur un épais tapis crème, donnai un coup de pied dans un verre qui gisait déjà sur le flanc dans une tache humide. Je le ramassai et le posai sur un dessous de verre représentant un cygne, sur une table basse en verre, près d'un journal.

C'était le journal du jour, mon journal.

Deux manchettes énormes, deux jours avant Noël :

ASSASSINAT DE LA SŒUR D'UNE STAR DU RUGBY.
DÉMISSION D'UN CONSEILLER.

Deux visages, deux paires d'yeux noirs d'encre, rivés sur moi.

Deux articles de ce con de Jack Whitehead et de George Greaves.

Je pris le journal, m'assis sur un grand canapé crème et lus les nouvelles :

Appelés par des voisins qui avaient entendu des hurlements, les policiers ont découvert le corps de Mme Paula Garland, chez elle, à Castleford, dimanche en début de matinée.

Mme Garland, trente-deux ans, était la sœur de Johnny Kelly, un des avants de Wakefield Trinity. La fille de Mme Garland, Jeanette, huit ans, avait disparu en rentrant de l'école et, malgré les recherches intensives de la police, n'avait jamais été retrouvée. Deux ans plus tard, en 1971, le mari de Mme Garland, Geoff, s'était suicidé.

De source policière, on indique que la mort de Mme Garland est considérée comme un meurtre et on peut supposer de ce fait que de nombreuses personnes collaborent à l'enquête. Une conférence de presse est prévue lundi en début de matinée.

Il s'est avéré impossible de recueillir la réaction de Johnny Kelly, vingt-huit ans.

Les yeux noirs d'encre, Paula, le visage grave, comme déjà morte.

William Shaw, dirigeant du parti travailliste et président du conseil du District métropolitain de Wakefield, a démissionné dimanche, décision qui a choqué la ville.

Dans une brève déclaration, Shaw, cinquante-huit ans, a imputé son retrait de la vie publique à des problèmes de santé.

Shaw, frère aîné de Robert Shaw, ministre de l'Intérieur, est entré en politique au parti travailliste par l'entremise du Syndicat des Transports. Il est devenu responsable régional et représentant du ST au comité exécutif du parti travailliste.

Ancien conseiller municipal et actif pendant de nombreuses années sur la scène politique du West Riding, Shaw était néanmoins un des partisans les plus en vue de la réforme des institutions locales et avait été membre de la commission Redcliffe-Maud.

L'élection de Shaw à la présidence du premier conseil du District métropolitain de Wakefield avait généralement été considérée comme l'assurance d'une transition en douceur.

Au sein du gouvernement local, hier soir, le moment choisi par M. Shaw pour donner sa démission suscitait le trouble et la consternation.

M. Shaw est également président de la Police du West Yorkshire et on ignore encore s'il conservera ce poste.

Il s'est avéré impossible de recueillir la réaction de Robert Shaw, ministre de l'Intérieur, sur la démission de son frère. M. Shaw serait chez des amis, en France.

Deux autres yeux noirs d'encre, Shaw, le visage grave, comme déjà mort.

Putain de Dieu.

Le public britannique a la vérité qu'il mérite.

Et j'avais eu la mienne.

Je posai le journal et fermai les yeux.

Je les vis devant leur machine à écrire, Jack et George, puant le scotch, au courant des secrets, tapant leurs mensonges.

Je vis Hadden, lisant leurs mensonges, au courant des secrets, payant leur scotch.

J'eus envie de dormir mille ans, de me réveiller quand les gens comme eux auraient disparu, quand leur sale encre noire ne pourrait plus souiller mes doigts, mon sang.

Mais cette putain de maison refusait de me laisser tranquille, le crépitement de la machine à écrire se mêlant au martèlement étouffé, jacassant dans mes oreilles, assourdissant mon crâne et mes os.

J'ouvris les yeux. Sur le canapé, près de moi, se trouvaient d'immenses feuilles de papier roulées, des plans d'architecte.

J'en déployai un sur la table basse en verre, sur Paula et Shaw.

C'était le plan d'un centre commercial, le centre commercial du Cygne.

Qui serait construit au bord de la M1, à la hauteur de la sortie de Hunslet et Beeston.

Je fermai les yeux, ma petite Gitane debout dans son cercle de feu.

À cause de cette saloperie d'argent.

Le centre commercial du Cygne.

Shaw, Dawson, Foster.

Les frères Box, qui voulaient leur part.

Shaw et Dawson, qui faisaient passer leurs divers plaisirs avant les affaires.

Foster, dans le rôle du chef de piste, qui tentait d'assurer le putain de spectacle.

Tout le monde à côté de ses pompes, à côté de ses baskets, peu importe.

Tous pourris.

À cause de cette saloperie d'argent.

Je me levai, sortis de la salle de séjour, entrai dans une cuisine froide, claire et luxueuse.

Un robinet coulait dans un évier en acier inoxydable vide. Je le fermai.

J'entendais encore le martèlement.

Il y avait une porte qui donnait sur le jardin et une deuxième sur le garage.

Le martèlement venait de la deuxième porte.

Je tentai de l'ouvrir, en vain.

Sous la porte, je vis quatre minces filets d'eau.

Je tentai une nouvelle fois de l'ouvrir, toujours en vain.

J'ouvris la porte du jardin à la volée, contournai la maison, gagnai la façade.

Le garage n'avait pas de fenêtre.

Je tentai d'ouvrir la porte à double battant du garage, en vain.

Je rentrai dans la maison par la porte principale.

Des clés, sur un anneau, étaient suspendues à celle qui se trouvait dans la serrure.

J'emportai les clés auprès du martèlement dans la cuisine.

J'essayai la plus grosse, la plus petite, puis une autre.

La serrure tourna.

J'ouvris la porte et avalai des gaz d'échappement.

Merde.

Une Jaguar, moteur tournant, était garée seule dans le noir au fond d'un garage prévu pour deux voitures.

Merde.

Je pris une chaise de cuisine et poussai la porte, écartai du pied une pile de serviettes mouillées.

Je traversai le garage en courant, la lumière de la cuisine éclairant deux personnes à l'avant et un tuyau d'arrosage qui allait de l'échappement à une des vitres arrière.

La radio de la voiture était allumée, et Elton beuglait *Goodbye Yellow Brick Road*.

J'arrachai le tuyau, ainsi que d'autres serviettes mouillées, du pot d'échappement, tentai d'ouvrir la portière du conducteur.

Fermée à clé.

Je gagnai la portière du passager, l'ouvris, pris une grande goulée de monoxyde de carbone dans les poumons et Marjorie Dawson – qui ressemblait toujours à ma mère et avait un sac de congélation ensanglanté sur la tête – sur les genoux.

Je tentai de la redresser, me penchai par-dessus le corps afin de couper le contact.

John Dawson était affaissé sur le volant, un sac de congélation sur la tête, lui aussi, les mains liées devant lui.

Voilà que ça recommence. Les propos dangereux tuent.

Ils étaient tous les deux bleus et morts.

Merde.

Je coupai le contact et Elton, m'assis sur le sol du garage, emportant Mme Dawson avec moi, sa tête, dans le sac, reposant sur mes genoux, tournés l'un et l'autre vers son mari.

L'architecte.

John Dawson, enfin et trop tard, la tête dans un sac de congélation en plastique.

John Dawson, nom de Dieu, toujours un fantôme et maintenant en chair et en os, un fantôme dans un sac de congélation en plastique.

Ce con de John Dawson, seules ses œuvres resteraient, imposantes et fascinantes, me laissant aussi dépouillé et baisé que les autres ; dépouillé de la possibilité de savoir un jour et baisé parce que privé de l'espoir que ce savoir apporterait ; assis devant lui, sa femme dans les bras, souhaitant désespérément réveiller les morts pour une seconde, souhaitant désespérément réveiller les morts pour un mot.

Silence.

Je repoussai aussi doucement que possible Mme Dawson dans la voiture, l'appuyai contre son mari, leurs têtes recouvertes des sacs de congélation l'une contre l'autre, toujours dans ce putain de silence.

Merde.

Les propos dangereux tuent.

Je sortis mon mouchoir gris et sale, essuyai.

Cinq minutes plus tard, je fermai la porte qui donnait sur la cuisine et regagnai la maison.

Je m'assis sur le canapé, près de leurs plans, de leurs projets, de leurs rêves de merde, et je pensai aux miens, un fusil sur les genoux.

La maison était silencieuse.

Pas un bruit.

Je me levai et sortis de Shangrila par la grande porte.

Je regagnai le Redbeck, radio éteinte, essuie-glaces couinant comme des rats dans le noir.

Je me garai dans une flaque d'eau et sortis le sac-poubelle noir du coffre. Je traversai le parking en boitant, les membres ankylosés à cause de mon séjour sous terre.

J'ouvris la porte et entrai, à l'abri de la pluie.

La chambre 27 froide et hostile, le sergent Fraser parti depuis longtemps.

Je m'assis par terre sans allumer, écoutai les camions aller et venir, pensai à Paula, aux danses pieds nus devant *Top of the Pops,* quelques jours auparavant, dans un autre temps.

Je pensai à BJ et à Jimmy Ashworth, aux adolescents tapis dans les armoires géantes de chambres humides.

Je pensai aux Myshkin, aux Marsh, aux Dawson, aux Foster et aux Box, à leur vie et à leurs crimes.

Puis je pensai aux hommes sous terre, aux enfants qu'ils volaient, et aux mères qu'ils laissaient.

Puis, quand il me devint impossible de pleurer, je pensai à ma mère et me levai.

Les jaunes du hall étaient plus vifs que jamais, la puanteur plus forte.

Je décrochai le combiné, composai le numéro, posai une pièce près de la fente.

– Allô?

Je glissai la pièce dans l'appareil.

– C'est moi.

– Qu'est-ce que tu veux?

– Dire que je suis désolé.

– Qu'est-ce qu'ils t'ont fait ?

Je regardai les fauteuils marron, cherchai la vieille femme.

– Rien.

– L'un d'entre eux m'a giflée, tu sais.

Mes yeux piquaient.

– Dans ma propre maison, Edward.

– Je suis désolé.

Elle pleurait. J'entendis la voix de ma sœur. Elle disputait ma mère. L'œil vide, je regardais, tout autour de l'appareil, les noms et les promesses, les menaces et les numéros griffonnés.

– S'il te plaît, rentre à la maison.

– Je ne peux pas.

– Edward !

– Je suis vraiment désolé, maman.

– Je t'en prie !

– Je t'aime.

Je raccrochai.

Je décrochai, voulus composer le numéro de Kathryn, ne pus m'en souvenir, raccrochai à nouveau, regagnai sous la pluie la chambre 27.

Le ciel, en haut, était vaste et bleu, sans un nuage.

Elle était dans la rue, serrait un gilet rouge autour d'elle, souriait.

Ses cheveux étaient blonds et flottaient dans le vent.

Elle tendit les bras vers moi, me prit par le cou.

– Je ne suis pas un ange, souffla-t-elle dans mes cheveux.

Baiser, sa langue contre la mienne.

Je passai les mains dans son dos, pressant nos corps l'un contre l'autre.

Sous l'effet du vent, ses cheveux fouettaient mon visage.

Elle interrompit notre baiser quand je jouis.

Je m'éveillai sur le plancher, du sperme dans mon pantalon.

En caleçon devant le lavabo de ma chambre du Redbeck, eau tiède et grise coulant sur ma poitrine et sur le sol, envie de rentrer chez moi mais ne voulant être le fils de personne, photos de petites filles souriantes dans le miroir.

Assis en tailleur sur le plancher de ma chambre du Redbeck, déroulant le bandage noir de ma main, m'arrêtant juste avant le gâchis et la chair, déchirant un autre drap avec les dents et pansant ma main avec les bandes, des plaies plus cruelles ricanant, au mur.

À nouveau revêtu de mes vêtements boueux, à la porte de ma chambre du Redbeck, avalant des cachets et allumant des cigarettes, envie de dormir mais pas de rêver, pensant : ce sera le jour de ma mort. Image de Paula faisant au revoir de la main.

12

Une heure du matin.
Rock On.
Mardi 24 décembre 1974.
Le putain de jour du réveillon.
Entends-tu les cloches du traîneau qui tintent ?
J'entrai dans Wakefield par Barnsley Road, les maisons éteignaient leurs guirlandes de Noël, le bon vieux temps était fini.

J'avais un fusil dans le coffre de la voiture.

Je traversai Calder, passai devant le marché, arrivai sur le Bullring, la cathédrale prise au piège du ciel noir.

Tout était mort.

Je me garai devant un magasin de chaussures.

J'ouvris le coffre.

Je sortis le fusil du sac-poubelle en plastique noir.

Je chargeai le fusil dans le coffre de la voiture.

Je mis des cartouches supplémentaires dans ma poche.

Je sortis le fusil du coffre.

Je fermai le coffre de la voiture.

Je traversai le Bullring.

Au premier étage du Strafford, il y avait de la lumière, alors que le rez-de-chaussée était dans le noir.

J'ouvris la porte et gravis les marches une par une.

Ils étaient au bar, whisky et cigare pour tout le monde :

Derek Box et Paul, le sergent Craven et l'agent Douglas.

Rock 'n' Roll Part 2 sur le juke-box.

Barry James Anderson, visage noir et bleu, dansait seul dans le coin.

J'avais une main sur le canon, un doigt sur la détente.

Ils levèrent la tête.

– Nom de Dieu, dit Paul.

– Lâche ce fusil, dit un des flics.

Derek Box sourit.

– Bonsoir, Eddie.

Je lui dis ce qu'il savait déjà.

– Tu as tué Mandy Wymer ?

Box tourna la tête et tira longuement sur un gros cigare.

– Vraiment ?

– Et Donald Foster ?

– Et alors ?

– Je veux savoir pourquoi.

– Journaliste dans l'âme, hein ? Devine, Scoop.

– À cause d'un putain de centre commercial ?

– Ouais, à cause d'un putain de centre commercial.

– Qu'est-ce que Mandy Wymer avait à voir avec un centre commercial ?

– Tu veux que je te le dise ?

– Ouais, dis-le-moi.

– Pas d'architecte, pas de centre commercial.

– Alors elle savait ?

Il riait.

– Qui sait, hein ?

Je vis des petites filles mortes et des projets commerciaux tout neufs, des femmes mortes scalpées et des gens à l'abri de la pluie.

Je dis :

– Ça t'a fait plaisir.

– Je t'ai dit dès le début qu'on aurait tous ce qu'on voulait.

– À savoir ?

– La vengeance et l'argent, la combinaison parfaite.

– Je ne voulais pas de vengeance.

– Tu voulais la gloire, cracha Box. C'est pareil.

Des larmes coulaient sur mon visage, sur mes lèvres.

– Et Paula ? C'était quoi ?

Box tira une nouvelle fois longuement sur son cigare.

– Comme je l'ai dit, je ne suis pas un ange.

Je lui tirai dans la poitrine.

Il tomba contre Paul, l'air sortant en sifflant de son corps.

Rock 'n' Roll.

Je rechargeai.

Je tirai à nouveau, touchai Paul au flanc, et il bascula.

Rock 'n' Roll.

Les deux policiers, immobiles, regardaient.

Je rechargeai et tirai.

Je touchai le petit à l'épaule.

Je voulus recharger, mais le grand barbu avança.

Je retournai le fusil et abattis la crosse sur le côté de son visage.

Il resta immobile, les yeux fixés sur moi, un peu de sang coulant de son oreille sur sa veste.

Rock 'n' Roll.

La fumée et l'odeur forte de la poudre emplissaient la pièce.

La femme qui se trouvait derrière le bar hurlait et son chemisier était taché de sang.

Un homme, qui occupait une table proche d'une fenêtre, avait ouvert la bouche et levé les mains.

Le policier de haute taille était toujours debout, le regard vide, tandis que l'autre, le petit, rampait en direction des toilettes.

Paul gisait sur le dos et regardait le plafond, ouvrait et fermait les yeux.

Derek Box était mort.

BJ avait cessé de danser.

Je braquai le fusil sur lui, à hauteur de poitrine.

Je dis :

– Pourquoi moi ?

– Tu as été si chaudement recommandé.

Je lâchai le fusil et descendis l'escalier.

Je retournai à Ossett.

Je garai la Maxi de Fraser sur le parking d'un supermarché et gagnai Wesley Street à pied.

La Viva était seule dans l'allée, la maison de ma mère plongée dans le noir et endormie à côté.

Je montai dans la voiture, lançai le moteur et du même coup la radio.

J'allumai ma dernière cigarette et récitai mes petites prières :

Clare, celle-ci est pour toi.

Susan, celle-ci est pour toi.

Jeanette, celle-ci est pour toi.

Paula, elles sont toutes pour toi.

Et pour celles qui ne sont pas nées.

Assis là, je chantais *The Little Drummer Boy* en même temps que la radio, et ces jours d'autrefois, ces jours de grâce, revenaient.

En attendant les gyrophares bleus.

À cent trente à l'heure.

Rivages / noir

Rivages / Mystère

Imprimé en France
Achevé d'imprimer en mars 2004
sur les presses de l'Imprimerie Maury-Eurolivres
45300 Manchecourt
pour le compte
des Éditions Payot & Rivages
106, bd Saint-Germain - 75006 Paris

Dépôt légal : mars 2004
N° d'imprimeur : 106120